BESTSELLER

Clive Cussler posee una naturaleza tan aventurera como la de sus personajes literarios. Ha batido todos los récords en la búsqueda de minas legendarias y dirigiendo expediciones en busca de más de sesenta barcos naufragados de inestimable valor histórico. Asimismo, Cussler es un apasionado de los coches antiguos, y su colección es una de las más selectas del mundo. Sus novelas han revitalizado el género de aventuras y cautivan a millones de lectores. Entre las protagonizadas por Juan Cabrillo, uno de sus héroes más populares, cabe destacar *El buda de oro*, *La piedra sagrada*, *Alerta nocturna*, *La costa de los diamantes*, *Secta letal*, *Corsario* y *El mar del silencio*. Clive Cussler divide su tiempo entre Denver, Colorado, y Paradise Valley, Arizona.

Jack du Brul es un afamado escritor de *techno thrillers*. Además de los libros protagonizados por Juan Cabrillo, que ha escrito junto a Clive Cussler, es el autor de una serie protagonizada por el intrépido geólogo Philip Mercer.

Biblioteca

CLIVE CUSSLER
y JACK DU BRUL

El mar del silencio

Traducción de
Alberto Coscarelli

DEBOLS!LLO

Título original: *The Silent Sea*

Primera edición en Debolsillo: enero, 2012

© 2010, Sandecker, RLLLP
 Publicado por acuerdo con Peter Lampack Agency, Inc.
 551 Fifth Avenue, Suite 1613
 Nueva York, NY 10176-0187, Estados Unidos
 y Lennart Sane Agency AB.
© 2011, Random House Mondadori, S. A.
 Travessera de Gràcia, 47-49. 08021 Barcelona
© 2011, Alberto Coscarelli Guaschino, por la traducción

Printed in Spain – Impreso en España

ISBN: 978-84-9989-363-1 (vol.244/38)
Depósito legal: B-37915-2011

Compuesto en & Ass., S. L.

Impreso en Barcelona por: **blackprint**
A CPI COMPANY

P 9 9 3 6 3 1

La brisa bella sopló, la espuma blanca flotó,
la estela nos seguía libre;
éramos los primeros que jamás irrumpieron
en ese Mar del Silencio.

SAMUEL TAYLOR COLERIDGE,
La balada del viejo marinero

Prólogo

7 de diciembre de 1941
Pine Island, estado de Washington

Una mancha dorada saltó por encima de la borda de la pequeña embarcación en el momento en el que la proa tocó el fondo rocoso de la playa. Cayó al agua con un chapoteo y nadó contra la resaca, con la cola levantada como un banderín triunfante. Cuando el perro llegó a tierra, se sacudió y las gotas volaron como chispas de diamante en el aire seco; luego miró hacia el esquife. El animal ladró a una pareja de gaviotas en la playa que, espantadas, remontaron inmediatamente el vuelo. Viendo que sus compañeros tardaban mucho en llegar, el perro corrió hacia la primera línea de árboles; sus ladridos se fueron apagando hasta que desapareció en las profundidades del bosque que cubría la mayor parte de la isla, a tan solo una hora de remo de tierra firme.

—Amelia —gritó Jimmy Ronish, el más joven de los cinco hermanos que iban a bordo de la embarcación.

—No le pasará nada —lo tranquilizó Nick, que dejó los remos en el suelo de la barca y cogió el cabo de proa. Era el mayor de los chicos Ronish.

Calculando el salto a la perfección, pisó los cantos rodados de la playa justo cuando el oleaje retrocedía. Con tres zancadas fue más allá de la línea de algas y restos depositados por el mar y pasó el cabo alrededor de un tronco blanqueado por la sal marina y el sol y con la superficie cubierta de numerosas iniciales talladas. Tiró del cabo hasta dejar el esquife embarrancado en la arena y lo ató.

—Moveos —ordenó Nick Ronish a sus hermanos menores—. La marea bajará en cinco horas, y tenemos mucho que hacer.

Si bien la temperatura del aire era suave en esta época del año, las aguas del Pacífico Norte eran gélidas, pero tenían que descargar mojándose con las olas que rompían. Una de las piezas más pesadas del equipo era un rollo de cuerda de cáñamo de cien metros de longitud que Ron y Don, los mellizos, tuvieron que cargar entre los dos para llevarlo a la playa. Jimmy se hizo cargo de la bolsa con la comida, y como tenía nueve años ya era suficiente carga para su delgado cuerpo.

Los cuatro chicos mayores —Nick de diecinueve, Ron y Don un año más jóvenes, y Kevin once meses menor que estos— podrían haber pasado por cuatrillizos con el pelo rubio largo y los ojos azul claro. Conservaban la alegre energía de la juventud en sus cuerpos, aunque se estaban convirtiendo muy deprisa en hombres. Sin embargo, Jimmy era pequeño para su edad, con el pelo oscuro y los ojos castaños. Sus hermanos se burlaban de él diciéndole que se parecía al señor Greenfield, el dueño del colmado, y aunque Jimmy no tenía muy claro qué significaba eso, sabía que no le gustaba. Idolatraba a sus hermanos mayores y detestaba cualquier cosa que le distinguiera de ellos.

Desde los tiempos del abuelo la familia era propietaria de la pequeña isla, y en ella todas las generaciones de chicos —pues en la familia no habían tenido ni una sola niña desde 1862— pasaban los veranos convertidos en exploradores. Allí no solamente podían imaginar que eran Huck Finn perdido en el Mississippi o Tom Sawyer explorando las intrincadas cuevas de la isla, sino que, además, Pine Island tenía su propio misterio debido al pozo.

Las madres prohibían a los chicos que jugaran cerca del pozo desde que Abe Ronish, tío abuelo de los actuales hermanos Ronish, había muerto al caer en su interior en 1887. La orden, como era de esperar, se olvidaba en cuanto se escuchaba.

Pero el verdadero atractivo del lugar era la leyenda local que decía que un tal Pierre Devereaux, uno de los más exitosos bucaneros que habían asaltado los puertos de Cartagena de Indias, Portobello y Veracruz, de donde zarpaban los galeones españoles cargados hasta los topes con plata, había enterrado parte de su tesoro en esta lejana isla norteña para aligerar la carga de su nave y conseguir huir de una flotilla de fragatas que le habían perseguido alrededor del cabo de Hornos y la costa de las Américas. La leyenda se había reforzado con el descubrimiento de una pequeña pirámide de balas de cañón en una de las cuevas de la isla, y porque los primeros doce metros del pozo cuadrado estaban reforzados con vigas hechas con troncos moldeados a golpes de hacha.

Las balas de cañón se habían perdido hacía mucho tiempo y en ese momento se consideraban un mito, pero nadie podía negar la evidencia de los maderos que rodeaban el misterioso agujero en la tierra rocosa.

—Se me han mojado los zapatos —se quejó Jimmy.

Nick se volvió de inmediato hacia su hermano pequeño.

—Maldita sea, Jimmy, ya te he dicho que si te oía quejarte una sola vez te mandaría de vuelta a la embarcación.

—No me he quejado —respondió el chico, que intentó contener un sollozo—. Solo lo he dicho. —Se sacudió unas gotas del pie mojado para demostrar que no era un problema.

Nick le dirigió una mirada severa, con sus glaciales ojos azules, y volvió su atención al trabajo que tenían por delante.

Pine Island tenía forma de corazón y se elevaba sobre las heladas aguas del Pacífico. La única playa estaba donde se unían los dos lóbulos superiores. El resto de la isla estaba rodeada por acantilados tan insuperables como los muros de un castillo, o estaba protegida por escollos sumergidos que se extendían como cuentas de un rosario y que podían destrozar la quilla de la embarcación más robusta. Solo un puñado de animales vivían en la isla —en su mayoría, ardillas y ratones— que habían llegado ahí durante las tormentas, y las aves marinas, que utilizaban los altos pinos para descansar y buscar presas entre las olas. Una única carretera dividía la isla. Había sido laboriosamente construida veinte años atrás por otra generación de hombres de la familia, que habían intentado vaciar el pozo con bombas a motor pero habían fracasado. No importaba cuántas bombas utilizasen o cuánta agua sacasen de las profundidades, el pozo siempre volvía a llenarse. La exhaustiva búsqueda de un paso subterráneo que conectara el pozo con el mar no sirvió de nada. Se habló de construir un dique alrededor de la boca de la bahía más cercana al pozo, ya que era la ubicación más lógica para el conducto, pero los hombres decidieron que era demasiado trabajo y desistieron.

Ese día era el turno de Nick y sus hermanos, y él había deducido algo que ni su padre ni sus tíos habían tenido en cuenta. En el momento en el que Pierre Devereaux cavó el pozo para ocultar el tesoro, la única bomba de la que podía disponer tenía que ser la primitiva bomba de achique que utilizaban en la sentina. Debido a su escasa fuerza, era imposible que los piratas hubiesen podido vaciar el pozo cuando no lo habían conseguido tres bombas de diez caballos de potencia.

La respuesta a cómo funcionaba el pozo tenía que estar en alguna otra parte.

Por las historias que narraban sus tíos, Nick sabía que habían intentado drenarlo en pleno verano; cuando consultó un viejo calendario de mareas, comprobó que los hombres habían estado trabajando en un período de mareas muy altas. Sabía que para tener éxito él y sus hermanos tendrían que intentar llegar al fondo en la misma época del año en la que Devereaux había cavado el pozo —cuando las mareas estaban en su punto más bajo— y, ese año, la situación se daba un poco después de las dos de la tarde del 7 de diciembre.

Los hermanos mayores llevaban preparando el intento para descubrir el misterio del pozo desde principios de verano. Habían trabajado para cualquiera que había querido contratarlos y de ese modo habían reunido el dinero para comprar el equipo necesario; la pieza más importante era una bomba aspirante accionada por un motor de dos tiempos, pero también necesitaban cuerda y cascos de minero con linternas. Se ejercitaron con la cuerda y un cubo lleno para que sus hombros y brazos se acostumbraran a trabajar sin cansarse durante horas. Incluso diseñaron unas gafas que les permitirían ver debajo del agua si era necesario.

La presencia de Jimmy solo se debía a que había oído cómo sus hermanos hablaban de sus planes y les había amenazado con contárselo todo a sus padres si no le llevaban.

Hubo un súbito revuelo a su derecha: un estallido de pájaros que se elevaban hacia el cielo brillante. Detrás de ellos, Amelia, la perra dorada, apareció de entre los árboles, ladrando desaforadamente y moviendo la cola como si fuese el metrónomo del diablo. Persiguió a una de las gaviotas que volaba casi al ras del suelo y se detuvo, asombrada, cuando el pájaro se elevó de pronto. Se quedó con la lengua fuera, y una hilera de baba cayó de sus encías negras.

—¡Amelia! ¡Ven! —gritó Jimmy con su voz aguda. La perra corrió a su lado y a punto estuvo de derribarlo con su entusiasmo.

—Enano, coge esto —dijo Nick, y le dio a Jimmy los cascos de minero y las bolsas con las pesadas baterías de plomo.

La bomba era la pieza más pesada del equipo, así que Nick había improvisado una parihuela con dos listones de madera como había visto en las películas de la sesión matinal de los sábados, cuando los nativos llevaban al héroe de regreso al campamento; habían cogido los listones de una obra en construcción. Los cuatro chicos mayores se los cargaron al hombro y levantaron la bomba del esquife, que al principio se balanceó pero después se quedó quieta. Así comenzaron el primer tramo de kilómetro y medio a través de la isla.

Tardaron cuarenta y cinco minutos en llevar todo el equipo hasta el otro lado. El pozo estaba ubicado en un risco por encima de una bahía poco profunda, el único detalle que alteraba la casi perfecta figura de corazón. Las olas se estrellaban en la costa, pero con ese tiempo tan tranquilo solo algunas gotas de espuma blanca tenían la fuerza suficiente para alzarse por el acantilado y caer cerca del pozo.

—Kevin —dijo Nick, ligeramente corto de aliento después de su segundo viaje hasta la embarcación y ya de vuelta en el risco—, tú y Jimmy id a buscar leña para un fuego. Pero que no sea madera que ha traído el mar, porque se quema demasiado rápido.

Antes de ir a cumplir la orden, la curiosidad llevó a los cinco hermanos al borde del pozo para echar una rápida ojeada.

El agujero vertical cuadrado medía aproximadamente un metro ochenta de lado, y hasta donde alcanzaban a ver estaba forrado con tablones ennegrecidos por los años. Parecían de roble; sin duda los habían cortado en tierra firme y luego los habían llevado a la isla. El aire frío y pegajoso que subía de las profundidades como una siniestra caricia enfrió su entusiasmo por un momento. Era como si el pozo estuviese soltando unas rasposas exhalaciones, y no hacía falta esforzarse mucho para imaginar que provenían de los fantasmas de los hombres que habían muerto intentando descubrir los secretos de las entrañas de la tierra.

Una oxidada rejilla metálica tapaba la boca del pozo para impedir que alguien cayese en él. Estaba sujeta con unas cadenas pasadas alrededor de estacas metálicas taladradas en la roca. Habían encontrado la llave del candado en un cajón del escritorio del padre, debajo de una pistola Mauser con culatín que había conseguido durante la Primera Guerra Mundial. Por un momento, Nick tuvo miedo de que se rompiese en la cerradura, pero al final acabó girando y el candado se abrió.

—Id a buscar la leña —ordenó, y sus dos hermanos más pequeños partieron seguidos por la ruidosa Amelia.

Con la ayuda de los mellizos, Nick apartó la pesada rejilla de la boca y la dejó a un lado. Luego instalaron un andamio sobre el pozo para que la cuerda pudiese colgar suelta en el interior desde un polipasto que permitiría a dos de los chicos subir a un tercero sin problemas. Habían construido el andamio con los listones de la parihuela y unos pasadores de metal encajados en unos agujeros que habían taladrado antes. Clavaron los extremos en las vigas de roble que recubrían el agujero. A pesar de su antigüedad, la vieja madera aún era lo bastante fuerte como para que algunos clavos se torcieran.

Nick se encargó de atar los nudos que podían significar la diferencia entre la vida y la muerte, mientras Don, el más aficionado a la mecánica de todos ellos, trasteaba con la bomba hasta que empezó a funcionar como una seda.

Cuando todo estuvo preparado, Kevin y Jimmy ya habían encendido una buena hoguera a tres metros del pozo, y conseguido leña suficiente para mantenerla viva un par de horas. Se sentaron alrededor del fuego para comer los bocadillos que llevaban y beber té frío dulce de las cantimploras.

—El truco es calcular la hora exacta de la marea —comentó Nick con la boca llena de pan y salchichón—. Diez minutos antes y después estará tan baja como podemos esperar, pero pasado ese tiempo el pozo se inundará más rápido de lo que pueda achicar la bomba. Cuando lo intentaron en 1921, no llegaron más abajo de los sesenta metros, pero sabían, porque lo habían sondeado, que el fondo estaba a setenta y tres metros. Como estamos en un risco, calculo que el fondo estará unos seis metros por debajo de la marca de la marea baja. Tendríamos que ser capaces de tapar cualquier entrada de agua; la bomba se encargará del resto.

—Estoy seguro de que encontraremos un viejo cofre rebosante de monedas de oro —dijo Jimmy, entusiasmado con la idea.

—No olvides —señaló Don— que han dragado el pozo un centenar de veces con garfios, y nunca nadie ha encontrado nada.

—Entonces habrá doblones de oro esparcidos que estaban en bolsas que se han deshecho —insistió Jimmy.

Nick se puso de pie y se sacudió las migas de los muslos.

—Lo sabremos en media hora.

Se calzó unas botas de goma hasta los muslos y se echó al hombro la bolsa con las baterías para el casco de minero; luego cerró hasta arriba la chaqueta impermeable y se pasó el cable por el cuello. Sobre el otro hombro se colgó una segunda bolsa con el equipo.

Ron bajó por el pozo una boya de corcho con una marca cada tres metros en el cordel.

—Sesenta y tres metros —anunció cuando el cordel se aflojó.

Nick se puso el arnés y lo enganchó en el extremo de la gruesa cuerda.

—Baja la manguera de la bomba, pero no la pongas en marcha todavía —dijo a Don—. Voy a bajar.

Tiró con fuerza de la cuerda para probar el freno del polipasto, que funcionó a la perfección.

—Bien, chicos, nos hemos preparado para esto durante todo el verano. Se acabaron las prácticas, ahora es de verdad.

—Estamos preparados —dijo Ron Ronish, y su gemelo asintió.

—Jimmy, no quiero que te acerques a menos de tres metros del pozo, ¿entendido? Una vez que esté allá abajo, no habrá nada que ver.

—No lo haré. Lo prometo.

Nick conocía el valor de los juramentos de su hermano pequeño, así que cuando dirigió a Kevin una mirada de alerta, Kevin levantó el pulgar. Se aseguraría de que Jimmy se mantuviese apartado de allí.

—Sesenta y seis metros —avisó Ron después de haber mirado otra vez la señal en el cordel.

Nick sonrió.

—Ya estamos a más profundidad de la que ha llegado nadie

y ni siquiera hemos tenido que mover un dedo. —Se tocó la cabeza—. Todo está en el cerebro.

Sin pronunciar ninguna palabra más pasó por el borde del pozo y se colgó sobre la boca del agujero, su cuerpo se retorció alrededor de la cuerda hasta que se agarró bien. Si sentía algún miedo no se reflejaba en su rostro. Su expresión era de concentración. Hizo un gesto a los mellizos; estos tiraron de la cuerda para quitar el freno y luego comenzaron a soltarla por la polea. Nick bajó un par de palmos.

—De acuerdo, probemos de nuevo.

Los chicos tiraron otra vez y fijaron el freno.

—Ahora, subidme —ordenó Nick. Sus hermanos le izaron sin problemas la distancia que había bajado.

—Todo en orden, Nick —dijo Don—. Te dije que este aparato era a prueba de tontos. Demonios, estoy seguro de que incluso Jimmy podría subirte del fondo.

—Gracias, pero no. —Nick respiró hondo un par de veces y añadió—: De acuerdo. Esta vez es de verdad.

Con unos movimientos suaves y controlados, los mellizos dejaron que la gravedad llevase a Nick poco a poco hacia las profundidades. Les ordenó que parasen cuando llevaba recorridos solo tres metros dentro del pozo. A esa corta distancia, aún podían conversar. Más tarde, cuando Nick se aproximase al fondo, utilizarían el código de tirones del cordel de la boya que habían establecido.

—¿Qué pasa? —gritó Don.

—Hay unas iniciales marcadas en la madera: ALR.

—Estoy seguro de que son del tío Albert —comentó Don—. Creo que su segundo nombre era Lewis.

—Al lado están las iniciales JGR de papá, y lo que parece TMD.

—Ese tiene que ser el señor Davis. Estuvo con ellos cuando intentaron llegar al fondo.

—De acuerdo, bajadme.

Nick encendió la linterna de minero cuando alcanzó los doce

metros; allí, los soportes de madera daban paso a la roca desnuda. La piedra parecía natural, como si el pozo se hubiese formado hacía millones de años, cuando se creó la isla, y era lo bastante húmeda como para que estuviera cubierta por un viscoso moho verde pese a estar muy por encima de la línea de la marea. Enfocó la luz del casco más allá de sus piernas colgantes. Desapareció en el abismo a solo unos pocos metros de sus pies. Una fuerte corriente de aire rozó el rostro de Nick, y un único e incontrolable temblor estremeció su cuerpo.

Continuó bajando hacia las profundidades de la tierra, sin más apoyo que una cuerda y la fe en sus hermanos. Cuando miró hacia arriba, el cielo era solo un diminuto cuadrado en las alturas. Aunque las paredes no estuviesen encerrándole, sentía su proximidad. Intentó no pensar. De pronto, allá abajo, vio un reflejo, y al bajar un poco más comprendió que había llegado a la marca de la marea alta. La piedra aún estaba húmeda al tacto. Según sus cálculos, ahora estaba a cincuenta y dos metros bajo tierra. Seguía sin haber ninguna indicación de por dónde entraba el agua en el pozo desde el mar, pero no esperaba descubrirlo hasta llegar a la marca de los sesenta metros.

Tres metros más abajo creyó oír algo: un débil goteo de agua. Tiró dos veces del cordel de la boya, para comunicar a sus hermanos que disminuyesen la velocidad del descenso. Respondieron en el acto, y redujeron la velocidad a la mitad. El sonido del agua que entraba en el pozo se hizo más fuerte. Nick se esforzó para ver en la oscuridad mientras las gotas caían de las paredes y repicaban en su casco como la lluvia. Alguna que otra gota era como una chispa de hielo en su cuello.

¡Allí!

Esperó unos segundos para bajar otros cincuenta centímetros y después dio un fuerte tirón a la cuerda.

Se quedó colgado junto a una fisura en la roca del tamaño de una tarjeta postal. No podía calcular cuánta agua entraba por allí, aunque desde luego no era suficiente para superar la capacidad de todas las bombas que habían utilizado su padre y sus tíos, así que supuso que debía de haber por lo menos un canal más hacia el Pacífico. Con mucho cuidado sacó de la bolsa un puñado de estopa, lo metió en la grieta todo lo que pudo y lo sujetó contra el agua gélida. A medida que el agua de mar saturaba las fibras, se fueron hinchando hasta que el chorro se redujo a un goteo y después cesó del todo.

El tapón de estopa no aguantaría mucho cuando subiese la marea, así que debía pasar poco tiempo en el fondo.

Nick volvió a tirar y reanudó el descenso; vio grupos de mejillones aferrados a la piedra. El olor era nauseabundo. Tapó otras dos grietas similares y cuando taponó la tercera cesó el ruido del agua que entraba en el pozo. Tiró de la cuerda cuatro veces y, un momento más tarde, la manguera conectada a la bomba en la superficie comenzó a llenarse con el agua que quedaba en el fondo.

El espejo de agua apareció debajo mismo de sus pies. Transmitió la señal para que redujesen la velocidad y sacó la sonda del bolsillo de la chaqueta. La sumergió y soltó un gruñido de satisfacción cuando vio que solo quedaban cinco metros de agua en el pozo. Debido a que el pozo era sesenta centímetros más angosto a esta profundidad, calculó que la bomba lo reduciría hasta los noventa centímetros en diez minutos.

Observando la roca vio cómo bajaba la superficie y comprendió que su cálculo era erróneo. La bomba estaba vaciando más rápido de lo que...

Algo a su izquierda le llamó la atención. A medida que bajaba el nivel del agua apareció un nicho. Parecía tener unos sesenta centímetros de profundidad, y el mismo ancho; de inmediato supo que no era natural. Se veían las marcas de los formones y los martillazos en la piedra. Se le hizo un nudo en la garganta. Aquella era otra prueba de que alguien había trabajado en el pozo. Desde luego, no era una prueba de que allí estuviese escondido el tesoro del pirata, pero en la mente del chico de diecinueve años se aproximaba bastante a ello.

Ya habían vaciado suficiente agua para que Nick pudiese ver

algunos de los desperdicios que habían ido a parar al fondo. Eran en su mayor parte trozos de madera que habían llegado al pozo a través de los canales, además de ramas lo bastante pequeñas como para pasar por las rejillas. No obstante, había algunos troncos que se habían depositado allí antes de que colocasen la rejilla en la entrada. Imaginó a su padre y a sus tíos arrojando maderos al pozo, enfadados por no haber conseguido desentrañar su secreto.

La bomba en la superficie continuó su trabajo, perfectamente capaz de absorber los pequeños regueros que pasaban a través de los tapones de estopa. A su izquierda, la altura del nicho continuaba aumentando. Llevado por una intuición, indicó a sus hermanos que lo bajasen un poco más y comenzó a balancearse en el extremo de la cuerda. Cuando llegó lo bastante abajo y lo bastante cerca, apoyó un pie en el nicho. La bota encontró apoyo en solo unos centímetros de agua. Se balanceó hacia atrás una vez más y se lanzó hacia el hueco para esta vez pisar firmemente con los dos pies. Señaló a sus hermanos que dejasen de soltar cuerda y desenganchó el arnés.

Nick Ronish estaba a tan solo unos sesenta centímetros del fondo del pozo del tesoro. Intuía el botín a unos palmos de distancia.

El último obstáculo eran los maderos que cubrían el fondo del pozo en una maraña impenetrable. Tendría que apartar unos cuantos para poder buscar las monedas de oro. No había duda de que el trabajo iría más deprisa si fueran dos, así que después de atar una brazada de ramas a la cuerda tiró del cordel para avisar a sus hermanos que la subiesen y que uno de ellos bajase allí con él. Kevin y el otro mellizo podrían ocuparse de la cuerda, y si era necesario, estaba seguro de que Jimmy les echaría una mano.

Soltó una risita cuando los maderos desaparecieron por encima de su cabeza. Pensó que podrían haber atado la cuerda al collar de Amelia y dejar que la perra los sacase.

Permaneció con la espalda apoyada en la pared del nicho

por si una de las ramas se soltaba de la cuerda. Si caía desde una altura de más de sesenta metros, incluso un golpe de refilón sería fatal.

Tres minutos más tarde un entusiasmado Don apareció seis metros por encima de la cabeza de Nick.

—¿Has encontrado algo?

—Maderas y algunos restos —respondió Nick—. Debemos quitar unas cuantas más. Pero mira dónde estoy. Esto lo excavaron en la roca.

—¿Los piratas?

—¿Quién si no?

—Diantre. Nos haremos ricos.

Consciente de que la marea no tardaría mucho más en subir, los dos jóvenes trabajaron con ahínco para separar las ramas más entrelazadas. Nick se quitó el arnés y lo utilizó a modo de eslinga para sujetar casi cincuenta kilos de madera empapada. Don y él esperaron en el nicho a que volviese a bajar la cuerda. Ron y Kevin trabajaban como posesos. Desengancharon el arnés, apartaron las maderas y bajaron la cuerda en cuatro minutos.

Nick y Don repitieron el proceso otras dos veces. No importaba si habían quitado suficiente madera. El tiempo se les agotaba. Dejaron la cuerda atada a un tronco que sobresalía del agua y saltaron del nicho a la pila. Los maderos se movieron bajo su peso. Nick se tumbó en un tronco tan grueso como él y metió la mano en el agua helada. Los dedos rozaron la piedra lisa. El fondo del pozo.

A diferencia de sus hermanos, solo creía a medias las historias del tesoro pirata enterrado en el pozo. Al menos así había sido hasta el momento en el que había aparecido el nicho. En ese momento no sabía qué creer. Al inicio de la aventura, llegar al fondo y demostrarse a sí mismo que había triunfado donde generaciones de antepasados habían fracasado ya era premio suficiente. Pero ¿ahora?

Movió el brazo formando un amplio arco, intentando tocar

cualquier cosa en el fango. Cerca, Don hacía lo mismo, con el brazo enterrado hasta el hombro entre unas ramas y los labios apretados en una línea de concentración. Nick tocó algo plano y redondo. Lo recogió del fango y lo limpió con los dedos antes de sacarlo a la superficie.

El esperado brillo del oro no se dejó ver. No era más que una vieja arandela oxidada. Intentó en otra parte donde su hermano y él habían quitado parcialmente los desechos. Palpando, identificó ramas y puñados de hojas podridas, pero cuando encontró algo no estuvo seguro de qué era hasta sacarlo del agua. Soltó una exclamación de sorpresa al mirar las cuencas vacías del cráneo de un animal; con toda probabilidad un zorro.

Por encima de ellos la presión aumentaba en uno de los tapones, de modo que el agua se filtraba a través de las fibras de estopa. Lo que comenzó como un reguero se convirtió muy pronto en un chorro, porque el tapón saltó del agujero con la fuerza suficiente para golpear el otro lado del pozo. El agua de mar entró retorciéndose como un cable que transporta energía eléctrica.

—Ya está —gritó Nick por encima del estruendo—. Nos largamos de aquí.

—Espera un momento —le pidió Don, con casi todo el tronco sumergido mientras continuaba buscando.

Nick se estaba poniendo el arnés pero alzó la mirada en el acto cuando Don soltó un jadeo extraño.

—¿Don?

Algo había cambiado. Tan solo un segundo antes, Don estaba tumbado sobre el tronco de un árbol y ahora de pronto estaba prisionero contra la pared más alejada con el madero presionando su pecho.

—Nick —gritó con voz estrangulada.

Nick cruzó el pozo y llegó junto a su hermano. Su frenético movimiento debió de haber movido toda la pila, porque Don soltó otro grito. La madera que empujaba su pecho resbaló un poco más y, a la luz de la lámpara de minero, Nick vio una mancha negra que se formaba en la cazadora de su hermano.

El agua continuó cayendo sobre ellos, un torrente más fuerte que un chubasco de verano.

—Aguanta, hermano —dijo Nick al tiempo que sujetaba la rama. Sintió una extraña vibración en la madera, una sensación casi mecánica, como si el extremo oculto debajo del agua estuviese conectado a algún artefacto. Por mucho que lo intentó, la rama siguió encajada en algo oculto debajo de la superficie. Continuó hundiéndose, implacable, en el pecho de Don con un lento y firme empuje.

Don gritó de dolor. Nick también gritó, pero de miedo e impotencia. No sabía qué hacer, así que buscó a su alrededor algo que pudiese utilizar para apartar la rama del cuerpo de su hermano.

—Aguanta, Don —le pidió Nick. Las lágrimas se mezclaban con el agua salada que bañaba su rostro.

Don gritó de nuevo su nombre, ahora más débilmente, porque ya tenía diez centímetros de madera clavados en la carne. Nick le cogió la mano y Don la apretó, pero la fuerza que le daban el miedo y el dolor comenzó a esfumarse. Sus dedos se aflojaron.

—¡Donny! —gritó Nick.

Don abrió la boca. Nick nunca sabría cuáles fueron las últimas palabras de su hermano. Un espumarajo de sangre brotó de los labios pálidos de Don Ronish. Esta primera erupción se convirtió en un reguero constante que se tiñó de rosa al mezclarse con la espuma mientras resbalaba por su cuello y por el pecho.

Nick echó la cabeza hacia atrás y soltó un alarido, una llamada primitiva que resonó en las paredes del pozo. Habría permanecido junto a su hermano para siempre de no ser porque saltó el segundo de los tapones de estopa y el flujo de agua que entraba se duplicó.

Buscó la cuerda en la tromba de agua y enganchó el arnés en el lazo. No quería hacerlo, pero no tenía alternativa: tiró del cordel. Sus otros hermanos sin duda ya sabían que algo no iba bien porque comenzaron a izarlo en el acto. Nick mantuvo el rayo de su linterna enfocado en Don hasta que el cuerpo sin vida no fue más que un débil contorno en el reino de la oscuridad. Y después desapareció.

El funeral de Don Ronish se celebró el miércoles siguiente. El mundo había cambiado de forma espectacular mientras los hermanos habían estado jugando a los exploradores. Los japoneses habían bombardeado Pearl Harbor, y Estados Unidos estaba ahora en guerra. Solo la marina tenía el equipo de buceo necesario para recuperar el cadáver de Don, pero la solicitud de sus padres no fue atendida. El féretro se quedó vacío.

La madre no había dicho palabra desde que supo la noticia, y durante todo el funeral se apoyó en su esposo para no desmayarse. Cuando acabó, el padre pidió a sus tres hijos mayores que no se moviesen y llevó a la madre y a Jimmy hasta el coche, un Hudson de segunda mano. Volvió junto a la tumba, una década más viejo de lo que era el domingo por la mañana. No dijo nada, miró a cada uno de sus hijos, con los ojos inyectados en sangre. Después metió la mano en el bolsillo de la chaqueta del único traje que tenía, el mismo con el que se había casado y que había llevado en los funerales de sus padres. Sacó tres hojas de papel. Entregó una a cada uno de ellos. Hizo una pausa cuando dio la suya a Kevin y lo besó antes de ponerla en su mano.

Eran partidas de nacimiento. La que había entregado a Kevin era la de Don, que ya habría cumplido los dieciocho y, por lo tanto, sería apto para el servicio militar.

—Es por vuestra madre. Ella nunca podrá entenderlo. Haced que nuestra familia se sienta orgullosa y quizá entonces recibiréis su perdón.

Dio media vuelta y se marchó, con los hombros hundidos como si llevaran una carga mucho mayor de lo que su cuerpo podía soportar.

Así, los tres chicos se marcharon al centro de reclutamiento más cercano, con todas sus ideas de aventuras adolescentes aplastadas por el recuerdo del ataúd vacío de su hermano y, después, por el fuego infernal de la guerra.

1

Cerca de la frontera entre Paraguay y Argentina
En la actualidad

Juan Cabrillo nunca hubiese creído que se encontraría con un desafío al que preferiría no tener que enfrentarse. Tenía la sensación de que más le valía salir por piernas.

Pero no lo demostraba.

A pesar de su impenetrable cara de póquer —sus ojos azules permanecían serenos y su expresión neutra—, se alegraba de que su mejor amigo y segundo en el mando, Max Hanley, no estuviese a su lado. Él hubiese descubierto la preocupación de Cabrillo al instante.

A sesenta y cinco kilómetros corriente abajo por ese río de color té oscuro que tenía delante se encontraba una de las fronteras más vigiladas del mundo, solo superada por la zona desmilitarizada que separaba las dos Coreas. Era mala suerte que el objeto que les había llevado a él y a su selecto equipo a esta selva remota hubiese caído al otro lado. De haber caído en Paraguay, una llamada telefónica entre diplomáticos y un poco de dinero en forma de ayuda económica hubiesen solucionado el asunto. Pero no era el caso. Lo que buscaban había caído en Argentina. Y si el incidente hubiese ocurrido dieciocho meses atrás también se hubiese podido solucionar sin el menor inconveniente. Sin embargo, hacía un año y medio, después del segundo hundimiento del peso argentino, una junta de generales, encabezada por el generalísimo Ernesto Corazón, llegó al poder tras un violento golpe de Estado que los analistas de inteligencia creían que llevaba preparándose desde hacía tiempo. La crisis económica solo había sido una excusa para que arrebatasen el poder al gobierno constitucional.

Los líderes políticos fueron juzgados en juicios sumarísimos por crímenes contra el Estado, tales como malversación de fondos y mala gestión económica. Los afortunados fueron ejecutados; el resto, más de tres mil, según algunas estimaciones, fueron enviados a campos de trabajos forzados en las montañas de los Andes o en las profundidades del Amazonas. Cualquier intento de averiguar algo más sobre su destino acarreaba una rápida detención. Se nacionalizaron los medios de comunicación, y los periodistas que no aceptaron las consignas oficiales terminaron encarcelados. Se prohibieron los sindicatos y las protestas en la calle se dispersaban a balazos.

Aquellos que consiguieron marcharse en los primeros caóticos días del golpe, en su mayoría familias ricas dispuestas a abandonarlo todo, dijeron que lo que estaba ocurriendo en su país hacía que los horrores de las dictaduras de los años sesenta y setenta parecieran un juego de niños.

Argentina había pasado en un plazo de seis semanas de ser una próspera democracia a convertirse en un estado policial. La Organización de Naciones Unidas utilizó la diplomacia y amenazó con sanciones, pero al final solo redactó una resolución en la que se condenaban las violaciones de los derechos humanos a la que la junta militar no hizo el menor caso.

Desde entonces, el gobierno militar había consolidado todavía más su control. En los últimos tiempos habían comenzado a enviar fuertes contingentes de tropas a las fronteras con Bolivia, Paraguay, Uruguay y Brasil, y también a todos los pasos de montaña que comunicaban con Chile. Se había implantado el reclutamiento obligatorio, para conseguir un ejército más numeroso que la suma de todos los ejércitos del resto de los países sudamericanos. Brasil, un rival tradicional por el control de la zona, también había fortificado su frontera, y era bastante común que ambos mandos intercambiasen disparos de artillería.

En esta pesadilla de autoritarismo, Cabrillo debía llevar a su gente a recuperar lo que, esencialmente, era un error de la NASA.

Cuando llegó la llamada, la corporación se encontraba en la zona siguiendo el desarrollo de los acontecimientos. Habían estado descargando en Santos, Brasil, el puerto más activo de Sudamérica, un cargamento de coches robados en Europa, que era su tapadera. El *Oregon* tenía fama de ser un carguero sin una ruta fija y con una tripulación que hacía pocas preguntas. Sería solo una coincidencia que, a lo largo de los meses siguientes, la policía de Brasil recibiese diversos chivatazos en los que se informaba del paradero de los coches. Durante la travesía, Cabrillo había ordenado al equipo técnico que colocasen rastreadores GPS en los coches destinados al mercado negro. Era poco probable que los automóviles volviesen alguna vez a sus legítimos propietarios, pero al menos acabarían con la red de contrabandistas.

Fingir ser unos ladrones era parte del trabajo de la corporación, pero no lo era participar realmente en un acto delictivo.

La grúa central se colocó encima de la bodega por última vez. En el resplandor de los escasos focos que quedaban encendidos en esta parte poco utilizada del puerto, una hilera de coches de lujo brillaban como exóticas joyas. Ferraris, Maseratis, y Audis R8 esperaban para ser cargados en tres remolques. Un agente de la aduana estaba cerca, con uno de los bolsillos de la cazadora un tanto abultado por el sobre lleno de billetes de quinientos euros.

A una señal de los tripulantes en la bodega, el motor de la grúa tensó el cable y emergió un Lamborghini Gallardo de color naranja que parecía estar circulando a toda velocidad por una autopista alemana. Cabrillo sabía por su contacto en Rotterdam, donde habían cargado los coches, que este vehículo en particular había sido robado a un conde italiano cerca de Turín y que este lo había conseguido a través de un concesionario poco honrado que más tarde afirmaría que se lo habían robado de su sala de ventas.

Max Hanley gruñó por lo bajo cuando el Lamborghini resplandeció bajo la débil luz.

—Un coche muy bonito, pero ¿por qué de ese color tan espantoso?

—Sobre gustos no hay nada escrito, amigo mío —dijo Juan, y giró una mano por encima de la cabeza para indicarle al operario de la grúa que siguiese adelante y descargase el último coche en el muelle. No tardaría en llegar el práctico que les llevaría hasta mar abierto.

El soberbio coche deportivo fue bajado al muelle de cemento y algunos miembros de la banda de contrabandistas desengancharon las eslingas, con mucho cuidado de que los cables de acero no rayasen lo que también para Juan era un color muy feo.

El tercer hombre en el puente volante del viejo carguero había dicho que se llamaba Ángel. Tenía unos veintitantos años y vestía unos pantalones de una tela brillante que parecía mercurio y una camisa blanca por fuera del pantalón. Era tan delgado que se veía el contorno de la pistola que llevaba a la cintura.

Aunque quizá esa era la intención.

Sin embargo, Juan no estaba en absoluto preocupado por una traición. El contrabando era un negocio basado en la reputación, así que cualquier tontería por parte de Ángel solo garantizaría que nunca más volviera a conseguir cerrar un trato.

—Vale, *capitão,* ya está —dijo Ángel, y llamó a sus hombres con un silbido.

Uno de ellos cogió una bolsa de la cabina de uno de los camiones y se acercó a la pasarela, mientras los demás comenzaban a cargar los coches en los semirremolques. Un tripulante se reunió con el contrabandista en la borda y le escoltó los dos tramos de escaleras oxidadas hasta el puente. Juan entró acompañado por los demás. La única iluminación provenía de una vieja pantalla de radar que los teñía a todos de un color verde fosforescente.

Cabrillo aumentó un poco más la intensidad de la luz mientras el brasileño dejaba la bolsa sobre la mesa de mapas. La brillantina del pelo de Ángel brillaba tanto como sus pantalones.

—El precio acordado fue de doscientos mil dólares —dijo Ángel mientras abría la vieja bolsa. Esa cantidad apenas alcanzaba para comprar un Ferrari nuevo—. Hubiese sido más de haber aceptado descargar tres en Buenos Aires.

—Olvídelo —respondió Cabrillo—. Ni loco se me ocurriría acercar mi barco allí. Le deseo suerte para que encuentre a algún capitán que esté dispuesto. Demonios, nadie llevaría ni siquiera una carga legítima a Buenos Aires, así que mucho menos de coches robados.

Cuando Cabrillo se movió, su pantorrilla golpeó el borde de la mesa. Sonó como una detonación. Ángel le miró con desconfianza y su mano se acercó lentamente a la pistola que llevaba debajo de la camisa.

Juan le hizo un gesto para que se relajase y se agachó para levantarse la pernera. Unos seis centímetros por debajo de la rodilla, una prótesis de alta tecnología, que parecía sacada de una película de *Terminator*, ocupaba el lugar de su pierna.

—Gajes del oficio.

El brasileño se encogió de hombros.

El dinero estaba repartido en fajos de diez mil. Juan le dio la mitad a Max, y durante los siguientes minutos el único sonido en el puente fue el suave susurro de los billetes mientras los contaban. Al parecer todos eran billetes auténticos de cien dólares.

Juan tendió la mano.

—Ha sido un placer tratar con usted, Ángel.

—El placer ha sido mío, *capitão*. Le deseo un buen... —Una fuerte descarga de estática en el altavoz cortó el resto de la frase. Una voz que apenas se entendía reclamó la presencia del capitán en el comedor.

—Por favor, perdóneme —se excusó Cabrillo y se volvió hacia Max—. Si no estoy de vuelta cuando llegue el práctico, quédate al mando.

Bajó por unas escaleras internas hasta la cubierta del comedor. Los espacios interiores del viejo carguero se veían tan sucios como el casco. Las paredes no habían recibido una mano de pintura desde hacía décadas, y había unos surcos en el polvo del suelo donde un tripulante había hecho un esfuerzo poco entusiasta por barrerlo en algún momento de un pasado lejano. El comedor tan solo era un poco más alegre que el oscuro pasillo, con unos carteles de viajes pegados al azar en los mamparos. En uno de ellos había un tablero de anuncios lleno de trozos de papel, desde uno donde un mecánico, que había dejado el barco hacía diez años, ofrecía dar clases de guitarra hasta un recordatorio de que Hong Kong volvería a ser parte de China el 1 de julio de 1997.

En la cocina, unas estalactitas de grasa endurecida, gruesas como dedos, colgaban de la campana extractora sobre la cocina.

Cabrillo cruzó el comedor vacío, y al acercarse al mamparo opuesto se abrió una puerta secreta. Linda Ross le esperaba en el lujoso pasillo del otro lado. Era la vicepresidenta de operaciones de la corporación, el número tres después de Juan y Max. Tenía el aspecto de un duendecillo, con una nariz pequeña y respingona y una cabellera que se teñía a menudo. Ahora era negra y le bajaba más allá de los hombros en espesas ondas.

Linda era una veterana de la marina que había servido en un crucero lanzamisiles y también había pasado una temporada en el Pentágono, donde había adquirido una experiencia que la hacía la más indicada para su trabajo.

—¿Qué ocurre? —preguntó Juan mientras ella caminaba a su lado. Tenía que dar dos pasos por cada uno que daba él.

—Overholt está al teléfono. Parece tener mucha prisa.

—Lang siempre tiene mucha prisa —comentó Juan. Se quitó los dientes postizos y las bolas de algodón de la boca que formaban parte de su disfraz. Llevaba rellenos debajo de la camisa arrugada y una peluca de pelo canoso—. Creo que es debido a la próstata.

Langston Overholt IV era un veterano de la CIA que llevaba tanto tiempo en la agencia que sabía dónde estaban enterrados todos los esqueletos, reales y figurados; por eso, después de años de intentar enviarle al retiro, los diversos directores habían dejado que permaneciese en Langley en calidad de consejero. También había sido el jefe de Cabrillo cuando Juan era un agente de campo, y, cuando este dejó la agencia, fue Overholt quien lo animó a crear la corporación.

Muchas de las misiones más duras que había realizado la corporación se las había encargado Overholt, y las considerables cantidades de dinero que recibían se pagaban a través de un presupuesto secreto, hasta tal punto que los contables los llamaban los 49, en recuerdo de los primeros mineros de la fiebre del oro en California.

Cuando llegaron al camarote de Cabrillo, Juan se detuvo un momento antes de abrir la puerta.

—Di al centro de operaciones que estén atentos. El práctico no tardará en llegar.

El puente de mando, varias cubiertas por encima de ellos, no era más que un simple decorado para los inspectores de marina y los prácticos. El timón y los mandos del acelerador estaban conectados vía ordenador al centro de operaciones, que era el verdadero cerebro del barco. Desde allí se daban todas las órdenes relativas a las maniobras y al funcionamiento de los motores, y era también allí donde se controlaban todas las armas escondidas en la vieja carraca.

El *Oregon* había comenzado su vida transportando madera desde los puertos de la costa Oeste de Estados Unidos a Japón, pero cuando el equipo de arquitectos navales y artesanos de Cabrillo acabaron su trabajo, se había convertido en uno de los barcos espía más avanzados tecnológicamente para recoger información y realizar operaciones encubiertas.

—Muy bien, director —dijo Linda, y continuó por el pasillo.

Después de un duro duelo con un navío de la marina libia varios meses atrás, tuvieron que llevar el barco al dique seco para someterlo a profundas reparaciones. Nada menos que treinta obuses habían penetrado su blindaje. Juan no podía culpar a su barco. Les habían disparado aquellos proyectiles a quemarropa. Pero, de paso, había aprovechado para redecorar el camarote.

Los carpinteros habían quitado todo el revestimiento de madera, prácticamente destrozado por uno de los proyectiles libios. Los mamparos estaban ahora cubiertos con algo que parecía estuco y que no se resquebrajaría con las vibraciones de la estructura. Habían modificado todos los marcos de las puertas, que ahora eran en arco. También habían puesto tabiques en arco, para dar una sensación más acogedora al camarote que tenía una superficie de casi setenta metros cuadrados. La decoración, de influencia claramente árabe, le daba un aire muy parecido al Café de Rick de la película *Casablanca*, la favorita de Juan.

Arrojó la peluca sobre la mesa y descolgó el teléfono, que era una réplica de los antiguos de baquelita.

—Lang, aquí Juan. ¿Cómo estás?

—Enfadado.

—Tu estado normal, entonces. ¿Qué pasa?

—Ante todo, dime dónde te encuentras.

—En Santos, Brasil. Es el puerto de São Paulo, por si no lo sabes.

—Gracias a Dios que estás cerca —dijo Overholt con evidente alivio—. Solo para que lo sepas, ayudé a los israelíes a capturar a un criminal de guerra nazi en Santos allá por los sesenta.

—*Touché*. Dime, ¿qué está pasando? —Por el tono de voz de Overholt, sabía que había algo grande para ellos, y ya comenzaba a sentir los primeros cosquilleos de la adrenalina en sus venas.

—Hace seis horas, lanzaron desde Vandenberg un cohete Delta III con un satélite de órbita polar de baja altura.

Esa frase bastó para que Cabrillo dedujese que el cohete había caído en algún lugar de Sudamérica, porque los lanzamientos polares volaban hacia el sur desde la base de las fuerzas aéreas en California, y que el satélite llevaba equipo de espionaje ultra-secreto que quizá no se había destruido con la explosión. También dedujo que había caído en territorio argentino, porque Lang estaba recurriendo a los mejores agentes encubiertos que conocía.

—Los técnicos todavía no saben qué salió mal —continuó Overholt—. Aunque, en realidad, ese no es nuestro problema.

—Nuestro problema —dijo Juan— es que se estrelló en Argentina.

—Tú lo has dicho. A unos ciento sesenta kilómetros al sur de Paraguay, en una de las selvas más densas de la cuenca amazónica. Existen bastantes probabilidades de que los argentinos lo sepan, porque avisamos a todos los países cuyos territorios sobrevolaría el cohete.

—Creía que desde el golpe ya no teníamos relaciones diplomáticas con ellos.

—Aún tenemos medios para comunicar informaciones como esta.

—Sé lo que vas a pedirme, pero debes ser razonable. Los restos se habrán desperdigado sobre más de tres mil kilómetros cuadrados en una selva en la que nuestros satélites espías no pueden penetrar. ¿De verdad esperas que encontremos tu aguja en ese pajar?

—Lo hago porque aquí está el truco. La aguja que estamos buscando es un emisor de rayos gamma.

Juan dejó que la información calase en él por un momento.

—Plutonio —dijo finalmente.

—La única fuente de energía fiable que tenemos para este pájaro en particular. Los genios de la NASA intentaron todas las alternativas concebibles, pero acabaron decidiendo utilizar una minúscula cantidad de plutonio y emplear el calor de la decadencia para hacer funcionar los sistemas del satélite. Lo bueno es que reforzaron tanto el recipiente contenedor que es prácticamente indestructible. Ni siquiera el estallido del cohete puede haberle causado el menor desperfecto.

»Como puedes imaginar, la administración no quiere que se sepa que enviamos un satélite que, en potencia, podría emitir radiación en buena parte del entorno más primitivo del planeta. La otra preocupación es que el plutonio no caiga en manos de los argentinos. Sospechamos que han puesto de nuevo en marcha su programa de armas nucleares. El satélite no lleva mucho plutonio, según me han dicho tan solo unos pocos gramos, pero no tiene ningún sentido facilitarles su marcha hacia la bomba.

—¿O sea que los *argies* no saben nada del plutonio? —preguntó Juan, que utilizó la abreviatura para argentinos que había aprendido de un veterano de la guerra de las Malvinas.

—No, gracias a Dios. Pero cualquiera con el equipo adecuado podría detectar la radiactividad. Y antes de que preguntes —dijo, anticipándose a Juan—, los niveles no son peligrosos, siempre que sigas unos sencillos protocolos de seguridad.

Pero esa no iba a ser la siguiente pregunta de Cabrillo. Sabía que el plutonio no era peligroso a menos que se inhalase o ingiriese. Entonces se convertía en uno de los venenos más letales conocidos por el hombre.

—Iba a preguntar si tenemos algún tipo de respaldo.

—Nada. Hay un equipo que ya está viajando a Paraguay con la última generación de detectores de rayos gamma, pero es lo único con lo que podrás contar. Hizo falta Dios y ayuda para convencer al presidente de que debíamos proporcionarte por lo menos eso. Estoy seguro de que comprendes que muestre cierta reticencia a enfrentarse a situaciones internacionales difíciles. Aún no ha acabado de digerir el desastre en Libia de hace unos meses.

—¿Desastre? —dijo Juan en tono dolido—. Salvamos la vida de la secretaria de Estado y evitamos que fracasaran los acuerdos de paz.

—Y casi iniciasteis una guerra cuando tuvisteis aquella refriega con una de sus fragatas lanzamisiles. En esta ocasión debe hacerse en el máximo secreto. Entráis, encontráis el plutonio y os largáis. Nada de disparos.

Cabrillo y Overholt sabían que era una promesa que Juan no podría cumplir, así que Juan optó por pedir los detalles sobre el punto exacto donde había estallado el misil y la trayectoria de su caída de nuevo a la Tierra. Cogió el teclado y el ratón inalámbrico de una bandeja de debajo de la mesa, desde donde envió la señal para que la pantalla plana saliese lentamente de la superficie del escritorio. Overholt le envió por correo electrónico las fotos y las proyecciones del objetivo. Las fotos eran inútiles porque no mostraban más que una densa capa de nubes, pero la NASA les había facilitado una zona de búsqueda de unos diez kilómetros cuadrados, que hacía más manejable la cuadrícula, siempre y cuando el terreno fuese practicable. Overholt le preguntó a Cabrillo si tenía alguna idea de cómo iban a entrar en Argentina sin ser vistos.

—Quiero ver algunos mapas topográficos antes de responderte. Mi primera elección sería un helicóptero, por supuesto, pero si los *argies* están en plena actividad militar en las fronteras del norte puede que no sea posible. Ya se me ocurrirá algo en un par de días; estaré listo para ponerlo en marcha para finales de esta semana.

—Ah, hay otra cosa —dijo Overholt con una voz tan suave que Cabrillo se tensó—. Tienes setenta y dos horas para recoger la unidad de energía.

Juan no se lo podía creer.

—¿Tres días? Eso es imposible.

—Pasadas las setenta y dos horas, el presidente quiere dejarlo todo claro. No mencionará el plutonio, pero está dispuesto a pedir ayuda a los argentinos para recuperar el equipo científico sensible.

—¿Qué pasa si responden que no y lo buscan ellos mismos?

—En el mejor de los casos quedaremos como unos imbéciles, y, en el peor, seremos responsables a los ojos del mundo de una negligencia criminal. Además, habremos dado al generalísimo Corazón unos cuantos gramos de plutonio con los que podrán entretenerse fabricando bombas.

—Lang, dame seis horas. Volveré a llamarte para decirte si estamos dispuestos a respaldar tu juego.

—Gracias, Juan.

Cabrillo llamó a Overholt después de una reunión estratégica de tres horas con los jefes de departamento. Doce horas más tarde, él y su equipo se encontraban en las orillas de un río paraguayo, dispuestos a cruzar hacia solo Dios sabía qué.

2

Base de investigación científica Wilson-George
Península Antártica

La reducida dotación de invierno notaba en sus huesos que llegaba la primavera. Aunque el tiempo no había mejorado mucho. Las temperaturas pocas veces superaban los veinte grados centígrados bajo cero, y los vientos helados no amainaban. El número cada vez mayor de días tachados en el gran calendario de la sala de descanso era lo que animaba a sus espíritus, después de un largo invierno en el que no habían visto el sol desde finales de marzo.

Solo unas pocas bases científicas permanecían abiertas todo el año en el continente más desolado del planeta, y eran por lo general mucho mayores que la base Wilson-George, que pertenecía a un grupo de universidades estadounidenses y se financiaba con una beca de la Fundación Nacional de Ciencias. Incluso cuando estaba todo el personal durante los meses de verano, que comenzaba en septiembre, el grupo de cúpulas prefabricadas colocadas sobre pilotes clavados en el hielo y la roca no podían albergar a más de cuarenta personas.

Gracias a las ingentes cantidades de dinero destinadas a la investigación del calentamiento global, se había decidido mantener la base abierta todo el año. Este era el primero, y a todas luces había funcionado bien. Las estructuras habían soportado el peor tiempo que podía darles la Antártida, y los miembros del equipo se habían llevado muy bien durante la mayor parte de los meses. Uno de ellos, Bill Harris, era un astronauta de la NASA que estudiaba los efectos del aislamiento en las relaciones humanas, para una eventual misión tripulada a Marte.

WeeGee, así era como el equipo llamaba a su casa desde hacía seis meses, parecía sacada de un cuaderno de bocetos futuristas. Estaba ubicada cerca de una profunda bahía en las costas del mar de Bellingshausen, a medio camino en la península que avanza hacia Sudamérica como un dedo helado. De haber lucido el sol, unos prismáticos y subir a las colinas detrás de la base bastarían para ver el Atlántico Sur.

Había cinco módulos alrededor del cubo central, que se utilizaba como comedor y sala de descanso. Los módulos estaban conectados por pasarelas elevadas diseñadas para que se balancearan con el viento. En los días muy malos, las personas con el estómago delicado tenían que arrastrarse por ellas. Los módulos servían como laboratorios, depósitos y dormitorios, donde dormían cuatro personas en cada habitación durante el verano. Todos los edificios estaban pintados de color rojo. Con los paneles opacos en las cúpulas y en la mayoría de las paredes, la base tenía el aspecto de un grupo de silos a cuadros.

Al final de un sendero marcado con cuerdas, había una cabaña Quonset que se utilizaba como garaje para las motos de nieve y los vehículos oruga. Como el tiempo era tan malo durante el invierno, había pocas oportunidades de utilizar los vehículos árticos. El edificio aprovechaba el calor residual de la base central para mantener una temperatura de diez bajo cero, con lo que se evitaban desperfectos en los motores de las máquinas. La mayor parte del equipo meteorológico se podía controlar a distancia, así que los ocupantes tenían muy poco que hacer en los días sin sol. Bill Harris se dedicaba a su estudio para la NASA. Un par de ellos utilizaban el tiempo para acabar sus tesis doctorales, y otro escribía una novela.

Solo Andy Gangle parecía no tener nada en que ocupar el tiempo. Cuando llegó, este licenciado de la Universidad de Pensilvania de veintiocho años de edad, se ocupó de supervisar el lanzamiento de globos meteorológicos, y se tomaba su estudio del tiempo muy en serio. Pero no tardó mucho en perder el interés por las temperaturas locales. Aún realizaba sus tareas, pero pasaba muchas horas en el garaje, o, cuando el tiempo lo permitía, recorriendo solo la costa para recoger especímenes, aunque nadie sabía cuáles.

Debido al estricto código de intimidad necesario para impedir que un grupo de personas en aislamiento se encaren los unos con los otros, todos le dejaban en paz. Las pocas veces que mencionaban su caso, nadie consideraba que estuviera sucumbiendo a lo que los psiquiatras llamaban el síndrome de aislamiento, pero que el equipo prefería llamar el síndrome de ojos saltones. En su forma más severa, una persona podía sufrir alucinaciones como consecuencia de una crisis psicótica. No hacía mucho, un investigador danés había perdido los dedos de los pies por salir corriendo desnudo de su base en la banda de sotavento de la península. Los rumores decían que aún estaba ingresado en una institución psiquiátrica de Copenhague.

Finalmente se decidió que Andy no tenía los ojos saltones. No era más que otro solitario malhumorado que los demás preferían evitar.

—Buenos días —murmuró Andy Gangle cuando entró en la sala de descanso. El olor del beicon frito que llegaba desde la cocina llenaba la sala.

Las luces fluorescentes aumentaban la palidez de su rostro. Como la mayoría de los hombres, hacía mucho que no se afeitaba, y la barba oscura contrastaba con la piel blanca.

Un par de mujeres sentadas a una de las mesas hicieron una pausa en sus desayunos para saludarle y después continuaron comiendo. Greg Lamont, el director de la base, saludó a Andy por el nombre.

—Los chicos de meteorología me han dicho que probablemente hoy será el último día que podrás ir a la costa, si es lo que pensabas hacer.

—¿Por qué? —preguntó Gangle con desconfianza. No le gustaba que los demás le dijesen qué debía hacer.

—Se aproxima un frente —respondió el ex hippy de cabellos canosos reciclado en científico—. Uno muy profundo. Cubrirá la mitad de la Antártida.

Un gesto de verdadera preocupación apareció en las comisuras de la boca de finos labios de Gangle.

—No afectará a nuestra marcha, ¿verdad?

—Es demasiado pronto para decirlo, pero es posible.

Andy asintió, no como si lo hubiese entendido sino con expresión ausente, como si estuviese reorganizando sus pensamientos. Fue a la cocina.

—¿Qué tal has dormido? —preguntó Gina Alexander. La divorciada cuarentona de Maine había ido a la Antártida para, como decía, «alejarse lo máximo posible de aquella rata y de su nueva amiguita Cuerpo Perfecto». No formaba parte del personal científico sino que trabajaba para la compañía encargada del mantenimiento y los servicios de la base.

—Igual que la noche anterior —contestó Andy, que llenó un tazón con el café de una cafetera de acero inoxidable al final del mostrador.

—Me alegra oírlo. ¿Cómo quieres los huevos?

Él la miró con una expresión casi fiera.

—Poco hechos y fríos, como siempre.

Ella no tenía muy claro cómo interpretarlo. Por lo general, Andy únicamente decía «revueltos» antes de llevarse la comida y el café a su habitación. Soltó una risita.

—Chico, eres la alegría de la mañana.

Andy se inclinó sobre el mostrador y habló en voz baja para que los demás no pudieran oírle.

—Gina, solo nos queda una semana para marcharnos de aquí, así que sírveme la maldita comida y ahórrate los comentarios, ¿de acuerdo?

Poco dispuesta a dejarse avasallar —bastaba preguntárselo a su ex marido— Gina se echó hacia delante hasta que sus rostros estuvieron apenas a un par de centímetros.

—Entonces hazte un favor, cariño, y vigílame mientras cocino, porque tal vez me sienta tentada de escupir en la comida.

—En ese caso, lo más probable es que mejore el sabio. —Andy se irguió y su rostro se torció en una mueca mientras pensaba por un momento: «¿Sapo? No, maldita sea. ¿Salvo? Sabor. Eso es. Probablemente mejoraría el sabor».

Gina no tenía muy claro qué le pasaba, pero se rió de todas maneras.

—Chico, tendrás que ser un poco más rápido con tus insultos para que sean efectivos.

Para no quedar como un tonto, Andy cogió un puñado de barritas de proteínas y salió del comedor, con sus hombros huesudos encorvados como los de un buitre. Sus oídos resonaron con el último dardo de despedida de Gina: «Ojos saltones».

«Siete días, Andy —se dijo mientras regresaba a su habitación—. Aguanta otros siete días y perderás de vista a estos imbéciles para siempre.»

Cuarenta minutos más tarde, abrigado con seis capas de prendas, Andy escribió su nombre en la pizarra junto a la cerradura y cruzó la puerta aislante. La diferencia de temperatura entre el interior de la base y la pequeña antesala que llevaba a la salida era de casi cuarenta grados. El aliento de Gangle se convirtió en una nube opaca tan densa como la niebla de Londres, y cada inhalación era como una puñalada en los pulmones. Esperó unos minutos para acomodarse las prendas y ponerse las gafas. Si bien la península Antártica era relativamente cálida comparada con el interior del continente, la menor parte de piel expuesta se congelaría en cuestión de segundos.

Ni todas las prendas del mundo bastarían para vencer el frío, al menos, no a largo plazo. La pérdida de calor era inevitable, y, con el viento, inexorable. Comenzaba por las extremidades —nariz, puntas de los dedos de las manos y los pies— y se extendía hacia el interior mientras el cuerpo se cerraba para conservar la temperatura basal. No era una cuestión de voluntad enfrentarse a esas temperaturas extremas. No se podía plantar cara al dolor. La Antártida era tan letal para la vida humana como el vacío del espacio exterior.

Con los gruesos mitones sobre los guantes, Andy necesitó las dos manos para girar la manija. El frío le golpeó con todas sus fuerzas. Pasaron unos segundos antes de que el aire atrapado en sus prendas se calentase para hacer frente al ataque termal. Se estremeció un segundo y luego rodeó la esquina que protegía la salida del azote del viento. Se sujetó a la barandilla mientras bajaba la escalera hasta el suelo rocoso. Hoy el viento apenas soplaba —unos diez nudos, quizá— y se sintió agradecido por ello.

Recogió un tubo de metal de un metro y medio de largo y grueso como una moneda de cincuenta céntimos y salió.

El sol era una pálida promesa en el horizonte, pero no asomaría hasta al cabo de una semana, aunque al menos había luz suficiente para que Andy viese sin necesidad de utilizar la linterna. Sus botas de astronauta eran rígidas, lo cual dificultaba la marcha, y el terreno tampoco ayudaba. Esa parte de la península Antártica era volcánica, y no había pasado suficiente tiempo desde la última erupción para que los elementos hubieran erosionado las piedras hasta pulirlas como el vidrio, como había visto en las fotos durante las prácticas de orientación.

Otra cosa que había aprendido en dichos cursos era a no sudar en el exterior. Por una de esas ironías, era el billete para la hipotermia instantánea, porque el cuerpo desprende calor mucho más rápido cuando los poros de la piel se abren con el ejercicio. Por lo tanto, a Andy le llevó veinte minutos llegar a la zona de búsqueda. Si Greg Lamont tenía razón y este era el último día que podría salir antes de su marcha, Gangle consideró que ese podía ser el mejor lugar. Estaba más cerca de la playa donde había hecho su descubrimiento, pero en línea con una cadena de colinas bajas que ofrecían protección. Durante las dos horas siguientes, caminó hacia atrás y hacia delante, barriendo el suelo con la mirada. Cada vez que aparecía algo prometedor, utilizaba el tubo de acero para sondear en el hielo y la nieve o apartar las rocas del camino. Era un trabajo en el que no hacía falta pensar y para el cual estaba muy bien dotado, así que el tiempo parecía volar. Su única distracción era cuando sentía la necesidad de correr en círculos durante unos minutos. Consiguió detenerse antes de comenzar a sudar, pero su aliento se había congelado en los tres pañuelos que llevaba sobre la boca y la nariz. Se los quitó para ponerlos del revés, de forma que el trozo helado quedase en la nuca.

Se dijo que ya era el momento de acabar la jornada. Observó el océano distante por un momento, se preguntó qué secretos guardaría debajo de la superficie helada y luego regresó a la base Wilson-George, con el tubo al hombro como si fuese el bastón de un vagabundo.

Andy Gangle había hecho un descubrimiento único. Se daba por satisfecho con eso. Si había otros, alguien más podría encontrarlos, pero él pasaría el resto de su vida disfrutando de unos lujos con los que ni siquiera había soñado.

3

Cabrillo observó de nuevo el río oscuro antes de volver a la choza abandonada que utilizaban como base. Estaba construida sobre pilotes que apenas sobresalían por encima del agua, y la escalerilla que subía a su única habitación estaba hecha de troncos atados con lianas. Crujió ruidosamente mientras subía, pero aguantó su peso. Había desaparecido casi todo el techo de paja, y se veía el cielo crepuscular entre los troncos de madera que aún conservaban la corteza y que hacían de vigas.

—El café está listo —susurró Mike Trono, y le pasó una taza.

Trono era uno de los principales agentes de operaciones terrestres de la corporación, un antiguo paracaidista de rescate que había saltado detrás de las líneas enemigas en Kosovo, Irak y Afganistán, para rescatar a pilotos abatidos. Enjuto de cuerpo, con una abundante cabellera de color castaño, había dejado el ejército para participar en las carreras de lanchas a mar abierto, pero no tardó en descubrir que la descarga de adrenalina no era suficiente.

Junto a él estaba el corpachón dormido de su camarada, Jerry Pulaski. Jerry era un veterano de combate; su responsabilidad sería cargar la batería de treinta kilos una vez que la encontrasen. El equipo se completaba con Mark Murphy, que también dormía.

El trabajo principal de Mark en la corporación era dirigir el complejo armamento del *Oregon*; además podía enfrentarse a un combate naval mejor que cualquier otro, aunque nunca había estado en el ejército. Se había graduado en el MIT con un montón de letras después de su nombre, incluido un doctorado, en el que había dedicado su genio a desarrollar armamento militar. Cabrillo le había reclutado hacía algún tiempo junto con su mejor amigo, Eric Stone, que ahora era el navegante principal del *Oregon*. Juan los veía como un tándem. Juraría que cuando estaban juntos se comunicaban telepáticamente, y cuando utilizaban su arcano lenguaje de los videojuegos él creía que hablaban en código. Ambos jóvenes se consideraban árbitros de la moda, aunque muy pocos de los tripulantes compartían dicha opinión.

Mark había tenido su primera experiencia de combate durante el rescate de la secretaria de Estado, y según la evaluación de Linda Ross se había comportado como un profesional. Juan había querido que participara en esta misión por si surgía algún problema técnico con la unidad propulsora de plutonio. Si había algún contratiempo, Murphy era la mejor baza de la corporación para resolverlo.

A causa de la humedad, que hacía que el aire fuese tan espeso que casi se podía beber, los cuatro hombres iban sin camisa y con la piel untada con repelente para defenderse de las hordas de insectos que volaban al otro lado del mosquitero que habían colgado de las vigas. El sudor empapaba el vello en el pecho de Cabrillo y le chorreaba por los costados. Si Jerry Pulaski tenía unos músculos abultados, Cabrillo tenía el físico de un nadador, con los hombros anchos y la cintura delgada. No le preocupaba lo que comía, porque se mantenía en forma nadando innumerables largos en la piscina de mármol del *Oregon*.

—Una hora para la puesta de sol —anunció Cabrillo y bebió un sorbo de café instantáneo preparado en el pequeño fogón de campaña. El sabor le hizo mirar la taza con suspicacia. Se había acostumbrado a la deliciosa mezcla de café Kona que preparaban a bordo—. Solo nos queda luz suficiente para montar la

LNFR. Si nos marchamos dentro de una hora llegaremos a la frontera poco antes de medianoche.

—Justo antes de que empiece la tercera guardia y la segunda esté soñando con la cama —dijo Mike y luego golpeó el tobillo de Pulaski con la punta del pie—. Despierta, bella durmiente, tu desayuno espera.

Jerry bostezó aparatosamente y estiró sus gruesos brazos por encima de la cabeza; llevaba el pelo oscuro revuelto porque había utilizado la camisa como almohada.

—Dios, debe de ser un espectáculo horrible despertarse a tu lado.

—Cuidado con lo que dices, amigo mío. He visto alguna de las chicas que llevas a tu casa.

—¿Eso es café? —preguntó Mark Murphy frotándose los ojos. Por lo general llevaba el pelo largo pero, para esta misión, Juan le había pedido que se lo cortase.

—Llamar café a eso es ser demasiado generoso —respondió Cabrillo y le pasó la taza al jefe de armamento.

Después de cambiarse de ropa se reunieron debajo de la choza. Atada a uno de los pilotes y muy baja en el agua estaba su transporte fluvial, una lancha neumática de fondo rígido, o LNFR, negro mate. Era una embarcación con el casco de fibra de vidrio y flotadores hinchables. Llevaba dos enormes motores fuera borda colocados en el espejo de popa. La única comodidad para los tripulantes era una bañera protegida con un cristal antibalas en el centro de la cubierta de ocho metros de eslora. La habían modificado a bordo del *Oregon* para poder plegarla.

Habían enviado el contenedor con la LNFR por vía aérea a Paraguay y después lo habían cargado en un camión alquilado. Juan no sabía si los argentinos contaban con espías en los aeropuertos de sus vecinos, para vigilar cualquier actividad sospechosa, pero si él hubiera estado al mando, lo habría hecho. El camión fue hasta un pueblo aislado a unos ochenta kilómetros río arriba de la frontera argentina, y allí descargaron la embarcación junto con el resto del equipo. Ahora se encontraban a unos cincuenta kilómetros al sur del pueblo.

Juan había optado por entrar en Argentina por el río y no en helicóptero, porque la vigilancia de radar a lo largo de la frontera era infranqueable, aunque volasen a ras de tierra. Además, un afluente de este río pasaba a menos de ocho kilómetros de la zona de búsqueda. Otro factor a favor era que las nubes que había visto en las fotos se debían al humo de los incendios de despeje de terrenos cercanos al lugar donde se había estrellado el satélite. El riesgo de que fuesen descubiertos era demasiado grande.

Cabrillo había aprendido una lección de la Segunda Guerra Mundial, en la llamada Operación Greif lanzada por los alemanes al principio de la batalla de las Ardenas, donde comandos de habla inglesa habían cruzado las líneas aliadas durante las primeras horas de la batalla con el fin de cambiar las señales, crear el caos en el tráfico y la confusión entre las fuerzas aliadas. Juan recordaba haber leído el relato de un cabo de las SS que había participado en la operación. Admitía que cruzar las líneas durante la batalla había sido la parte más comprometida del plan, porque podían dispararte desde los dos bandos. Una vez al otro lado, había escrito el alemán, realizó su misión sin miedo, consciente de que el disfraz y su dominio del inglés le protegerían. No le capturaron y finalmente resultó herido defendiendo Berlín contra los rusos.

Cabrillo no tenía el menor deseo de verse atrapado en el fuego cruzado de los nerviosos guardias fronterizos, así que en lugar de atravesar la frontera por la superficie lo haría por debajo.

La LNFR estaba cargada hasta los topes con planchas de hierro —toneladas de hierro—, las suficientes para cuadruplicar los costos de envío de la embarcación descargada. Mark Murphy y Eric Stone habían calculado la cantidad exacta necesaria para llevar a cabo el truco de Juan, y ahora estaban a punto de comprobar si los dos genios habían acertado.

Pusieron manos a la obra sin decir palabra. Jerry y Mike colocaron las cubiertas de los motores y se aseguraron de que estuviesen selladas y fueran estancas, mientras Mark verificaba una vez más que las bolsas con los equipos de inmersión y las armas estuviesen bien sujetas. Después de inspeccionar la bañera abierta, para ver si había algo que pudiese resultar dañado por la emersión, Juan repartió los cuatro respiradores de circuito cerrado Draeger. A diferencia de las botellas de oxígeno habituales, los aparatos de fabricación alemana no soltaban burbujas. Utilizaban unos purificadores de dióxido de carbono en un circuito cerrado y añadían oxígeno de una botella pequeña cuando los promedios de los gases se desequilibraban.

Los hombres llevaban trajes de inmersión negros muy finos, no tanto como protección termal —el agua estaba a la temperatura de la sangre—, sino para disimular la piel blanca. El calzado de inmersión tenía una suela muy gruesa y las aletas desmontables, por si tenían que salir del agua a toda prisa.

—No habría estado mal hacer esto más cerca de la frontera —comentó Jerry Pulaski. Era una observación que escondía una ligera crítica.

—Claro que sí —admitió Juan, reprimiendo una sonrisa.

Las fotos del satélite mostraban que el poblado más próximo estaba ocho kilómetros río abajo. Una vez más, de haber formado parte de la junta militar argentina hubiese pagado a algún vagabundo del muelle para que espiase y estuviese alerta a cualquier cosa sospechosa. En esta parte del mundo, el patriotismo era un pobre sustituto a una barriga llena, así que al equipo le esperaba una larga noche. Cabrillo se volvió hacia Murphy.

—¿Quieres hacer los honores?

—Demonios, no —respondió Mark—. Si hacemos algo mal, harás que Eric y yo paguemos por los daños.

Juan se encogió de hombros.

—Tienes razón.

Con el agua hasta el pecho, acercó la mano a uno de los flotadores y abrió una válvula de escape. El aire salió por la válvula hasta que el flotador quedó prácticamente deshinchado. Con un gesto, indicó a Jerry que hiciese lo mismo al otro lado; muy pronto tuvieron la mitad vaciada. El agua pasó por encima de la borda mientras la embarcación se hundía más en el río. Cabrillo y Pulaski empujaron el casco. La lancha se hundió un poco más y permaneció sumergida, aunque la proa no tardó en asomar a la superficie. Soltaron más aire hasta que la LNFR consiguió la flotación neutra y quedó equilibrada.

Como era de esperar, los cálculos para el lastre añadido habían sido exactos.

El equipo se colocó los respiradores, las máscaras en los rostros y realizaron una comprobación de las comunicaciones. Había pocas probabilidades de encontrarse con cocodrilos o caimanes, pero todos llevaban arpones sujetos a los muslos.

Juan soltó el cabo que sujetaba la LNFR a la choza y dejó que la corriente los arrastrase. Con cada hombre sujeto a un cabo amarrado a la embarcación, nadaron llevando a rastras la carga hasta el medio del río. Cabrillo tenía la sensación de que estaban remolcando a un hipopótamo.

Se mantuvieron cerca de la superficie durante los primeros kilómetros, nadando tranquilos llevados por la fuerte corriente. A esta distancia de la contaminación lumínica de cualquier ciudad, el cielo era una resplandeciente cúpula tachonada de estrellas, tan brillantes y numerosas que parecía que la noche en esta parte del mundo era de plata y no negra. Había luz más que suficiente para ver ambas márgenes del río y mantener la embarcación en el centro del canal.

Solo cuando se acercaron al siguiente poblado, los hombres quitaron el aire de los chalecos de flotabilidad y llevaron la embarcación cerca del fondo. Juan, que había hecho una lectura de la brújula antes de sumergirse, los guió observando el dial luminoso. Era sobrecogedor nadar en un agua tan oscura como la tinta. Con una temperatura tan parecida a la del cuerpo, era como si desapareciese toda sensación táctil. Se dejaron arrastrar por la corriente durante un kilómetro y medio, moviendo las aletas perezosamente para mantener el rumbo, hasta que Cabrillo ordenó volver a la superficie.

Habían dejado muy atrás el solitario poblado, y ahora tenían el río para ellos solos. Incluso de haber habido tráfico, sus equipos negros y que solo emergiera parte de sus cabezas hubiese llevado a creer a cualquier nativo que no eran más que algunas ramas arrastradas poco a poco corriente abajo hacia Argentina.

Pasaron unas horas. Un débil resplandor procedente de más allá de la siguiente curva les indicó que se estaban acercando a la frontera. Durante la fase preparatoria, todos habían visto las fotos de satélite de la zona. En el lado paraguayo había un muelle de cemento de noventa metros de longitud con un cobertizo de la aduana y varios depósitos en ruinas. El somnoliento poblado apenas tenía unas dieciséis manzanas. Una iglesia con el campanario blanco era el edificio más alto. En respuesta al reforzamiento de tropas, el comandante militar local había llevado un destacamento al poblado. Estaba acampado al norte del pueblo en un prado que llegaba hasta la orilla de arcilla roja.

El lado argentino era casi idéntico, excepto que había por lo menos quinientos soldados en la guarnición, y habían reforzado las posiciones instalando reflectores en las torres para iluminar el río y colocando rollos de alambre de espino en la carretera de tierra que unía los dos poblados. Las fotos de satélite mostraban dos embarcaciones amarradas en el muelle cerca de lo que posiblemente era el cuartel militar. A Juan le habían parecido torpederas, y si le hubieran pedido su opinión habría dicho que estaban dotadas con ametralladoras y lanzagranadas. Serían un problema si las cosas se ponían difíciles.

Siempre cerca del fondo, pero sin tocarlo para que el casco no removiese los sedimentos y las hojas y levantase una estela, los hombres siguieron nadando. Supieron que habían llegado a la posición argentina cuando un rayo de luz atravesó el agua oscura. Estaban a demasiada profundidad y el río era demasiado fangoso para que alguien en la orilla pudiese verles, pero de todas maneras se desviaron del resplandor plateado. En la superficie, los dos soldados de la torre observaban cualquier cosa que alumbrase el reflector: aguas tranquilas que fluían poco a poco hacia el sur.

Cabrillo y el equipo permanecieron sumergidos durante otra hora y solo salieron a la superficie cuando la frontera quedaba varios kilómetros atrás. Les llevó otra hora derivar en silencio hasta un afluente sin nombre que habían visto en las fotografías de satélite. Esta vez, los hombres tuvieron que trabajar contra corriente. En veinte minutos de esfuerzo tan solo avanzaron unos noventa metros, pero Juan ordenó un alto al juzgar que ya estaban bastante lejos corriente arriba como para quedar ocultos de cualquier espía.

Exhaló un suspiro cuando se quitó el pesado Draeger y lo dejó en la embarcación medio sumergida.

—¡Qué descanso!

—Tengo las puntas de los dedos como ciruelas pasas —se quejó Mark, que las levantó a la luz de la luna.

—Silencio —ordenó Juan en un susurro—. Muy bien, chicos, ya sabéis qué hay que hacer. Cuanto antes acabemos, más horas podremos dormir.

Las planchas de acero que habían utilizado como lastre para la embarcación pesaban veinticinco kilos cada una, un peso razonable para hombres en perfecta forma física, pero había centenares y tenían que levantarlas por encima de las bordas y lanzarlas al río. Los hombres trabajaban como máquinas, sobre todo Jerry Pulaski. Por cada plancha que Murphy o Mike Trono arrojaban por la borda, él lanzaba dos. Poco a poco, la embarcación comenzó a emerger del fango primitivo como un baboso anfibio. Una vez que los lados estuvieron fuera, Murphy puso en marcha la bomba eléctrica. El chorro de agua sonaba como un arroyo de montaña.

Les llevó otra hora pero, cuando acabaron, los cuatro se dejaron caer sobre la cubierta todavía mojada.

Juan fue el primero en levantarse. Dijo a sus hombres que durmiesen e informó a Jerry que le tocaba la segunda guardia. A los sonidos nocturnos de la selva se añadieron unos sonoros ronquidos.

Dos horas más tarde, poco después del alba, la LNFR dejó el pequeño afluente y volvió al río. Las cámaras de aire que habían vaciado permanecían flojas, pero con el agua en absoluta calma, y con una carga tan ligera, no afectaban la capacidad de navegación de la embarcación.

Los cuatro hombres vestían ahora uniformes de combate argentinos, con la insignia de la Novena Brigada y sus características boinas marrones.

La Novena era una unidad paramilitar muy bien preparada y equipada que solo obedecía al general Corazón. En otras palabras, un escuadrón de la muerte.

Cabrillo sabía que hacerse pasar por un oficial de la Novena Brigada podría sacarles de cualquier situación que pudiese presentarse.

Iba al timón de la LNFR, con las gafas de aviador preferidas de los miembros de la Novena y la boina colocada en un ángulo atrevido. Detrás de él, los dos motores fuera borda levantaban un muro de espuma blanca mientras la proa planeaba como un cohete sobre la plácida superficie. Mike y Murphy estaban a su lado, con las metralletas Heckler & Koch, las habituales de la Novena Brigada, colgadas al hombro. Jerry seguía acurrucado en el fondo como un perro, capaz de dormir pese al rugido de los motores.

El velocímetro marcaba casi cuarenta millas por hora.

Veinte minutos más tarde río abajo encontraron el primer poblado. Era imposible decir cuándo había sido destruido, pero la cantidad de vegetación que asomaba entre los restos quemados de las chozas llevó a Juan a pensar que habían pasado meses más que semanas. Los terrenos detrás del poblado, que habían sido despejados para la agricultura, también habían sucumbido al implacable avance de la selva.

—Ahora sé cómo debían de sentirse aquellos tipos cuando remontaron el río en *Apocalipsis Now* —comentó Mike.

No había cadáveres en el suelo —los animales debían de haberse encargado de ellos poco después del ataque—, pero la brutalidad aún se veía por todas partes. Habían volado con potentes explosivos el puñado de edificios de ladrillo. Los trozos de cemento habían llegado hasta la ribera, y las pocas paredes que habían permanecido en pie estaban acribilladas a balazos. Había innumerables cráteres de mortero, utilizado para obligar a los aterrorizados pobladores a huir hacia los campos, donde los argentinos sin duda habían dispuesto un piquete de soldados. Los habitantes habían ido de cabeza hacia la muerte.

—Dios santo —jadeó Murphy mientras pasaban—. ¿Por qué? ¿Por qué hicieron esto?

—Limpieza étnica —contestó Juan, con expresión grave—. Tan al norte los pobladores son indios. Los informes de inteligencia que he visto dicen que el gobierno de Buenos Aires quiere erradicar las últimas poblaciones nativas que quedan en el país. Y para que os hagáis una idea de los personajes que estamos suplantando —dijo al tiempo que hacía un gesto en dirección a la aldea—, aquello ha tenido que ser obra de la Novena Brigada.

—Fantástico —dijo Mike. Se metió la gorra en la charretera, para que su pelo flotase suelto alrededor de la cabeza.

—Lo mismo está pasando en ciudades y pueblos. Allí donde encuentran nativos los capturan y los envían a los campos de trabajo aquí en el Amazonas, o los hacen desaparecer sin más. Este lugar es una mezcla de la Alemania nazi y el Japón imperial.

—¿Cuántos indios quedan?

—Había unos seiscientos mil antes del golpe. Solo Dios sabe a cuántos han matado, pero si este régimen permanece en el poder algunos años más, acabarán todos muertos.

Pasaron junto a un transbordador que avanzaba poco a poco corriente arriba. Era lo bastante grande como para llevar ocho vehículos y quizá cuarenta pasajeros en la cubierta. Los camiones que transportaba iban pintados con colores de camuflaje, y los hombres junto a las bordas eran soldados. Saludaron a la lancha que pasaba, con gritos en español. Representando su papel, los tres hombres en la timonera no se dignaron responder. Cuando los soldados argentinos estuvieron lo bastante cerca para identificar las boinas marrones, sus alegres saludos enmudecieron en el acto, y la mayoría de ellos tuvieron de pronto la necesidad de mirar qué estaba pasando en el otro lado de la vieja embarcación.

Casi no había tráfico en el río, únicamente algunas canoas ocupadas por un solo hombre que avanzaban a lo largo de la ribera en busca de peces. Juan lamentó alterarles con la estela de la embarcación, pero reducir la velocidad sería la última cosa que hubiese hecho un soldado de la Novena. Lo más probable era que hubiese apuntado hacia las canoas y las hubiera embestido.

Después de dos horas y media de avance a toda velocidad río abajo, llegaron a un afluente la mitad de ancho que el brazo principal, el río Rojo. Debido al alto contenido de hierro de las tierras el agua era de un color marrón rojizo, como una mancha sanguinolenta que se extendiera por la corriente. Pulaski ya se había despertado, y él y Mike estaban observando el río alertas a cualquier indicación de que los estuviesen vigilando. Solo había río y selva, que era como una muralla de vegetación entrelazada.

—¡Despejado! —gritó Mike por encima del rugido de los motores.

—Despejado —confirmó Jerry desde la proa, y bajó los prismáticos.

Juan redujo la potencia lo suficiente para hacer un viraje cerrado, y abrió de nuevo el acelerador tan pronto como la proa apuntó corriente arriba. El río Rojo tenía menos de cincuenta metros de ancho, y la imponente selva parecía cerrarse delante para filtrar la luz del sol con un tinte verdoso. Era como si estuviesen avanzando por un túnel. La estela golpeaba las orillas haciendo que grandes trozos de fango cayesen al agua y se disolviesen.

Continuaron río arriba a baja velocidad porque, en menos de cinco minutos, se encontraron con un remolcador que empujaba una balsa de troncos desde las tierras altas. Era una embarcación con el casco de madera; iba dejando atrás una densa nube de humo negro del tubo de escape y más humo que salía del motor colocado en la popa. Los troncos flotaban en el agua y los maderos del perímetro iban sujetos con cadenas, para mantener el bloque intacto. Cabrillo calculó que la balsa tendría unos sesenta y cinco metros de longitud y que la madera parecía ser caoba. Supuso que una carga mayor sería demasiado difícil de llevar en un río tan angosto.

—No tienen mástil de radio —comunicó Mark Murphy.

—Sin duda llevarán un móvil —dijo Juan—. Pero no me preocupa que comuniquen nuestra presencia. Solo podrán decir que somos de la Novena Brigada, y no creo que quieran tener ningún problema con nosotros.

Permanecieron por el lado derecho del canal mientras adelantaban al remolcador. Ningún tripulante hizo el menor gesto de saludo. Es más, los tres marineros mantuvieron la mirada fija corriente abajo durante todo el rato.

Una vez se alejaron, Juan aceleró un poco más, pero tuvo que reducir la velocidad de nuevo unos momentos más tarde. Otro remolcador casi idéntico apareció delante de ellos. Este estaba dando un giro cerrado y se cruzaba en el lado del río donde estaba Cabrillo. La tradición marítima mandaba que Cabrillo detuviese la embarcación hasta que el remolcador y la balsa acabasen de dar la vuelta y encararan el canal. Pero los arrogantes soldados de un grupo paramilitar de élite no debían preocuparse de las costumbres de navegación.

—Deténganse donde están y déjennos pasar —gritó Juan en español.

—No puedo —respondió el patrón del remolcador.

Ni siquiera se había molestado en mirar quién le había hablado. Vigilaba el bloque de troncos que se acercaba cada vez más y más a la ribera. Si los troncos embarrancaban en la orilla, lo más probable era que su embarcación no tuviese la fuerza necesaria para apartarlos. Era un incidente bastante habitual, y a la tripulación le llevaría horas quitar las cadenas de algunos de los troncos, para poder soltarlos, y unas horas más poner en orden de nuevo la carga.

—No se lo pido, se lo ordeno —dijo Juan, con una voz furiosa como el siseo de una serpiente.

Uno de los tripulantes tocó el hombro del patrón. El hombre por fin miró hacia la LNFR y a la tripulación de soldados armados y con boinas marrones. Se puso ligeramente pálido debajo de la barba de dos días.

—Está bien —dijo con la resignación de los impotentes ante la opresión.

Dio marcha atrás y de inmediato la corriente lanzó su carga contra la ribera. Una docena de troncos gruesos como bidones rodaron en la orilla. El impacto cortó una parte de la cadena y trozos de eslabones oxidados volaron por los aires como metralla. Poco a poco, el viejo remolcador cruzó la corriente para apretar la carga todavía más en la ribera, al tiempo que franqueaba el paso al canal a Cabrillo y su neumática. Los troncos que ya se habían soltado se alejaban corriente abajo.

Siempre fiel a su personaje, Juan dirigió un saludo burlón a los tripulantes y aceleró.

—Les llevará gran parte del día poner orden en la carga —comentó Murphy.

—De haber esperado a que pasara, hubiese sospechado —señaló Mike Trono—. Mejor molestarlos a ellos que ser interrogados. Juan habla español como un nativo, pero yo me pierdo con el menú de un restaurante mexicano.

Continuaron corriente arriba y pasaron otro remolcador que llevaba troncos antes de que el GPS les indicase que estaban todo lo cerca que era posible del lugar donde había caído el satélite. Después de navegar otro cuarto de milla encontraron un pequeño arroyo y Juan entró en él. Había el espacio justo para el casco de la LNFR, así que la vegetación raspó los flotadores de la embarcación.

Jerry Pulaski ató un cabo en un tocón, y Juan apagó los motores. Después de tantas horas escuchando aquel tremendo rugido, a Juan le llevó varios segundos oír los sonidos de la selva a través del zumbido en los oídos. Sin tener que decirles nada, los hombres comenzaron a camuflar la embarcación; cortaron ramas y hojas de diversos árboles y arbustos para formar una intrincada cortina sobre la proa de la LNFR. Cuando acabaron, la embarcación era invisible desde un metro y medio de distancia.

—Bien, chicos —dijo Juan mientras recogían el equipo de comunicaciones y otros elementos, incluido un arnés hecho a medida para Jerry, donde cargaría la pila de plutonio—, nuestro viaje de placer río abajo ha terminado. Ahora comienza el trabajo de verdad. Yo iré en cabeza. Mike, tú te encargarás de la retaguardia. Hay que avanzar agachados y en silencio. Debemos dar por sentado que los argentinos tienen sus propios equipos por aquí buscando los restos, o al menos investigando. Habrá que estar alerta.

Los hombres, que con los rostros embadurnados con pinturas de camuflaje tenían el mismo aspecto fiero que cualquier guerrero nativo, asintieron en silencio y saltaron de la embarcación a la esponjosa orilla. Iniciaron la marcha tierra adentro por un sendero que prácticamente iba en paralelo al arroyo. La temperatura era de cuarenta grados y la humedad cercana al ochenta por ciento. En unos pocos minutos, el sudor brotaba a chorros de sus poros.

Durante el primer kilómetro y medio, Cabrillo sintió dolor en cada músculo de su cuerpo debido a las horas transcurridas en el río, pero los efectos de nadar innumerables largos de piscina durante tantos años comenzaron a notarse. De pronto se movía con más agilidad, sus botas apenas rozaban la tierra blanda y no le molestaba prácticamente el muñón. Estaba acostumbrado a los espacios abiertos —el mar o el desierto—, por lo que sus otros sentidos estaban rellenando aquello que sus ojos no alcanzaban a ver. Pudo percibir un leve rastro de humo en el aire —sin duda debido a la quema de bosques—, y cuando el grito de sorpresa de un pájaro llegó a través del follaje, se detuvo y esperó hasta averiguar qué lo había provocado. ¿Se había sobresaltado por la presencia de algún predador o se debía a que había visto algo en el mismo sendero por el que iba caminando el equipo de Juan?

La agudeza mental requerida para avanzar en la selva era tan exigente físicamente como el esfuerzo de deslizarse entre el denso follaje.

El ojo de Juan captó algo a su izquierda. De inmediato hincó una rodilla en tierra y señaló con una mano a los hombres que hiciesen lo mismo. Observó el punto que había atraído su atención a través de la mira del subfusil. La rápida descarga de adrenalina en las venas pareció afinar su visión. No percibió ningún movimiento, ni la más mínima brisa agitando las hojas; aunque debajo de la copa de los árboles la quietud del aire era casi total. Retrocedió con cautela, aumentando lentamente el ángulo de visión.

Allí.

El resplandor mortecino del metal. No era el resplandor negro de un arma moderna que le apuntara, sino el brillo de peltre del aluminio viejo abandonado a los elementos. Según el GPS, todavía estaban a varios kilómetros del lugar donde la pila de plutonio había caído, y se preguntó por un momento si serían restos del satélite estrellado.

Aún agachado y con el MP5 apretado contra el hombro, se apartó del sendero, seguro de que aquello que no viera en su visión periférica lo verían sus hombres. Se aproximó con la paciencia de una fiera de la selva. A una distancia de metro y medio, vio el contorno de algo grande a través de los matorrales. Fuera lo que fuese, no era parte del satélite caído.

Utilizó el cañón del arma para apartar un grupo de trepadoras que colgaban de un árbol y soltó un gruñido de sorpresa. Habían descubierto lo que parecía ser la carlinga de un avión derribado. El parabrisas había desaparecido hacía mucho y las lianas rastreras habían penetrado en el aparato, serpenteando alrededor de los asientos y los mamparos como células cancerosas. Pero lo que de verdad llamó su atención fue lo que había en el asiento del copiloto. Quedaba muy poco del cuerpo, solo un esqueleto marrón verdoso que muy pronto se fundiría en el asiento. Sus prendas se habían podrido hacía tiempo, pero entre los restos de los huesos pélvicos, brillando con fuerza en la luz difusa, había un trozo de latón que tenía que haber sido la cremallera del pantalón.

Silbó suavemente y, segundos más tarde, Mark Murphy y Jerry Pulaski se acercaron. Mike permaneció cerca del sendero vigilándoles a todos.

—¿Qué os parece? —preguntó Juan en voz baja.

—Por lo que se ve, el avión lleva aquí algún tiempo —dijo Jerry, y apartó un insecto del tamaño de un ratón que había aterrizado en su cuello.

Mark se quedó pensativo unos instantes, pero luego sus ojos se abrieron como platos.

—Esto no es un avión —dijo con asombro y respeto en la voz—. Es el *Holandés Errante*.

—Perdona mi ignorancia, pero ¿el *Holandés Errante* no era un barco fantasma? —preguntó Pulaski.

—El *Holandés Errante* era un dirigible —le informó Mark y señaló dentro—. Mira entre los asientos. Fíjate en esa rueda que era el timón. Controlaba el movimiento vertical y hacia abajo del dirigible. Si lo giras hacia delante, mueve los planos elevadores y baja el morro. Si lo mueves hacia atrás se eleva.

—¿Qué te lleva a creer que es el *Holandés Errante* y no algún dirigible que perdió la marina durante la Segunda Guerra Mundial?

—Estamos a mil seiscientos kilómetros tierra adentro del

Atlántico y el Pacífico, y el *Holandés Errante* desapareció mientras buscaba una ciudad perdida en la jungla.

—De acuerdo —dijo Juan—. Rebobina y cuéntanoslo todo desde el principio.

Mark no podía apartar la mirada de la góndola aplastada del dirigible.

—Cuando era un niño, me entusiasmaban los dirigibles y los zepelines. Solo era una afición, un pasatiempo. Antes me habían entusiasmado las locomotoras a vapor. —Al ver las expresiones de los demás añadió—: De acuerdo, lo admito. Era un friki.

—¿Eras? —preguntó Jerry, imperturbable.

—En cualquier caso, leí muchísimos libros sobre dirigibles, sobre su historia. Como la del L-8, un dirigible patrulla de la marina que despegó de San Francisco en agosto de 1942. Al cabo de un par de horas de una patrulla de rutina, la tripulación de dos hombres informó que había visto una mancha de aceite. Otras dos horas más tarde, el dirigible voló sobre la costa, sin los tripulantes. La única pista fue que faltaban dos chalecos salvavidas.

—¿Qué tiene que ver con todo esto? —preguntó Juan un tanto impaciente.

Mark Murphy era el tío más listo que Cabrillo había conocido, pero también tenía cierta tendencia a irse por las ramas con asuntos que recordaba su memoria casi fotográfica.

—Otra historia de dirigibles perdidos es la del *Holandés Errante.* Espero recordarla bien. Después de la guerra, un antiguo piloto de la marina y algunos de sus camaradas compraron un dirigible hecho con material sobrante de la contienda, para volar sobre Sudamérica en busca de una ciudad inca, casi seguro que El Dorado. Remodelaron el dirigible para que volase con hidrógeno, que es altamente explosivo, pero ellos mismos podían fabricarlo utilizando la electrólisis.

—¿Buscadores de tesoros? —peguntó Pulaski en tono de duda.

—No estoy diciendo que estuviesen en lo cierto —contestó Mark a la defensiva—, solo digo que eran reales.

—Todo esto está muy bien —intervino Cabrillo, que se apartó de la carlinga y de su horrible ocupante—. He marcado la ubicación en el GPS, pero tenemos una misión que cumplir.

—Dame cinco minutos —suplicó Mark.

Juan se lo pensó un momento y asintió.

Murphy le dio las gracias con una sonrisa y se arrastró por el agujero que había dejado la puerta de la góndola cuando el dirigible se estrelló en la selva. A su izquierda estaban los asientos de los pilotos y los controles. A la derecha, la cabina. Tenía la eficacia y la economía de espacio de una caravana. Había dos literas, una pequeña cocina con un calentador eléctrico y una docena de pequeños armarios. Los abrió uno tras otro, buscando cualquier pista en el interior, y pasaba al siguiente cuando lo único que encontraba eran moho y los utensilios que los hombres debieron de utilizar para prepararse la comida.

En un armario encontró los restos metálicos de un arnés. Las cuerdas y las redes se habían convertido en una pasta, pero el acero permanecía intacto. Comprendió en el acto que debían de haber utilizado el equipo para bajar de la góndola cuando tenían que hacer reconocimientos en tierra. Por fin, al abrir un viejo bote de café que había quedado sobre la pequeña mesa, encontró algo.

Se maldijo por no haber comprendido su importancia en el acto. La lata tendría que haberse caído cuando el dirigible se estrelló. Era imposible que se hubiera quedado sobre la mesa, a menos que alguien la hubiese puesto allí. Un superviviente. En el interior, descubrió una funda blanca de unos quince centímetros de largo. Le llevó un momento comprender que era un condón. Por el tacto había algo en su interior, sin duda papeles. ¿Un diario? El otro extremo estaba anudado.

Después de sesenta años de permanecer allí, este no era el momento ni el lugar para abrirlo. Necesitaría el equipo de a bordo del *Oregon* si quería conocer algo más. Con mucho cuidado metió el profiláctico en una bolsa sellada y se la guardó en la mochila.

—Se acabó el tiempo —dijo Juan. La selva era tan frondosa que su voz sonó incorpórea, aunque solo estaba a unos pocos metros.

—He terminado. —Mark salió de la góndola. Con una última mirada hacia atrás, juró averiguar los nombres de las personas que se habían estrellado allí e informar a sus familiares.

4

Base científica Wilson-George
Península Antártica

El viento había aumentado y aullaba sobre las cúpulas, arrastrando con él cortinas de nieve. Es extraño que al continente más aislado del planeta, aunque cubierto de nieve, se lo considere un desierto porque solo registra unas precipitaciones mínimas. En la península nevaba más que en el interior, pero era posible que los copos que cubrían la base hubiesen caído centenares de años atrás.

Sin embargo esta todavía no era la tormenta que esperaban, solo se trataba de un sutil aviso de que ahí la humanidad era una intrusa.

Andy Gangle despertó con un terrible dolor de cabeza. No era el dolor sordo tras haber pasado horas y horas mirando la pantalla de un ordenador; era el dolor agudo que se siente al beber algo muy frío de un trago. No importaba lo que hiciese, ni siquiera ponerse calentadores de manos químicos en las sienes, como si quisiera descongelarse el cerebro; nada ayudaba.

Tampoco la habitación a oscuras, ni los analgésicos que había tomado a palo seco en cuanto había empezado el terrible dolor. A pesar de su vehemente necesidad de intimidad, un gemido escapó de sus labios exangües, una conmovedora, si bien no pretendida, petición de ayuda. Permaneció encogido en posición fetal enredado en las sábanas y las mantas de lana empapadas en sudor. En la pared opuesta a la cama de Gangle, mirándole desde su llegada, estaba la imagen icónica de Albert Einstein sacándole la lengua a la cámara.

Había ganado la foto en un concurso de ciencias en octavo curso, y la había tenido colgada en la pared mientras estuvo en el instituto, y en un lugar de honor en diversas residencias universitarias. Estaba un tanto estropeada, pero cada vez que tenía problemas miraba la foto y descubría qué absurdo era lo que fuera que le estuviese preocupando. Si Einstein, con la responsabilidad de saber que sus ecuaciones habían ayudado a diezmar dos ciudades japonesas, podía reírse del mundo, entonces no había nada que pudiese detener a Andy Gangle.

La miró y no sintió otra cosa que rabia. Una rabia cegadora alimentada por el terrible dolor que quemaba su cerebro. ¿Qué sabía Einstein de soportar una carga?, pensó Andy. Había dejado su huella en la física siendo joven y pasó el resto de su vida haciendo tonterías. Al infierno con él. Al infierno con todos ellos. Con unos movimientos más rápidos de lo que hubiese creído posible, Gangle estiró los miembros entumecidos, saltó de la cama y arrancó el póster de la pared. Las esquinas sujetas con cinta adhesiva transparente se quedaron pegadas, pero el resto salió entero. Andy destrozó el póster salvajemente, lo hizo trizas con los dientes y los dedos, y una lluvia de confeti mojado con su saliva cayó sobre el suelo de linóleo.

Gina Alexander, que pasaba en ese momento por delante de la puerta de Andy camino a su lugar de trabajo en la cocina, pensaba en que dentro de cinco días, si el tiempo aguantaba, un hermoso y enorme avión Hércules C-130 aterrizaría en la pista de hielo a cuatrocientos metros de la base y que ella estaría allí esperándolo. La primera parada Chile; después Miami, y luego... ¿Qué?

No lo sabía. Ir a la Antártida había sido catártico, y el tiempo pasado allí había hecho que el dolor por la traición de su marido y su divorcio quedasen relegados a un rincón de su corazón, pero no sabía qué vendría después. No había pensado tan a largo plazo. Consideró la posibilidad de trasladarse cerca de sus padres, pero la sola idea de vivir en un lugar llamado Plant City, en Florida, le encanecía el pelo y le torcía los dedos con una artritis imaginaria.

El sonido en la habitación de Andy, que oyó al pasar, le pareció el de un reptil, un siseo seco y rasposo como el de una enorme serpiente o algún lagarto gigante. Se detuvo y prestó atención. No se repitió. La idea de llamar a la puerta de Andy y preguntar si estaba bien llegó y se fue tan rápido como su mente pudo procesarla. Si Andy Ojos Saltones tenía un problema, pues mala suerte. Se había ganado la enemistad de todo el equipo con su extraño comportamiento, y Gina era una firme creyente en el refrán «recoges aquello que siembras».

Un minuto más tarde estaba saludando a un grupo de científicos mientras encendía la parrilla y colocaba las primeras rebanadas de pan en la tostadora.

Hubiese sido una bendición para Gina llamar a la puerta de Andy o comunicarle a Greg Lamont, el jefe de la base, lo que había oído.

Andy había descubierto una manera de aliviar el dolor de cabeza. Había sido en los primeros frenéticos segundos, cuando estaba destrozando el póster. En su enloquecido ataque por verlo totalmente destruido, su coordinación se había descompensado hasta el extremo de que cuando sus dientes mordieron un trozo de papel, sus incisivos se hundieron en la carne del dedo índice, en un costado de la uña. La sangre tenía un sabor en el que se combinaban el cobre y la sal, y no era nada desagradable. Lo que sí resultó inesperado fue que tan pronto como tocó sus labios, el dolor detrás de sus ojos disminuyó, como quien apaga un cegador foco que primero se convierte en un leve resplandor ámbar y después se apaga del todo.

Masticó el trocito de carne y le pareció correoso, como la goma de un lápiz que se ha endurecido con el paso del tiempo.

Pensó en lo que estaba haciendo mientras veía cómo continuaba sangrando la herida. Se llevó la mano a la cara y miró con fascinación los dibujos que hacía la sangre al recorrer su piel. Agitó la mano para que la sangre trazase líneas sobre la palma. Con una risita, mojó el dedo y escribió en la pared, manchas rojas sobre el limpio plástico blanco. Escribió letras, formó palabras, siguiendo una idea que tendría que haber visto desde el primer momento. Era tan simple, tan perfecto... Admitió que la línea que había escrito era un tanto burda, porque la sangre carecía de la fluidez de la pintura, pero el significado estaba perfectamente claro.

«Boya rapará Nicole.»

Algún instinto, un sentido de conservación enterrado en las profundidades de su cerebro, le dijo que debía limpiarse antes de salir a buscar lo que necesitaba para realizar su plan. Con el dedo vendado con cinta aislante que cogió del escritorio y tras limpiarse la mayor parte de la sangre de los labios, Andy Gangle comprobó que el pasillo estaba despejado y salió de su habitación.

5

Juan levantó la mano cuando oyó el inconfundible sonido de los helicópteros que se acercaban. El ruido quedaba apagado por la toldilla vegetal, así que no podía esperar verlos a través del denso follaje que colgaba sobre el suelo como una mortaja viviente. Los mejores cazadores del mundo pueden detectar el menor movimiento entre el caos de la vegetación, y no dudaba de que estos eran helicópteros militares. No tenían el refinado sonido de los helicópteros fabricados para transportar a los ejecutivos mimados. Estos sonaban desnudos, reducidos a lo esencial para cargar tantos hombres y equipos como fuese posible. Sin embargo, el ojo humano percibe el movimiento mejor que las imágenes estáticas, así que los hombres esperaron acurrucados a lo largo del sendero hasta que el sonido se alejó. Iban en la misma dirección que ellos.

—¿Qué opinas, director? —preguntó Jerry Pulaski.

—Nuestro comité de bienvenida ha llegado. Vamos a asegurarnos de que no tengan tiempo de montarnos la fiesta. —Juan miró la pantalla del GPS—. El sendero nos lleva un poco más al este de donde debemos ir. Es hora de trotar a campo traviesa. En la misma formación.

Si avanzaban agachados, los hombres podían pasar por debajo de las hojas y la fronda baja, aunque Jerry, que superaba a los demás en quince centímetros, se encontraba en desventaja en la selva. Después de diez minutos, las hojas afiladas como navajas le habían cortado el rostro como si se hubiese afeitado con una maquinilla vieja, y los insectos, hambrientos de comida fácil, se lanzaban contra él con la entrega de pilotos kamikaze.

Por si eso no bastara a sus cuerpos ya suficientemente castigados, el terreno les obligaba a ascender. Se encontraban en las estribaciones de las montañas que habían visto en las fotografías de reconocimiento. El olor de la maleza quemada era cada vez más fuerte. Estaban a unos pocos kilómetros de la zona donde se quemaban y talaban los bosques.

Juan hizo lo posible para abrir un sendero a través de la maleza y cuando, un poco más adelante, vio lo que parecía ser un gran claro, cometió el error de avanzar antes de verificar la posición. Entró en un camino de tierra en el mismo instante en el que un camión semirremolque pasaba a toda velocidad; la curva que acababa de dejar atrás había apagado el sonido del motor. Si Juan hubiese emergido un segundo más tarde, el conductor le habría visto pero no hubiera tenido tiempo de frenar.

Cabrillo se detuvo y agitó los brazos en molinillo para evitar dar un último paso que le habría lanzado debajo de los enormes neumáticos del camión. Las barras laterales, que contenían los troncos que el gran vehículo llevaba hacia el río, pasaron a unos centímetros de su rostro, y el vórtice que crearon en el aire húmedo amenazó con absorberlo hacia el acero.

Un segundo más tarde se alejaba envuelto en una nube de polvo. Juan dio lo que podría haber sido su último paso y soltó el aliento que estaba conteniendo sin darse cuenta. Las horas de entrenamiento superaron el miedo y la sorpresa, y se lanzó cuerpo a tierra en una de las enormes rodadas del camino ante la posibilidad de que el conductor mirase por el espejo retrovisor. Cabrillo permaneció tendido hasta que el camión se perdió de vista, y luego se arrastró hasta ponerse a cubierto.

—Por los pelos —comentó Murphy sin necesidad.

Juan sabía que su subordinado le estaba provocando, pero no picó el cebo.

Cuando estuvieron seguros de que no aparecerían más camiones de la nada, el equipo cruzó la carretera agrupado; Mike Trono arrastraba una rama cortada a toda prisa para borrar las huellas de las botas.

Bien ocultos al otro lado, Juan sacó de la mochila el detector de rayos gamma. El equipo era de uso militar y, por tanto, todo lo simple que se podía fabricar. La máquina en sí misma era una caja de color negro mate del tamaño de un viejo magnetófono. Había un interruptor, una luz roja y un panel con una sola aguja. Cuando la lámpara roja se encendía era porque el aparato había detectado rayos gamma. El usuario lo movía en un giro de trescientos sesenta grados, y la aguja marcaba la dirección de la fuente emisora.

Juan lo encendió. El detector emitió un pitido para indicar que funcionaba, pero el piloto permaneció apagado. Aún estaban muy lejos de la pila como para detectar algún indicio de los rayos gamma que emitía.

Comenzaron a subir la colina, una y otra vez cruzaron la misma carretera en un trazado que zigzagueaba por la ladera. El olor del humo ya no era un leve rastro transportado por la brisa; el aire era cada vez más denso, y las nubes blancas se aferraban a las depresiones en la tierra como los gases tóxicos de un ataque con armas químicas.

Mark propuso hacer señas al próximo camión que viesen para pedirle que los llevasen; lo decía en broma, pero solo a medias. Juan sabía que los hombres comenzaban a cansarse, así que decidió que en cuanto encontrasen la pila de la NASA y la tuviesen cargada en el arnés, buscarían algún lugar donde pasar la noche y, a la mañana siguiente, regresarían a la embarcación para largarse de Argentina.

Era mediodía cuando llegaron a la cumbre de la montaña. Se acercaron con cautela, cuerpo a tierra, para no delatar su presencia a nadie que estuviese abajo en el valle. Lo que vieron parecía una escena sacada del infierno.

Aquello que en otro tiempo había sido un exuberante bosque primitivo, ahora se había convertido en una llanura de barro y matojos de muchos kilómetros de extensión. Hogueras altas como almiares desprendían unas impresionantes columnas de humo y fuego mientras que unas excavadoras amarillas recorrían el paisaje con árboles enteros atrapados en sus mandíbulas mecánicas. En medio de aquel caos, los hombres iban de árbol en árbol como hormigas, mordiendo con sus sierras y luego chillando, al tiempo que cortaban la madera que había tardado generaciones en crecer.

A la izquierda del equipo de Cabrillo, la tala se extendía como un cáncer por las laderas de una montaña que ya había sido marcada con otra carretera de carga. Algo llamó la atención de Juan. Le dio el detector a Mark Murphy, cogió los prismáticos de la mochila y, antes de llevárselos a los ojos, comprobó que en ese ángulo el sol no se reflejaría en los cristales.

En la distancia vio un área allanada, a medio camino de la montaña, donde cargaban los troncos en los semirremolques. Había una construcción de aluminio y varios vehículos especiales para la industria maderera: tractores con grúas tenaza y toros con neumáticos con clavos de acero. Un poco más allá estaban los dos helicópteros que habían oído antes, con los rotores inmóviles bajo el sol de la tarde y la pintura de camuflaje casi idéntica a la selva que tenían detrás.

Los soldados estaban formados más o menos en posición de revista mientras otros dos hombres uniformados —supuso que oficiales— hablaban con un pequeño grupo de madereros. A sus pies había un trozo de metal quemado. Juan no alcanzaba a ver los detalles, pero no hacía falta una gran intuición para suponer que era un fragmento del cohete o de su carga. Mientras miraba, los civiles señalaron una y otra vez hacia un lado de la montaña, como si indicasen que algo importante había sucedido cerca de la cumbre o un poco más allá.

—¿Qué está pasando? —preguntó Mike.

—La fiesta está a punto de empezar —respondió Juan con voz grave.

—Tengo algo —anunció Mark al tiempo que movía el detector de rayos gamma.

—¿Dónde? —preguntó Juan.

—Allí. —Mark señaló—. La señal es débil, pero está claro que se encuentra donde los argentinos están manteniendo su pequeña discusión.

Juan imaginó los acontecimientos que habían podido llevar a esta escena. Cuando el cohete estalló y los trozos cayeron en la selva, algo se estrelló en el claro y fue rescatado por los leñadores. Lo llevaron hasta la zona de carga para mostrárselo a los capataces, quienes, a su vez, llamaron a los militares para que investigasen. En ese momento estaban diciendo a los soldados que otro trozo se había estrellado cerca de la cumbre de la montaña.

Al comandante Jorge Espinoza de la Novena Brigada le gustaban las órdenes. Le gustaba recibirlas, le gustaba darlas y le gustaba ver que se cumplían. Qué tipo de orden fuera nunca le preocupaba. Marchar una semana entera a través de un pantano, durante un entrenamiento, para obtener la codiciada gorra marrón o quemar hasta los cimientos una aldea de agricultores indígenas no se diferenciaba en nada en su mente. Había realizado ambas acciones con la más absoluta determinación y empeño. En sus años de servicio militar, ni una sola vez había cuestionado si las órdenes eran morales. No tenía nada que ver con su razonamiento. Las órdenes se daban. Las órdenes se cumplían. No había nada más.

Sus hombres le veían como el líder perfecto, impermeable a las emociones o a las dudas. Pero en sus momentos de privacidad, el comandante Jorge Espinoza admitía para sí mismo que unas órdenes le gustaban más que otras. Disfrutaba mucho más matando a aldeanos que pasando una semana con el pecho hundido en un pantano lleno de sanguijuelas.

Pertenecía a una familia de militares que habían servido a

Argentina durante cuatro generaciones. Su padre había sido coronel de inteligencia durante los días gloriosos, cuando los generales dirigían el país. Había obsequiado a sus hijos con relatos de lo que hacían con los enemigos del Estado, de los vuelos en helicóptero cargados con disidentes maniatados sobrevolando el helado Atlántico Sur. Se había convertido en un juego lanzarlos por la escotilla abierta desde trescientos metros de altura. El objetivo era que el segundo hombre cayera en el chapuzón del primero, y así con el resto de los prisioneros.

Era una versión psicópata del juego de las herraduras, pero Jorge nunca lo había visto de esa manera.

Era demasiado joven para entrar en combate cuando los británicos recuperaron las islas Malvinas, pero lo habían entrenado los veteranos de guerra y, desde entonces, había sido un soldado ejemplar. Cuando se creó la Novena Brigada, después de que el general Corazón derrocase al débil antiguo presidente, Jorge Espinoza fue uno de los primeros en ofrecerse voluntario. Su entrenamiento no había sido más fácil que el de los jóvenes alistados a los que ahora comandaba, y por ello se había ganado su lealtad.

Ahora era el segundo comandante de toda la brigada bajo el mando del general Philippe Espinoza, su padre, que había abandonado su retiro para ocupar el cargo. Cualquier rumor de nepotismo fue acallado por la eficiencia y la brutalidad con las que el joven Espinoza realizaba sus tareas.

Le gustaba mandar desde la primera línea, y por esa razón estaba allí, en la región amazónica de su país, hablando con los madereros de algo que ellos habían visto caer cerca de su lugar de trabajo. El objeto que le habían mostrado desde luego parecía parte de un cohete estadounidense. Estaba hecho de aluminio muy ligero y pulido con tanto cuidado que no se veía ni la más mínima imperfección en su superficie. Los bordes aparecían cortados como por una explosión y había marcas de fuego en la pintura blanca.

La junta de gobierno vería en la recuperación de cualquier

trozo del cohete una posibilidad de avergonzar a Estados Unidos. Pero no sabían cuál era la carga. La NASA afirmaba que se trataba de un satélite meteorológico, pero los generales no podían descartar la posibilidad de que su propósito fuese el espionaje.

—Creemos que otro trozo cayó al otro lado de la montaña —afirmó el capataz y señaló hacia la colina a medio talar detrás de ellos. Le ponía nervioso estar entre tantas boinas marrones, pero había considerado que era su deber llamar a los militares—. Está más allá de aquellos hombres que están talando en la montaña. Algunos querían ir a buscarlo, pero les pago para que corten madera, no para que exploren. Ya fue bastante malo que desperdiciasen una hora sacando este trozo del barro.

Espinoza miró a su ayudante, el teniente Raúl Jiménez. A diferencia del comandante, que tenía el pelo castaño claro y los ojos azules de su abuela paterna, Jiménez había heredado el aspecto oscuro de sus antepasados vascos. Los dos hombres habían trabajado y entrenado juntos durante casi toda su carrera. La diferencia en el rango no era por diferencia de capacidad, sino porque Jiménez había rehusado abandonar a su amigo para asumir un mando propio. No necesitaron intercambiar una palabra para saber lo que el otro pensaba.

—Reúna a todos los hombres que pueda en quince minutos —ordenó Jiménez. Su voz era la de un sargento instructor que exigía acción—. Formaremos una línea y avanzaremos montaña arriba hasta que encontremos lo que los yanquis perdieron en la selva.

La única señal de que el capataz de la compañía maderera se sintió inquieto por esa orden fue que se rascó la cabeza debajo de su sucio casco antes de asentir.

—Lo que sea para la Novena Brigada.

Los capataces se alejaron para reunir a los hombres, y Espinoza se quedó solo con su segundo.

Ambos hombres encendieron sendos cigarrillos, compartiendo una única cerilla a prueba de viento.

—¿Qué te parece, jefe? —preguntó Jiménez, y exhaló una nube de humo que se mezcló con la que ya flotaba sobre todo el lugar.

—Encontraremos lo que sea que estos hombres vieron —respondió el comandante Espinoza—. La única pregunta es si valdrá el esfuerzo.

—Cualquier cosa que podamos utilizar para demostrar al mundo que los estadounidenses no son tan infalibles como creen, será bueno para el Ministerio de Propaganda.

—Ahora mismo, la opinión mundial sobre nuestro gobierno es tan mala que no creo que unos restos de basura espacial puedan cambiar muchos corazones o mentes. Pero las órdenes son las órdenes, ¿verdad? Además, será un buen ejercicio de entrenamiento para nuestros hombres. Podrían acabar ablandándose después de destrozar tantas aldeas desde la comodidad de nuestras lanchas cañoneras.

Cabrillo y sus hombres ya se habían puesto en movimiento cuando el capataz recibió la orden de reunir a sus hombres. Sería como una carrera para ver quién alcanzaba primero la recompensa. Juan y su equipo tendrían que recorrer más terreno, pero permanecerían cerca de la cumbre de las colinas mientras que los soldados argentinos se verían forzados a escalar por la ladera. Además, tendrían que avanzar más lentamente debido a que estaban obligados a buscar palmo a palmo. Los hombres de la corporación contaban con el detector de rayos gamma, que actuaba como un sabueso y los ayudaría a localizar la pila de plutonio.

Saber que la competición era dura les motivaba y les permitía superar los dolores que atenazaban sus músculos y articulaciones. Si podían llegar a la pila, recuperarla y después desaparecer, los argentinos ni siquiera se enterarían de que habían estado allí.

Los hombres se movían con rapidez pero mantenían un completo silencio. No había ningún sonido más fuerte que el roce de la vegetación en la tela y el continuo susurro de su respiración. El humo que se elevaba donde estaban talando y quemando el bosque era solo un delgado velo a esa altura, pero allá abajo, donde los soldados estaban formando la línea, era otro impedimento para la búsqueda.

Juan no cambió el paso cuando oyó el ruido del motor de un helicóptero, pero no pudo evitar que su corazón se estremeciera. Tendría que haber intuido que utilizarían el reconocimiento aéreo. Un trozo de chatarra espacial que pesaba unos treinta kilos y chocaba contra la Tierra a la velocidad terminal dejaría un cráter de impacto lo bastante grande como para poder verse desde el aire. Todo dependía de si aún quedaba follaje suficiente para mantenerlo oculto a las miradas desde lo alto.

Tenía la sensación de que no serían tan afortunados.

—La señal del detector continúa siendo fuerte —avisó Mark. Habían abandonado la habitual separación entre ellos para avanzar al trote rápido alrededor de la cumbre, así que se encontraba a unos pocos pasos detrás del director.

Cuarenta minutos más tarde estaban cerca del lugar donde el helicóptero había atravesado la selva buscando cualquier señal del impacto. No había manera de saber cómo progresaban los soldados en tierra. Los hombres de Cabrillo se veían forzados a reducir el paso cada vez que el helicóptero argentino volaba dentro de su radio visual.

Juan lamentaba que el detector no les informase de la distancia hasta el objetivo. Sin esa información, no sabía si estaban cerca de la pila o tenían que caminar otro par de kilómetros. El ruido del helicóptero cambió de pronto. Ya no era un sonido que iba o venía entre la bruma sino que mantenía un ritmo constante. Sobrevolaba un punto a unos ochocientos metros delante de ellos. Solo podía significar una cosa.

Habían encontrado el cráter del impacto de la pila.

Cabrillo maldijo. Un equipo podía descender desde el helicóptero, recoger la pila y estar de nuevo a bordo cuando él y sus hombres apenas hubiesen cubierto la mitad de la distancia.

Sin necesidad de que les animara, sus hombres avanzaron al doble de velocidad, atravesando la selva como si hubiesen nacido en ella. Juan, que corría con un único objetivo en mente, comenzaba a quemar las reservas de energía que nunca antes le habían fallado. Sabía que incluso después de todo lo pasado para llegar hasta allí, aún era capaz de correr un kilómetro y medio en seis minutos. Mike Trono se mantenía a la par, pero Mark y Jerry ya comenzaban a rezagarse.

Sin ninguna razón aparente, el helicóptero abandonó la posición y se dirigió hacia el sur en dirección al campamento maderero. Cabrillo lo interpretó como una señal positiva y aminoró el paso; las turbinas y el batir de los rotores ya no enmascaraban los sonidos de su carrera. Su pecho bajaba y subía, pero normalizó la respiración con unas inspiraciones muy hondas que saturaron los tejidos con oxígeno. Casi notaba cómo el ácido láctico se disolvía en los músculos. Mike y él se tumbaron cuerpo a tierra y comenzaron a arrastrarse como serpientes para la aproximación final.

La pila se había estrellado contra el suelo en un ángulo suave que había abierto una herida en la selva y dejado en su estela un cono de hierba quemada. El cráter era un anillo ennegrecido de tierra batida. Cinco soldados argentinos habían bajado con una escala de cuerda. Dos de ellos cavaban en el cráter con palas que seguramente habían cogido a los leñadores, mientras que los demás montaban un perímetro de guardia. Los cinco llevaban las características boinas marrones.

Juan, que había estudiado las técnicas de la Novena Brigada con el fin de interpretarlos, sabía que operaban en pelotones de seis. Tenía que haber otro hombre con ellos, alguien a quien no podía ver. Se apresuró a pulsar tres veces el micro de su radio de combate. Era una orden para que todos mantuviesen la posición y se ocultasen.

Mike y él podían eliminar a tres centinelas antes de que lograsen transmitir una señal de radio; luego se ocuparían de los dos que quedaban, que se habían desnudado hasta la cintura y habían dejado su equipo a unos pocos metros. Pero quedaba el sexto hombre, el hombre invisible. Era un comodín del que había que ocuparse en primer lugar.

Cabrillo agarró su subfusil MP-5, que llevaba colgado alrededor del cuello. Había sido una molestia mientras se arrastraba. La pistola también permanecería en la funda, porque aunque llevara un silenciador, el sonido amortiguado del disparo asustaría a la fauna local y el vuelo de los pájaros alertaría a los argentinos.

Sabía que algunos hombres preferían matar con un puñal. Nunca le había gustado y tampoco confiaba en ellos, pero conocía la técnica y la había empleado más de una vez. Matar con un puñal era un trabajo sucio, y aquellos que lo realizaban, por su experiencia, lo hacían más porque disfrutaban con la vida que arrebataban que para mejorar los resultados de su misión.

Resultaba difícil observar el terreno. Su visión quedaba obstruida a unos pocos centímetros de su rostro; además, no conseguía ponerse en el lugar del sexto hombre y adivinar dónde se había colocado para vigilar en secreto a sus camaradas que cavaban para recuperar el trozo del satélite.

En la posición correspondiente a las diez desde donde estaba Juan, la maleza era menos tupida porque varios árboles tapaban la luz del sol y habían impedido que la tierra se nutriese. En ese lugar, el soldado tendría el mejor campo visual. Cabrillo decidió que era allí donde le esperaba su hombre. Se dispuso a moverse. Sabía que tendría que rodearlo y acercarse al soldado de la Novena Brigada por detrás; luego, Mike y él se ocuparían del resto. Juan desenfundó su puñal, hizo un mínimo movimiento a la izquierda y se quedó inmóvil.

Voces.

Una docena de hombres gritaban y reían mientras avanzaban a través de la selva como una manada de jabalíes. Entre ellos había soldados y leñadores; eran los que habían subido la montaña. Les habían transmitido por radio la ubicación del satélite y se habían apresurado a ir hacia allí.

Cabrillo permaneció inmóvil. Cualquier acción sería un suicidio. Pensando aún en el sexto soldado, resistió el impulso de utilizar la radio para llamar a Murphy y a Pulaski. Lo mejor sería que todos permaneciesen inmóviles y esperaran a ver qué oportunidad se les presentaba.

Durante la hora que les llevó a los hombres desenterrar la pila de treinta kilos, Juan observó en silencio mientras a su lado Mike dormía. En algún lugar de la selva detrás de ellos, sabía que Mark o Jerry también aprovecharían para descansar.

Estaban tan cerca del cráter que Juan oyó la llamada de un teniente al puesto de mando. «Lo tenemos, jefe... no estoy seguro. Mide medio metro de largo, es rectangular y pesa unos treinta kilos... ¿Qué? No lo sé, parece algún tipo de aparato científico. No tengo ni idea de cuál es su función... no, señor. Sería más fácil si lo lleváramos hasta donde cargan los troncos. Vimos que tienen un par de camionetas. Podríamos utilizarlas para bajar al campamento. El piloto ya habrá reparado el cortocircuito en el helicóptero cuando lleguemos allí, así que llegaremos a tiempo a la base para tomarnos una copa en el club de oficiales.»

Cabrillo ya había oído suficiente. Conocía sus planes, y esa era la ventaja que necesitaba. Tocó el hombro de Mike. El ex paracaidista de rescate se despertó en el acto, pero en silencio. Su estado de vigilancia era agudo incluso mientras dormía. Juntos, se apartaron del cráter procurando no mover la vegetación por encima de sus cabezas, para no descubrir su posición. Se reunieron con Jerry y Murphy unos doscientos metros más atrás.

—Tienen la pila —dijo Murphy—. El aparato indica que se mueve.

Juan asintió y bebió un sorbo de su cantimplora. No se había atrevido a beber desde que se habían encontrado con las fuerzas especiales argentinas.

—Van hacia el camino donde les esperan las camionetas. Les llevarán hasta el campamento y luego se marcharán de allí en los helicópteros.

—¿Y nosotros...? —Mark enarcó una ceja.

—Vamos a detenerlos.

Bajando de la montaña en dos grupos paralelos, los soldados y el equipo de la corporación llevaban una ruta que les haría converger en un campo de casi una hectárea que los leñadores habían despejado para instalar unos equipos. Había un tractor con una grúa de mordaza para cargar los troncos en los semirremolques y una excavadora con la instalación necesaria para hacer de remonte. En la parte trasera se elevaba una torre de la que salían unos cables que bajaban tres kilómetros por la ladera hasta otra torre en el campamento base. De los cables, como si fuese un telesilla, colgaban unos lazos de acero que los leñadores podían pasar alrededor de los troncos de los árboles caídos. Luego arrastraban los troncos ladera arriba donde los colocaban en los semirremolques; finalmente, el cable volvía abajo para la siguiente carga.

Los hombres que trabajaban en ese lugar habían llegado desde la base en las camionetas que Raúl Jiménez planeaba utilizar.

Juan estaba seguro de que su equipo podía avanzar más rápido que los argentinos, hasta que llegaron a una grieta en la tierra; un terremoto había hendido la tierra en dos y parte de la montaña se había hundido. Debido a la vegetación era imposible saber hasta dónde se extendía la fisura, así que no tuvieron otra opción que considerarla como un obstáculo a cruzar, no a rodear. En la escala geológica, la grieta sin duda era reciente; quizá unos doce mil años. Tiempo suficiente para que los costados de la fisura se erosionasen hasta convertirse en una ladera accesible, pero tuvieron que bajar unos quince metros y subir otros tantos por el otro lado ayudándose con las rodillas, las manos, la fuerza bruta y mascullando maldiciones.

Cuando llegaron a lo alto estaban agotados y, según el reloj de Juan, habían perdido quince minutos preciosos. Corrieron esperando lo mejor pero temiéndose lo peor. Desde el momento en el que había aceptado la misión de Langston Overholt, Juan era consciente de que no había tenido tiempo de elaborar un plan adecuado y ahora lo estaba pagando. Se enfrentaban con dos pelotones de las mejores tropas argentinas y ellos solo contaban con cuatro subfusiles y el elemento sorpresa. Las posibilidades de hacerse con la pila sin entrar en combate con los soldados eran nulas, y las de recuperarla y escapar a Paraguay, en el mejor de los casos, eran de uno contra cuatro.

6

Cuando Juan y sus hombres llegaron al lugar donde estaban las camionetas, los soldados de la Novena Brigada habían cargado la pila de plutonio en la caja de una de ellas. El resto ocupó la segunda camioneta. El propietario de las camionetas no dijo ni una palabra.

Desde donde estaban acurrucados, en el límite de la selva, la distancia de tiro hasta los argentinos no era excesiva, unos trescientos setenta metros. Pero el equipo iba armado con metralletas, unas armas de una enorme eficacia en el combate cuerpo a cuerpo pero que serían inútiles a esta distancia. Juan sospechaba que la Novena Brigada utilizaba los subfusiles MP-5 más por la impresión que causaban que por su utilidad en situaciones de combate.

Cabrillo tenía que tomar una decisión de inmediato, así que repasó las alternativas. Un ataque frontal sería suicida, pero volver a la selva sin la pila tampoco era aceptable. Habían llegado demasiado lejos para fracasar, y abandonar no era una palabra que el director aceptara a menudo. Por ese motivo la corporación era la mejor del mundo realizando ese trabajo. En realidad, gran parte de su éxito se debía a la capacidad de Juan de pensar sobre la marcha, encontrar una tercera opción que a nadie más se le hubiese ocurrido.

Las ideas pasaron por su cerebro pero las descartó de inmediato por impracticables, y a pesar de que rápidamente se le ocurrían otras, los acontecimientos continuaron desarrollándose. Los soldados de la Novena Brigada habían acabado de subir a las dos camionetas y el humo salía de los tubos de escape. Muy cerca también comenzó a salir humo de los dos escapes verticales del semirremolque, que iba cargado con troncos talados hacía tan poco tiempo que la savia de las cortezas todavía resplandecía.

—¿Director? —preguntó Mark Murphy en voz baja. Nunca había visto a Cabrillo tardar tanto en tomar una decisión.

Juan levantó el puño para acallar cualquier pregunta y se arrastró sobre la hierba alta que crecía como una acera entre la selva y la zona de carga despejada por los leñadores. Llegó al lado opuesto y miró montaña abajo la carretera de un solo carril que corría sinuosa como una serpiente por la ladera. Brillante en lo alto, y en apariencia tan delgado como el hilo de una telaraña, estaba uno de los lazos de acero del remonte.

Las dos camionetas salpicadas de barro arrancaron y la cabina del semirremolque se sacudió cuando el conductor puso la marcha y las siguió.

Allí estaba, pensó. No era perfecto, pero era mejor que nada.

Dejó su escondrijo y agitó un brazo para que sus hombres le siguiesen. Salieron de la selva y corrieron detrás de Cabrillo. Era como el último tramo de una carrera, cuando desaparece el agotamiento y el cuerpo responde a las señales químicas de «ahora o nunca». La docena de leñadores que estaban junto a la torre del remonte vieron cómo otros cuatro soldados de la Novena Brigada, que al parecer se habían rezagado, salían corriendo de la selva para perseguir a los camaradas que acababan de marcharse en las camionetas.

No vieron nada anormal hasta que uno de los nuevos soldados levantó su arma y gritó:

—¡Abajo! ¡Todo el mundo cuerpo a tierra, y que nadie se mueva!

Juan no esperó a ver si habían obedecido sus órdenes. Confiaba en que sus hombres se ocuparían de que así fuese. Corrió hacia la cabina del remonte, una excavadora modificada a la que le habían quitado la pala para sujetar en su lugar la torre del cable. El conductor en la cabina se resguardaba de los trozos de corteza que volaban gracias a una jaula de alambre que había reemplazado los cristales de las ventanillas. La puerta de la cabina estaba abierta y el conductor fumaba tranquilamente, con el cigarrillo entre el primer y el segundo dedo de su mano izquierda. No había visto acercarse al equipo de la corporación y, con el motor al ralentí, tampoco había oído las órdenes, así que cuando Juan metió la mano en la cabina y arrancó al hombre de su asiento la sorpresa fue absoluta. Cayó a tierra y, con el impacto, expulsó hasta el último suspiro de aire de sus pulmones.

—Murphy —gritó Juan—. Ven aquí y averigua cómo funcionan los controles.

Mark, como ingeniero, tenía un conocimiento intuitivo del funcionamiento de las máquinas, algo que sin duda debía a su afición desde la infancia a desmontar y montar aparatos, un pasatiempo al que sus padres pusieron punto final cuando un día volvieron a casa y lo descubrieron separando las piezas del Porsche del padre.

Murphy dejó a Jerry y a Mike vigilando a los leñadores y subió a la cabina.

—Mike —gritó Juan mientras se dirigía hacia el borde del claro que daba a lo que una vez había sido un bosque salvaje y que ahora parecía un paisaje lunar—. Busca las llaves de la tercera camioneta y ponla en marcha.

El cable colgaba de un sistema de bloques que subía o bajaba el grueso lazo de acero de forma que cuando arrastraban un tronco no se enganchase en los tocones de los árboles talados.

Juan se aseguró de que la metralleta estuviese bien sujeta a su espalda y llamó a Mark por radio. Se montó en uno de los lazos de acero como si fuese un estribo y se sujetó con una mano.

—¿Sabes qué se me ha ocurrido?

—Quieres que te baje por la montaña y te deje caer en la camioneta que lleva la pila.

—No exactamente —contestó Cabrillo, y le explicó cuál era su intención.

—Tío, estás loco. Inspirado, pero loco.

Murphy solo cometió un fallo antes de aprender a manejar los controles de lo que en realidad era una máquina bastante sencilla. El truco estaba en manejarla bien. Quitó el freno y fue soltando el cable de acero trenzado por la polea que colgaba sujeta en lo alto de la torre.

Cabrillo se preparó para el tirón del lazo que se tensaba pero tuvo que reconocer la habilidad de su jefe de armamento cuando empezó a levantarse en el aire con la suavidad de una pluma. Como un esquiador que sin bajarse del remonte en la cumbre iniciara el descenso, Juan comenzó a bajar por la montaña, cada vez a mayor velocidad. Mientras, Mark observaba la escena desde abajo y calculaba los complicados vectores para llevar al director a su objetivo.

Juan se movía a quince metros por encima de la ladera arrasada por los leñadores. Era un viaje seguro, y, si el escenario hubiese sido más bonito, incluso habría pagado por hacerlo. Las pilas de maleza humeante que bordeaban cada lado del remonte le daban la sensación de estar sobrevolando el infierno. Cruzó la carretera sobre la estela del convoy de tres vehículos que se dirigían hacia el campamento base. Las camionetas, tal como había supuesto, iban muy distanciadas del semirremolque cargado hasta los topes. El cable del remonte cruzaba de nuevo la carretera unos doscientos metros más adelante, por encima de una curva cerrada que las camionetas estaban a punto de rebasar.

Si alguno de los soldados sujetos a la barandilla de las cajas hubiese alzado la mirada, Juan habría quedado totalmente desprotegido. No hubiese sido más que un blanco humano. Mark debía de haber cambiado los cálculos, porque el cable comenzó a disminuir de velocidad. Juan osciló hacia delante, y el lazo comenzó a girar. Tuvo que esforzarse para mirar hacia el frente. Oyó los frenos del semirremolque cuando el camión se acercó a la curva cerrada. Cabrillo aceleró de nuevo, moviéndose atrás y adelante mientras el lazo giraba a un lado y a otro. Moverse a través del espacio en tres ejes ya era bastante desorientador, pero además tenía que calcular el aterrizaje.

El camión entró en la curva antes de que el conductor comenzase a girar el volante. Juan estaba quince metros colina arriba y bajaba demasiado deprisa. Comprendió que iba muy rápido pero entonces el cable comenzó a disminuir la velocidad y a llevarle cada vez más cerca del semirremolque. Era una notable hazaña de percepción y control por parte de Murphy; estaba llevando al director hacia el semirremolque cargado, de tal modo que la curva ocultaba el lazo de la vista de los soldados en el momento preciso.

El lazo que transportaba a Juan se retorcía y apretaba su pie con tal presión que le habría destrozado el hueso y la carne de no haber estado apoyado en la prótesis. Aun sin tener que enfrentarse con ese dolor, empezó a patear con todas sus fuerzas para liberar el miembro mientras volaba por encima del semirremolque. Los troncos estaban a tan solo un par de metros por debajo de él y tenían un metro de diámetro, con la corteza tan gruesa y áspera como la piel de un cocodrilo.

El conductor comenzó a girar el volante para seguir el trazado de la curva cerrada. En cuestión de segundos se alejaría del cable tenso como una flecha y dejaría a Cabrillo colgado en el espacio. Juan intentó de nuevo liberar el pie, pero no podía hacer nada hasta que el lazo volviese a girar. Estaba a menos de un metro y medio del final del semirremolque. Luego a un metro. Sintió que rotaba de nuevo en el sentido de las agujas del reloj. Tiró del pie y se liberó. Sujeto con un solo brazo, Juan buscó un punto de apoyo en el tronco que coronaba la pirámide y se soltó.

Aterrizó torpemente, sin acabar de ajustarse a la aceleración constante del vehículo, y comenzó a deslizarse por el tronco. Alargó un brazo y encontró una minúscula sujeción en la corteza rugosa pero acabó con un puñado de madera podrida en la mano. Continuó deslizándose por el tronco, y aunque separó las rodillas para sujetarse con las piernas no le sirvió de nada. Finalmente cayó.

Fue a dar contra uno de los soportes de acero que contenían los troncos. Se golpeó justo en la rabadilla. Tuvo la seguridad de que, de no haber sido por el mínimo acolchado de la mochila, se hubiese fracturado el hueso. Tardó unos segundos en recuperarse, tanto del dolor como de la sorpresa de no haberse caído del camión; luego volvió a trepar hasta el tronco superior y, en cuclillas, comenzó a moverse hacia la cabina.

—Estoy arriba —transmitió a Murphy.

—Ya lo veo. El aterrizaje ha sido malo, pero aun así te daré un siete y medio.

Cabrillo siempre encontraba una nota de humor en las situaciones absurdas.

—Me tomas el pelo, ¿verdad? —replicó—. ¿No has visto ese medio giro al soltarme? Por el grado de dificultad merezco al menos un ocho.

—De acuerdo. Un ocho.

—Quiero que vosotros tres vayáis a buscarme a la última camioneta. ¿Qué habéis hecho con los leñadores?

—Jerry los ha encadenado a una llanta de tractor.

—Bien. Ahora daos prisa y moved el culo. Voy a necesitaros para que me saquéis de aquí.

Juan llegó al final del semirremolque. Por delante, la carretera seguía recta más o menos a lo largo de un kilómetro y medio antes de volver sobre sí misma en otra curva cerrada. Las camionetas solo eran una nube de polvo entre él y la siguiente curva. A la derecha de Juan había una caída de unos sesenta y cinco metros, por el fondo de la cual pasaba el siguiente tramo de la carretera.

Al mirar por debajo del semirremolque, vio la parte superior de las ocho ruedas del vehículo y, a través del esqueleto del chasis, las piedras del camino. Un paso en falso y lo aplastarían veinte toneladas de maderas exóticas.

En lugar de saltar, bajó por el extremo de los troncos hasta el chasis del camión. Veía la cabeza del conductor a través de la ventanilla trasera y si a este se le hubiese ocurrido mirar por el espejo retrovisor habría visto al director. Juan se apoyó en la plataforma del tanque de combustible, que era tan grande como un barril. Con la mano derecha se sujetó al asa atornillada en la cabina detrás de la puerta del conductor, y apoyó la otra en la manilla de la puerta. El rostro barbudo del camionero ocupaba todo el espejo lateral que tenía delante.

La mirada del argentino se desvió a la izquierda; en el segundo que tardó su cerebro en registrar lo que veía, Juan abrió la puerta y sujetó al hombre por el cuello. La puerta rebotó en el brazo de Juan, pero no con la fuerza suficiente para detener al director, que arrancó al desafortunado camionero del asiento y lo lanzó lo bastante lejos del semirremolque para que no cayese debajo de las ruedas.

Juan se quitó la ametralladora de la espalda y saltó al asiento; no se le pasó por alto que, pese a las ventanillas abiertas, la cabina olía a sudor rancio, a comida picante y un poco a marihuana. Ya tenía el pie en el acelerador cuando el vehículo todavía no había reducido la velocidad ni cinco kilómetros por hora. Miró por el espejo retrovisor lateral y vio que el conductor se levantaba lentamente. Por supuesto estaba aturdido, pero no parecía haber sufrido ninguna herida grave.

«Ahora viene la parte difícil», pensó Cabrillo. Al mirar hacia arriba, vio una nube de polvo; tal vez eran sus hombres que iban en su ayuda a toda velocidad. Pendiente abajo, la carretera continuaba despejada. Los soldados de la Novena Brigada estarían entrando en la siguiente curva de la larga bajada. Juan condujo el semirremolque con mucho cuidado, para que las ruedas exteriores estuviesen cada vez más cerca del borde de la carretera y el precipicio. El suelo era mucho menos firme fuera de las rodadas principales, donde la tierra estaba más compacta por las innumerables pasadas. La grava saltaba debajo de los neumáticos y caía por la pendiente.

¡Allí!

Al estar en la parte superior de la carretera Juan pudo ver las camionetas desde arriba. No iban tan rápido como había esperado; se preguntó si habrían tenido algún problema en pasar la última curva. Ese pensamiento le hizo respetar todavía más a los hombres que bajaban y subían la montaña una docena de veces al día.

Juan llevó el camión un poco más cerca del borde. Las ruedas interiores estaban abriendo rodadas en el mismo borde mientras que las ruedas exteriores del semirremolque colgaban en el vacío. A una velocidad cercana a los noventa y cinco kilómetros por hora, pero separados por una ladera de sesenta metros, los tres vehículos corrían los unos contra los otros.

Sin apartar los ojos de la carretera, Juan buscó la manilla de la puerta y se aseguró de que no estuviese trabada. Ahora, todo era cuestión de cálculo. Si lo hacía demasiado pronto, los argentinos se detendrían. Si era demasiado tarde, fallaría.

Juan calculó lo mejor que pudo. Giró el volante a la derecha y saltó de la cabina; aterrizó violentamente en la carretera pero dio una voltereta como un acróbata y se puso de pie.

El camión se balanceó todavía un segundo en el borde antes de volcar. Cayó de plano sobre la ladera y, con la inercia, la parrilla abrió un surco en el suelo hasta que se estrelló contra el tocón de un árbol que había resistido un siglo, antes de que la codicia sellase su destino. El vapor escapó del radiador roto y el parabrisas estalló en una nube de astillas de vidrio.

Ante la violencia del impacto, el semirremolque rebotó y se desprendió de la carga. Llevaba unos treinta troncos; la mayoría del grosor y el largo de postes telefónicos y los otros eran monstruos que pesaban tres toneladas cada uno. Permanecieron arracimados durante los primeros metros del descenso por la ladera, pero una vez que comenzaron a rebotar en los tocones, desapareció cualquier apariencia de orden. Algunos cayeron verticales por el impacto y se deslizaron colina abajo como proyectiles.

El conductor de la camioneta que iba en cabeza no vio el accidente provocado que había tenido lugar encima de ellos, de modo que cuando oyó los gritos de alarma de los hombres que iban en la caja fue cuando supo que algo no iba bien. Observó la carretera delante de él y no vio nada extraño. La pared vertical de la colina le impedía ver lo que ocurría arriba y advertir la avalancha que se acercaba a su vehículo para barrerlo de la carretera.

—¡Héctor! —gritó su acompañante, que miraba aterrorizado colina arriba—. ¡Para! ¡Por la santísima virgen, para!

El conductor, Héctor, pisó a fondo el pedal de freno, con el volante bien sujeto para impedir que la camioneta derrapase. Luego llegó un terrible impacto cuando la segunda camioneta, conducida por Raúl Jiménez, se estrelló contra el parachoques trasero. Héctor llevaba el cinturón de seguridad, un hábito que había aprendido desde niño, y nunca lo había abandonado aunque no pegase mucho con ser un tipo duro.

El acompañante —el sargento del pelotón— jamás había utilizado el cinturón de seguridad. Salió catapultado a través del parabrisas; dejó un agujero con los bordes chorreando sangre donde el cristal le había cortado el rostro y los brazos. Aterrizó unos cinco metros delante de la camioneta. Héctor no tenía ni idea de si el sargento estaba vivo o muerto, cuando un tronco grueso como el pecho de un hombre rodó por encima de él y aplastó su cuerpo contra la tierra apisonada.

Fue entonces cuando Héctor sintió que la muerte le tocaba el hombro. Otro tronco que caía de punta atravesó la cabina y se estrelló contra su pierna, cortando el techo con la facilidad de un abrelatas.

Los hombres que habían resultado ilesos en el choque saltaron de la caja y comenzaron a correr colina abajo, dejando atrás cualquier pensamiento de permanecer con sus camaradas. La camioneta recibió otros dos golpes laterales de dos grandes troncos y que la echaron de la carretera. Los que estaban demasiado aturdidos o heridos para escapar salieron despedidos del vehículo y quedaron aplastados por la camioneta cuando esta comenzó a caer por la ladera.

La mayoría de los soldados habían cometido el error de correr delante de la camioneta, así que muy pronto fueron alcanzados por el vehículo. Los afortunados acabaron con los miembros rotos. Otros murieron en el acto. Un soldado tuvo la sensatez de correr por la ladera en diagonal y evitó que lo alcanzara el vehículo que caía dando volteretas. Incluso consiguió saltar a tiempo para que uno de los troncos pasase por debajo de sus pies. Pero el siguiente le golpeó en las rodillas y se las partió. Rebotó y acabó aplastándole antes de que sus nervios pudiesen enviar las señales de dolor a su cerebro.

La segunda camioneta tuvo un poco más de suerte. Acabó perpendicular a la carretera tras la fuerte colisión y después salió despedida hacia delante cuando tres troncos la golpearon por detrás. El motor se había calado cuando Raúl Jiménez chocó contra la primera camioneta, y con el volante era incapaz de controlar el vehículo, así que este aceleró pendiente abajo. Raúl pisó el pedal del freno a fondo y tiró del freno de mano, pero la gravedad y la inercia eran demasiado fuertes para una máquina cansada que tenía casi trescientos mil kilómetros. Chocó contra un tocón casi en el centro del chasis y el golpe hizo que la parte trasera girase. Los neumáticos se trabaron y el vehículo volcó. Los hombres salieron volando como muñecos. Raúl consiguió mantenerse en el asiento mientras su visión a través del parabrisas giraba y giraba. La ventanilla lateral estalló, pero lo que fuese que hubiese perforado el cristal no le alcanzó. Los sucesivos impactos sacudieron el vehículo hasta casi hacerle perder la cabeza, pero después de otro terrible golpe todo se detuvo. Lo que quedaba de la camioneta estaba aplastado contra un tocón, y la avalancha de troncos había acabado.

—Buen disparo, Tex —oyó Juan en su radio.

Miró hacia atrás y vio que la camioneta que llevaba a su equipo se acercaba a gran velocidad. Si sintió algo por los hombres que acababa de matar y herir, no tuvo más que recordar la aldea arrasada y sus habitantes asesinados para saber que había hecho un favor al mundo.

Mike Trono estaba al volante con Mark Murphy en el asiento del acompañante. Jerry iba en la caja y, cuando el vehículo se acercó, se inclinó sobre el costado con el brazo doblado hacia fuera para agarrar el brazo de Cabrillo y subirlo. Juan golpeó en el techo de la cabina y Mike aceleró.

Tardaron dos minutos en trazar la curva cerrada y volver al lugar donde los soldados de la Novena Brigada habían sido barridos de la carretera. Los gemidos de dolor escapaban de las bocas de los heridos. Los muertos yacían en unas posiciones tan antinaturales que resultaba difícil creer que tuviesen esqueletos.

Ninguno de los miembros de las fuerzas especiales argentinas mostró ningún interés por la presencia de unos hombres desconocidos vestidos con sus uniformes. Solo se mostraron aliviados al ver que habían llegado tan pronto para socorrerles. Juan se puso en cuclillas junto a uno de ellos y apoyó una mano en el hombro sano; el otro parecía arrancado de la articulación.

—¿En qué camioneta está el trozo del satélite? —preguntó en español.

—En la nuestra —respondió el soldado con los dientes apretados y los labios tan comprimidos que ya no tenían color.

—¿La primera?

—No. La segunda.

Juan llamó a sus hombres.

—Número dos —dijo, y levantó dos dedos por si acaso el español de Trono era tan malo como había dicho.

Tardaron diez minutos en encontrar la pila de plutonio. Era un objeto rectangular plateado, de unos cincuenta centímetros de largo y del ancho y el grosor de un diccionario. La cubierta estaba hecha de una misteriosa aleación que Murphy quizá sabría qué era pero que a Juan no le interesaba en lo más mínimo. Lo único importante era que la tenía en su poder y, por el momento, los argentinos no. Sin embargo, le sorprendió que pese a todos los golpes sufridos solo hubiera una minúscula hendidura en un lado. Murphy le pasó el detector de rayos gamma.

—Está limpia, Juan —anunció—. No hay más radiación por encima de la que ha estado emitiendo todo el tiempo.

—No sabes cuánto me tranquiliza —manifestó Pulaski—. Quizá algún día quiera tener más hijos. No me gustaría que los chicos tuvieran tentáculos y aletas. —Se volvió hacia Cabrillo—. ¿Ahora qué?

Juan se rascó la sombra de barba que le cubría la mandíbula. Vio el caos que se había desatado en el campamento base. Todos habían visto el «accidente», y los soldados de la Novena Brigada estaban subiendo la montaña con el fin de ayudar a los heridos. También los leñadores corrían hacia los vehículos para echar una mano.

Una sonrisa astuta apareció en el apuesto rostro de Cabrillo. Los tres grandes valores en combate —y no importa si se trata de dos hombres enfrentados o de ejércitos enteros en el campo de batalla— son el número, la sorpresa y la confusión. No tenía el primero; el segundo ya había funcionado, y ahora el tercero reinaba sobre sus adversarios. Jerry había colocado la pila en el arnés y se lo había sujetado a la espalda. Los demás mostraban la misma expresión interrogativa.

—¿Mike, cuántas horas has hecho con Gómez? —preguntó Juan. George «Gómez» Adams era el piloto del MD-520N que guardaban en el hangar de la bodega de popa del *Oregon*.

—Espera un momento —protestó Mike Trono—. Solo llevamos trabajando juntos un par de meses. He volado en solitario en dos ocasiones, y los resultados no fueron muy buenos. Torcí uno de los patines de aterrizaje la primera vez y casi partí la borda del barco en la segunda.

Juan miró a Jerry.

—¿De verdad tienes ganas de cargar con esa cosa todo el camino hasta la LNFR?

—Diablos, no.

—¿Qué dices, señor Trono?

Si Mike no podía sacarlos de allí en uno de los helicópteros argentinos, Juan sabía que lo admitiría. Había seleccionado a cada miembro de la corporación no solo por lo que podían hacer sino también porque eran conscientes de lo que no podían.

Trono asintió.

—Confiemos en que mi tercer vuelo en solitario sea más afortunado.

7

Engañar a los soldados argentinos heridos había sido fácil. Aquellos hombres habían visto lo que querían ver. Pero iba a ser muy diferente pasar entre las tropas de reserva y abrirse camino hasta uno de los helicópteros.

Juan pensó unos segundos y encontró la inspiración en los gemidos de los heridos.

—De acuerdo —dijo—. Volvemos a la camioneta, pero moveos como si estuvieseis heridos. Murphy, apóyate en Jerry. Mike, finge que te estoy ayudando.

Avanzaron colina arriba como si fuesen víctimas del accidente; se movían con pasos rígidos pero sorprendentemente rápidos. Cabrillo ordenó a los tres hombres que se tumbasen en la caja de la vieja camioneta mientras él se ponía al volante. Antes de poner la marcha, sacó una navaja del bolsillo. El filo era fino como el de un bisturí, así que cuando se la pasó por la frente, donde comenzaba el pelo, no sintió ningún dolor; la sangre que brotó comenzó a gotearle sobre los ojos y a abrir surcos en la suciedad que cubría su rostro.

Miró a través de la ventanilla trasera para que sus hombres viesen lo que había hecho. Ellos captaron la idea de inmediato, y para cuando puso la camioneta en marcha los tres hombres de atrás parecían haber salido de un matadero. Se encontraron con un convoy de vehículos que subían por la ladera: camionetas en su mayoría, pero también quads y un camión de bomberos que debía de haber comenzado su servicio en los años cincuenta. Juan redujo la velocidad cuando se acercó al primer vehículo. El conductor era un civil, y junto a él había un hombre uniformado, un hombre al que podría considerarse apuesto en otras circunstancias pero cuyas facciones estaban contraídas por lo que había visto.

—¿Qué ha pasado? —gritó a Juan a través de la cabina.

—Un camión cargado de troncos ha volcado, señor —contestó Juan. Se quitó la sangre de los ojos y se la pasó por el rostro para disfrazar mejor sus facciones—. Los hombres que llevo atrás son heridos graves.

Jerry, Mike y Mark se apresuraron a gemir.

—Los demás solo tienen heridas menores —continuó Juan—. Pero a estos hay que evacuarlos de inmediato.

—¿Qué hay del teniente Jiménez y la parte del satélite recuperada? —preguntó el comandante Espinoza.

—Está donde volcaron las camionetas —contestó Juan.

—¿Y usted, qué gravedad revisten sus heridas?

—Puedo conducir.

Espinoza tomó una rápida decisión.

—De acuerdo, lleve a su tropa hasta el helicóptero y dígale a mi piloto que los traslade a nuestra base de operaciones avanzada. Asegúrese de que lo comunique por radio, para que los espere el personal médico.

—Sí, comandante —dijo Juan al reconocer la insignia en el cuello del hombre. Levantó el pie del freno y continuó a marcha lenta junto al convoy en la angosta carretera. Necesitó de toda su fuerza de voluntad para contener la sonrisa.

Unos minutos más tarde entraron en el campamento base. Allí abajo, donde quemaban las montañas de ramas, la nube de humo era tan densa que no se veía a más de treinta metros, y cada respiración era como inhalar cuchillas de afeitar. Juan sabía que tenían poco tiempo para escapar. Tan pronto como el comandante argentino descubriese que le habían engañado, toda su fuerza de reserva iría montaña abajo como los guerreros del infierno. Continuó avanzando hacia donde estaban los helicópteros.

Eran del modelo Eurocopter EC-135, un helicóptero mediano con diez años de historia en las condiciones de vuelo más duras. Los habían reconvertido para transportar tropas, con las puertas modificadas para poder montar las ametralladoras de calibre 30. Uno de los helicópteros tenía el panel de acceso trasero abierto y el piloto se había metido en las entrañas del aparato. Juan dedujo que se estaba ocupando del fallo que había oído mencionar al teniente Jiménez.

Se acercó al segundo helicóptero. El piloto de este pájaro, con un pañuelo sobre la nariz y la boca para filtrar lo peor del humo, dormía en el asiento. Cabrillo tuvo una idea. Era mejor utilizar a un enemigo con experiencia que a un aliado aficionado. Hizo sonar la bocina de la camioneta, que resultó ser la única parte del viejo vehículo que aún daba señales de vida.

El hombre se despertó sobresaltado y se levantó las gafas de sol. Sus ojos oscuros se abrieron como platos cuando vio aquellas ensangrentadas apariciones bajar del vehículo.

—Necesitamos una evacuación inmediata —dijo Juan al piloto mientras hacía una pausa para ayudar a Mike Trono, que caminaba como Cuasimodo.

—No sin el permiso del comandante —respondió el piloto.

—Llámelo —dijo Juan en tono brusco—. Él ha sido quien ha dicho que despegue de inmediato. Pero primero ponga en marcha las turbinas, para no perder más tiempo.

El piloto no hizo el menor gesto de encender los motores del Eurocopter; en cambio, tendió la mano hacia el casco con su sistema de comunicaciones integrado. Cabrillo miró montaña arriba. A través del humo era difícil ver los detalles. No parecía que los primeros vehículos de la caravana de rescate hubiesen llegado al lugar del accidente, pero decidió que ya habían desperdiciado demasiado tiempo.

Con un movimiento rapidísimo desenfundó la pistola automática de la funda que llevaba sujeta al muslo y apoyó el cañón en la cabeza del piloto antes de que pudiese ponerse el voluminoso casco. El hombre se quedó inmóvil.

—Ponga en marcha las turbinas, ahora. —El tono frío en la voz de Juan fue suficiente para que le obedeciera.

—Tranquilo, amigo. Lo sacaré a usted y a sus compañeros de aquí. —Dejó el casco con mucho cuidado en el asiento del copiloto y comenzó a preparar el helicóptero para el vuelo.

Juan se volvió hacia sus hombres.

—Miguel —dijo, con un gesto hacia Mike Trono y después señaló la cabina.

Trono comprendió de inmediato que el director quería que vigilase al piloto para evitar que les engañase. Este debía de creer que eran camaradas gravemente heridos y asustados que necesitaban atención médica. Solo más tarde comprendería que le estaban secuestrando.

El resto del equipo subió al helicóptero y todos se pusieron los cinturones de seguridad en cuanto estuvieron sentados en los asientos de red. Jerry colocó la pila con mucho cuidado en la cubierta y utilizó unas cuerdas que encontró a mano para asegurarla.

En la cabina, el piloto pulsó el botón de arranque. Se oyó un sonoro estallido seguido de inmediato por el aullido del motor principal del aparato. En cuestión de segundos, se sumó al coro el segundo motor. Tardarían más de un minuto en alcanzar la temperatura apropiada para conectar la transmisión y poner en marcha las palas.

Juan continuó mirando ladera arriba. La caravana ya debía de haber alcanzado a los hombres heridos. Se preguntó cuánto tardaría el comandante en comprender lo que había pasado. Una hora no hubiese estado mal, pensó Cabrillo con pesar, pero la verdad era que el oficial argentino parecía muy capaz. Tendrían suerte si conseguían despegar antes de que comenzasen a disparar.

Se oyó un golpe cuando los rotores comenzaron a girar.

Poco a poco al principio, y después rápidamente comenzaron a fustigar el aire cargado de humo. Una voz lejana sonó en los auriculares del casco. Incluso en el estrépito de la cabina, el tono estridente era claro.

«Se acabó el tiempo», pensó Juan.

El piloto hizo un gesto a Mike para que le alcanzase el casco. Trono le miró como si estuviese a un kilómetro de distancia; era la mirada de un hombre que sufría tanto dolor que nada en el mundo exterior le importaba. El argentino tendió la mano para cogerlo y entonces sintió el frío del acero de la pistola de Juan en el cuello.

—Déjelo y despegue.

—¿Qué está pasando?

De pronto, Mike dejó de interpretar a un herido y también apuntó al piloto con su pistola.

—Mi amigo también sabe pilotar este trasto. Haga lo que le decimos y saldrá vivo de aquí. Jódame y algún pobre idiota tendrá que lavar sus sesos de esta cabina durante una semana. ¿Comprende?

—¿Quiénes son ustedes? ¿Norteamericanos?

—¿Le parezco norteamericano? —respondió Juan. Como cualquier otro de los grandes idiomas del mundo, el español tiene diversos acentos y dialectos que son tan distintivos como las huellas digitales. Cabrillo también hablaba árabe, y por mucho que lo intentase no podría librarse del acento saudí. Pero tenía un dominio absoluto del español. Podía imitar tanto a un noble de Sevilla como a un vagabundo de las chabolas de Ciudad de México.

Lo que el piloto oyó fue la voz de un hombre de su misma ciudad: Buenos Aires.

—Yo...

—No piense —dijo Juan—. Limítese a pilotar. Llévenos al sur.

El piloto no empleó ni un segundo en considerar sus alternativas. Los ojos implacables que le miraban decían que solo tenía una.

—De acuerdo. Volaré.

Movió las manos hacia los controles. Cabrillo volvió a mirar colina arriba. Las camionetas bajaban a toda velocidad por la carretera, levantando unas nubes de polvo que se mezclaban con el humo que ya intoxicaba el aire. Ni siquiera lograrían acercarse. El helicóptero estaría a dos kilómetros de distancia cuando los soldados de la Novena Brigada los tuvieran a tiro.

Jerry Pulaski gritó el nombre de Juan.

Le salvó la vida.

El piloto del segundo helicóptero había oído la llamada del comandante Espinoza. Estaba junto al Eurocopter con la pistola levantada. Había visto el arma con la que Juan apuntaba al piloto y supuso que él era el principal peligro. Cuando oyó el grito de Jerry, el argentino movió el arma y disparó dos veces. A partir de aquel instante, los acontecimientos se sucedieron con tanta rapidez que fue imposible establecer el orden. Mientras una fina niebla roja envolvía la zona de carga, Juan dio media vuelta y abatió al segundo piloto con dos disparos en el pecho, tan juntos que los orificios de entrada se superpusieron. El hombre cayó donde estaba, sin ningún movimiento aparatoso, ninguna contorsión cinematográfica. Un segundo antes había creído que se convertiría en un héroe, y al siguiente estaba en el suelo como una prenda sucia.

Mike Trono disparó a través de la cabina cuando el piloto intentó abrir la puerta, y después se sentó a los controles. Movió el acelerador y el helicóptero despegó. En el momento en el que empezaba a rotar alrededor de los ejes, puso en marcha el segundo rotor y el aparato se estabilizó.

Juan se volvió y apretó la pistola contra la cabeza del piloto con la fuerza suficiente para cortarle la piel. La sangre empezó a manar de su oreja.

—Pilote este helicóptero o cuando lleguemos a los trescientos metros de altura le lanzaré al vacío.

La bala de Mike había pasado tan cerca de los ojos del piloto que estos le ardían, pero parpadeó pese al dolor y comenzó a pilotar el aparato. Con Trono cubriéndole, Juan volvió su atención hacia Jerry Pulaski y Mark Murphy, en el asiento trasero. Mark se inclinaba sobre Jerry, que estaba agachado con un brazo sobre el vientre.

—¿Es grave? —preguntó Cabrillo tras asegurarse de que el piloto no podía oírle.

El hombretón comenzaba a entrar en estado de choque. Su rostro había perdido el color y temblaba como si tuviese fiebre.

—Balas en los intestinos —contestó Mark—. Las dos balas. A tan corta distancia, supongo que hay más daños aparte de los intestinos. Los riñones. Quizá el hígado.

Juan sintió un frío helado que por un momento le dejó entumecido. Ese tipo de heridas podían tratarse en un hospital de primera clase, pero el más cercano estaba quizá a dos mil kilómetros. Allí, en la selva, las posibilidades de que Pulaski sobreviviese eran nulas. Cabrillo miraba a un hombre muerto. Y los ojos doloridos que le observaban lo sabían.

—Quédate con nosotros, Ski —dijo Juan. Las palabras eran tan vacías como el hueco en su pecho.

—No pienso ir a ninguna parte —mintió Jerry, con un rápido jadeo entre cada sílaba.

En tierra, el comandante Espinoza comprendió que sus presas se alejaban en el helicóptero que él les había autorizado a llevarse. Ordenó al leñador que conducía la camioneta que se detuviese. Espinoza abrió la puerta y saltó a tierra. Solo llevaba una pistola, una Colt 45 con cachas de marfil, pero la desenfundó y apuntó al aparato que huía en el mismo momento en que sus botas tocaron el suelo. No tenía ninguna esperanza de alcanzar al Eurocopter, pero disparó las siete balas de la pistola apretando lo más rápido que pudo el gatillo; su ira hacía volar las balas como la pólvora.

Los hombres en la caja le imitaron, y llenaron el cielo con los disparos de sus metralletas. Lo que les faltaba en alcance lo compensaron con la potencia de la andanada. En segundos, casi doscientas balas perseguían al helicóptero; los hombres consiguieron recargar y disparar de nuevo incluso antes de que las primeras comenzaran a zumbar alrededor del aparato como avispas enloquecidas.

—Balas —gritó Mike desde el asiento del copiloto cuando vio la constelación de fogonazos a través del humo.

El piloto, instintivamente, alzó el morro del helicóptero, pero con tantas balas en el aire, y con otras formando un abanico lejos del objetivo, era imposible esquivarlas a todas. Los proyectiles de nueve milímetros perforaron el Eurocopter y abrieron humeantes agujeros en la fina piel de aluminio. La mayoría de ellas pasaron sin hacer daño, pero se oyó el horrible sonido de los proyectiles que alcanzaban el compartimiento del motor y hacían quién sabía qué a las delicadas turbinas. De pronto, el aparato se desvió con violencia. Juan perdió el equilibrio y, de no haberse sujetado a uno de los barrotes de la puerta, hubiese caído al vacío.

Jerry perdió su estoica batalla con el dolor cuando las vibraciones del helicóptero cambiaron su centro de gravedad y le hicieron doblarse sobre el vientre sangrante, donde los fragmentos de los proyectiles destrozaron más tejidos. Su grito atravesó a Juan como si le hubiesen apuñalado con una daga.

Cabrillo recuperó el equilibrio y miró la cabina. Mike controlaba con firmeza el helicóptero y sus ojos observaban los instrumentos y el cielo. El piloto argentino estaba desplomado en el asiento. Juan se volvió hacia él para evaluar mejor sus heridas. Había un nuevo agujero de bala en la ventanilla lateral muy cerca de donde Trono había disparado antes, pero este había dejado la marca alargada de un proyectil que volaba hacia arriba. Había alcanzado al piloto en un costado de la cabeza, en un ángulo que, si bien había arrancado la piel y quizá fracturado el hueso, no había penetrado en el cráneo.

Como todas las heridas en la cabeza, sangraba copiosamente. Juan cogió un trapo del suelo entre los asientos, lo presionó sobre la herida y lo sostuvo mientras que con la otra mano buscaba algo atrás. Mark Murphy sabía lo que el director necesitaba, así que le alcanzó un rollo de esparadrapo. Como si envolviese una momia, Juan dio cuatro vueltas de esparadrapo alrededor de la cabeza del piloto, para contener el flujo de sangre.

—¿Mike, estás bien? —preguntó Juan en inglés. No hacía falta seguir con el engaño. El piloto permanecería inconsciente durante horas.

—Sí, pero tenemos problemas.

Cabrillo miró atrás, donde Mark atendía a Jerry Pulaski.

—Como si no lo supiese.

—Estamos perdiendo combustible. O bien este modelo no tiene tanques herméticos o no han funcionado. Si a eso le añadimos el aumento de temperatura del motor, es posible que se haya roto el conducto de aceite.

Juan fue a popa y se asomó por la ventanilla, con el cuerpo rígido para protegerse del terrible viento que le sacudía la cabeza y el tronco. El sonido rugía en sus oídos como si estuviese al pie de una catarata. El helicóptero, como las proverbiales migas de pan, dejaba una grasienta estela de humo. Veía cómo se extendía desde el rotor trasero, donde una bala había perforado el conducto de aceite, hasta un punto en el cielo.

Los argentinos llegarían con todo, aunque el humo duraría por lo menos veinte o treinta minutos, porque había muy poco viento y el aire ya estaba muy cargado con cenizas y hollín.

—Sí, humea peligrosamente —comunicó cuando volvió al interior de la cabina. Después de cerrar la puerta, solo tenían que gritarse el uno al otro para oírse; ya no era necesario chillar.

—¿Cómo está Jerry? —preguntó Mike. Los dos no solo eran camaradas de combate sino grandes amigos.

El silencio de Juan fue la única respuesta para Trono.

—¿Podremos llegar a Paraguay? —preguntó finalmente Cabrillo.

—Imposible. Este pájaro solo llevaba medio tanque cuando despegamos y ya casi hemos perdido la mitad. Si los motores aguantan, lo máximo que podemos esperar es volar otros ochenta kilómetros. ¿Qué quieres que haga?

Los pensamientos cruzaron la mente de Juan como una avalancha. Era lo que hacía mejor. Consideraba opciones, calculaba riesgos y tomaba una decisión en el tiempo que una persona normal tardaba en entender la pregunta. Había muchos factores que pesaban en su decisión. Estaba el éxito de la misión, su deber para con Mike y Mark, las posibilidades de que Jerry siguiese vivo cuando aterrizasen, y qué harían si lo estaba. En última instancia, todo se reducía a salvar la vida de Jerry.

—Volvemos atrás. Los argentinos deben de tener médicos en la base y el otro helicóptero podrá llegar hasta allí.

—Ni lo sueñes —dijo Pulaski, que encontró en su furia la fuerza para hablar—. No vamos a volver solo porque no fui lo bastante rápido en desenfundar, maldita sea.

Juan dirigió a Pulaski toda su atención.

—Jerry, es la única manera.

—Mike, lleva esta bañera hasta la LNFR —gritó Jerry sin hacer caso de Cabrillo—. Director, por favor. Sé que me muero. Cada vez siento la muerte más cerca. No desperdicies las vidas de todos por un hombre muerto. No te lo pido, Juan. Te lo suplico. No quiero irme sabiendo que vosotros os vais conmigo.

Pulaski tendió una mano que Juan cogió. La sangre congelada en su palma soldó las pieles de ambos.

—No es un acto de nobleza permanecer conmigo —prosiguió Jerry—. Es un suicidio. Los argentinos os matarán por espías después de torturaros. —Tosió y escupió un poco de sangre en la cubierta—. Tengo a una ex que me odia y una hija que no me conoce. Vosotros sois mi familia. No quiero que muráis por mí. Al contrario, quiero que viváis por mí. ¿Lo entendéis?

—Lo único que sé es que hablas como en *Braveheart* —dijo Juan. Sus labios sonrieron. Los ojos no.

—Hablo en serio, Juan.

Para Cabrillo, el tiempo se detuvo por unos momentos. El firme batir del rotor y el aullido de la turbina se perdieron en el silencio. Sabía cómo eran la muerte y la pérdida. Su esposa había fallecido a causa de un conductor borracho: ella misma. Había perdido a agentes y contactos durante su tiempo en la CIA, y la corporación había recibido la vista de la Parca, pero él nunca le pediría a otro hombre que muriese para que él salvase la vida.

Metió la mano en la mochila y le dio el GPS portátil a Mike.

—La LNFR está en el punto Delta.

—No hay ningún lugar donde aterrizar —señaló Mike—. Recuerda lo espesa que era aquella selva. Y es imposible que americe esta cosa en el río sin matarnos a todos.

—No te preocupes por la zona de aterrizaje —gritó Mark Murphy—. Eso lo tengo previsto.

Cabrillo sabía que podía confiar en el excéntrico Murphy.

—Vira y marca el punto Delta.

—Delta no —le corrigió Murphy—. Eco.

—¿Eco? —preguntó Juan.

—Confía en mí.

Mike marcó las coordenadas del GPS portátil en el ordenador de navegación del Eurocopter y después viró hacia un rumbo sudeste. Hasta ahora, su pilotaje había sido suave y controlado, tal como le habían enseñado. Gómez Adams estaría orgulloso.

—Al parecer tenemos bastante combustible. O casi —dijo.

—Director —gritó Mark—. A la banda de estribor. Más o menos tres puntos atrás.

—¿Qué?

—Acabo de ver el destello del sol en el parabrisas del otro helicóptero.

Juan miró por la ventanilla lateral. No vio nada, pero no dudaba de la vista de Mark. Los argentinos estaban llegando mucho más rápido de lo esperado. Tendría que haberlo sabido. Con el helicóptero quemando aceite, no alcanzaban la velocidad suficiente para rivalizar con el otro pájaro. Además, el comandante argentino estaría arrancándole las entrañas a su aparato para alcanzar a su presa.

—Mike —gritó—. Dale todo lo que puedas. Tenemos compañía.

Las turbinas aceleraron un punto, pero no sonaban bien. El metal rozaba en algún lugar del compartimento del motor, y solo era una cuestión de tiempo que se apagase.

Juan miró alrededor de la cabina en busca de más armas. La ametralladora de calibre 30 montada en la puerta era mejor opción que sus subfusiles H&K, pero solo si el otro helicóptero se acercaba por la banda de babor, donde estaba montada el arma. Encontró un botiquín debajo del asiento y una caja de plástico rojo que contenía una pistola de bengalas y cuatro proyectiles. Juan sabía que el libreto de esta misión no incluía intentar hacer blanco con una bengala, así que la dejó en el banco.

—Mark, prepárame un arnés —ordenó, mientras desatornillaba la vieja ametralladora Browning de su soporte.

El arma era una antigualla de metro veinte de largo y quince kilos de peso con una empuñadura de pistola al final del cargador. Una cinta de cincuenta cartuchos de latón colgaba del cerrojo; casi hacían un sonido musical cuando entrechocaban. Juan conocía bien el arma. Sabía que era muy fiable y también que el retroceso podía destrozarte los dientes.

Juan se quitó la camisa. Envolvió el cañón de la ametralladora con la prenda y la sujetó con el resto del esparadrapo. Mientras tanto, Murphy se quitó el arnés de combate y utilizó la red de nailon para hacer un largo lazo que sujetó en una anilla justo delante de la puerta de estribor. Enganchó el otro extremo a la espalda del arnés de combate de Cabrillo. Luego empleó la correa de su mochila para hacer un segundo lazo que iría alrededor de los tobillos del director. Él sujetaría el otro extremo para evitar que Juan cayese en la corriente del helicóptero.

—Los veo en el espejo —anunció Mike desde la cabina—. Si vas a hacer algo, hazlo rápido.

—¿A qué distancia estamos del punto de destino? —preguntó Juan.

—A diez kilómetros de Eco. Y solo para que lo sepas, abajo no veo nada excepto la selva.

—Confía en mí —replicó Mark, airado.

Juan miró a Pulaski. De no haber estado herido, Juan sabía que sus hombres estarían bromeando y no replicándose los unos a los otros. La cabeza de Jerry colgaba floja, y si Mark no le hubiese sujetado con el cinturón de seguridad, ahora estaría tumbado en la suelo.

—Están abriendo la puerta lateral —avisó Trono—. Y ahora veo un tipo. Tiene una Browning como la nuestra. ¡Nos dispara! ¡Nos dispara!

Acostumbrado a ametrallar a civiles desarmados que huían de sus pueblos, el artillero había disparado demasiado pronto. En ese momento, entraron en juego tres factores. Mike vio los fogonazos que llegaban a la velocidad de la luz, a trescientos mil kilómetros por segundo. El torrente de balas se acercaba desde un kilómetro de distancia a ochocientos cincuenta metros por segundo. El impulso nervioso, desde el cerebro a la muñeca, viaja a cien metros por segundo. Pero solo tiene que recorrer un metro. Una centésima de segundo después de que se disparara la primera bala, Trono cerró el acelerador para perder altitud. La gravedad dispuso de más de un segundo para llevar al helicóptero hacia el suelo. El torrente de trazadoras blancas pasó muy por encima del disco del rotor principal.

Juan hizo un gesto a Mark. Murphy abrió totalmente la puerta de estribor y luego sujetó el lazo alrededor de los pies de Cabrillo.

El director dejó que la parte superior de su cuerpo cayese fuera del helicóptero, y se detuvo con una sacudida cuando llegó al final de la cuerda. El tremendo poder del viento casi le empujó de nuevo al interior, pero lo combatió con todos los músculos de sus piernas y su espalda.

Como disparaba a popa desde la puerta del lado derecho,

tuvo que cambiar de mano: la izquierda en el gatillo y la derecha apretada en el cañón envuelto en la camisa. No había manera de impedir que las vainas volasen al interior del helicóptero.

Aquella súbita aparición había sorprendido al piloto argentino, que tardó unos segundos en realizar una maniobra de evasión. Juan aprovechó esos segundos para abrir fuego. La ametralladora repiqueteó en sus brazos como un martillo neumático y el calor comenzó a filtrarse a través del metal del cañón y la camisa.

Fue un milagro que la cinta de municiones no se encasquillase cuando la ametralladora disparó a una velocidad de cuatrocientos proyectiles por minuto. Una lluvia de vainas vacías golpearon la cubierta como un resplandeciente granizo metálico.

El parabrisas de plexiglás del helicóptero que se acercaba a gran velocidad se fue volviendo opaco a medida que los proyectiles lo alcanzaban, hasta convertir el plástico en casi una plancha blanca. El piloto enemigo realizó un viraje brusco, pero cometió el error de no pasar por detrás del Eurocopter robado por la corporación, con lo cual dio a Juan más oportunidades para disparar. Aunque no sabía si su segunda andanada había alcanzado el objetivo, al menos había hecho que el otro helicóptero se desviase más de dos kilómetros en un largo arco.

—Nos acercamos a las coordenadas de la zona de aterrizaje —avisó Mike. Si la perspectiva de aterrizar con el Eurocopter le preocupaba, no se reflejó en su voz—. ¿Qué...? Que me cuelguen. Murphy, ¿cómo lo sabías?

A cuatrocientos metros del punto Eco, donde estaban los restos descompuestos del dirigible, había una zona lo bastante grande para aterrizar el helicóptero; la vegetación solo tenía un metro de altura y en su mayoría eran pequeños arbustos y maleza.

—Cuando el *Holandés Errante* se estrelló —gritó Mark—, la bolsa de gas tuvo que caer muy cerca. Posada sobre las copas proyectó una sombra que acabó matando a las plantas. Nada volvió a crecer allí hasta que la bolsa se deshizo, cuarenta o cincuenta años más tarde. Por lo tanto, se creó una zona de aterrizaje.

—Muy listo —le dijo el director a Mark con evidente orgullo—. Incluso para ti.

—Abrochaos los cinturones —avisó Mike.

Se acercaban a gran velocidad al claro rodeado por la espesa selva que se elevaba a más de treinta metros de altura. Trono aminoró en la aproximación final, pero a causa de su inexperiencia llevó el helicóptero a la izquierda y luego demasiado a la derecha, antes de centrarse sobre la zona despejada. Cerró un poco más la potencia y el helicóptero descendió lentamente. Cuando una súbita racha amenazó con empujar el rotor principal hacia la pared de árboles, aceleró demasiado, de modo que el aparato de cuatro millones de dólares se posó con una fuerza tremenda. De inmediato apagó los motores. Las turbinas se cerraron, pero el rotor continuó azotando la hierba e hizo que los árboles se balancearan como si los hubiese sorprendido una tormenta.

—Todos fuera —ordenó Juan—. El otro helicóptero volverá en cualquier momento.

Mike se desabrochó el arnés y Murphy fue a ocuparse de Jerry.

—Olvídalo. No voy a ninguna parte —murmuró el gigante polaco. Tenía la barbilla cubierta de sangre. Levantó un objeto para que los demás lo viesen. De alguna manera, se las había apañado para sacar un trozo de explosivo plástico y un detonador del bolsillo de su traje de combate—. Dame una última inyección.

—Ski... —En los ojos de Mike había una súplica.

—Esta vez no, compañero. Se me acabó el tiempo.

—Maldita sea, Jerry —maldijo Juan—. Puedo llevarte. La lancha solo está a unos tres kilómetros.

El sonido de un helicóptero que se acercaba resonó en el claro.

—Detesto las despedidas —dijo Pulaski—. Largaos.

—Me ocuparé de que tu familia esté bien atendida. —Juan intentó mirar a su amigo a los ojos pero no pudo.

Se colocó a la espalda el arnés con la pila de plutonio y saltó del helicóptero. Se tomó un momento para llevar al piloto inconsciente hasta los arbustos y encontró un lugar donde ocultarse un poco más allá, con la metralleta apuntando en dirección a los argentinos.

—Dales caña, Jerry —dijo Mark.

—Tú también, chico.

Las lágrimas caían por las mejillas de Mike Trono.

—Adiós —dijo, y saltó del aparato.

Con la ayuda del GPS de Cabrillo, los tres hombres se pusieron en marcha hacia la LNFR. El plutonio era la mitad de la carga que llevaba Juan; la otra mitad era la culpa que sentía por haber dejado atrás a Jerry. Habían luchado codo con codo durante seis años y habían bebido en todas las tabernas y tugurios desde Shangai a Estambul. Nunca hubiese imaginado que abandonaría a Jerry Pulaski en una selva dejada de la mano de Dios y que se volaría a sí mismo para dar al resto del equipo la oportunidad de escapar.

Con cada paso tenía que luchar contra el impulso de volver atrás.

La fronda amortiguaba el sonido del helicóptero argentino, pero no conseguía apagar el tableteo de la ametralladora que seguían oyendo cuando ya llevaban diez minutos de marcha. Pareció eternizarse mientras los soldados de la Novena Brigada descargaban su furia en el helicóptero abatido.

Si Jerry no había sucumbido todavía a sus heridas, las constantes andanadas lo habrían logrado. La expresión de Juan se hizo más grave, y comenzó a notar el peso de las cintas que se clavaban en sus hombros doloridos. El arnés había sido diseñado para las anchas espaldas de Jerry; por lo tanto, la pila colgaba demasiado abajo y resultaba incómoda.

Durante otros cinco minutos, los hombres continuaron su avance hacia el río y la embarcación, en silencio. Los disparos habían acallado a las criaturas de la selva, y la brisa no les llegaba en la penumbra del suelo. Era siniestro, quieto, opresivo.

El estallido que escucharon no era el lejano retumbar de un trueno, sino una descarga que los golpeó como un martillo. Un momento más tarde se oyó una explosión secundaria.

Sabían lo que había pasado. Jerry había resistido hasta que los hombres descendieron del helicóptero argentino y luego había detonado el C-4. El segundo estallido era la detonación de los restos de combustible y vapores que quedaban en los tanques del aparato. Era probable que hubiese supervivientes entre los comandos argentinos, pero no habría ninguna persecución.

8

La comunicación por radio se cortó. Pero no era posible. Se había oído una explosión justo antes de que el teniente Jiménez dejase de hablar. El comandante Jorge Espinoza lo intentó de nuevo gritando la señal de llamada de Jiménez: Jaguar.

Se había quedado en el campamento maderero porque, de los dos oficiales, Espinoza era quien había hecho un curso de primeros auxilios, y sus conocimientos se necesitaban con urgencia. Seis hombres habían muerto y otros tres nunca volverían a caminar. Otros dos estaban en estado grave, con múltiples heridas y fracturas. Solo Jiménez había salido ileso del accidente. Espinoza había utilizado todas las vendas que los hombres llevaban en sus mochilas, y había cogido el botiquín de emergencia del segundo helicóptero, antes de enviar a Jiménez y a cinco hombres de la fuerza de reserva en persecución de los ladrones.

Sabía que eran estadounidenses. ¿Quiénes sino podrían haber rastreado el satélite y enviado un equipo de búsqueda tan pronto? Pero saberlo y probarlo eran dos cosas muy distintas. Desde la posición argentina, tan débil ante la opinión mundial, acusar a los yanquis sin pruebas era simplemente una pérdida de tiempo.

Necesitaba que Jiménez capturase por lo menos a uno de ellos. Si era posible con el fragmento del satélite.

Se preguntó de nuevo qué había tan importante en el satélite para que Estados Unidos arriesgase a un equipo de sus fuerzas especiales para recuperarlo. Según las informaciones que había recibido se trataba de una misión científica, pero su desproporcionado interés le decía que había algo más, algo desde luego militar. Si conseguía recuperar el fragmento y capturar a uno de los soldados, el golpe propagandista que Raúl había mencionado sería muy posible.

—Jaguar, responde, maldita sea.

Una descarga de estática escapó del auricular y le forzó a apartarlo con un movimiento brusco. Jiménez había informado que habían descargado por lo menos doscientos proyectiles en el aparato abatido, habían esperado unos minutos para ver si explotaba y luego habían enviado a tres hombres.

—Jiménez, ¿eres tú?

—¿Jefe?

—Jiménez, adelante.

—Soy yo, señor. Esto no es bueno.

—¿Qué ha pasado?

—Pusieron una bomba trampa en el helicóptero. Ha estallado en el momento en el que mis hombres iban a tocar el suelo. El estallido no ha sido muy grande, pero sí lo suficiente para empujar mi helicóptero unos treinta metros. Eso me ha salvado la vida, porque entonces han estallado los tanques de combustible. La bola de fuego ha sido enorme.

—¿Qué hay de los hombres?

—Los tres que habíamos mandado allí han muerto, señor. Hechos trizas. Pero había otro hombre en el suelo que ha sobrevivido al estallido.

—¿Uno de ellos? —preguntó Espinoza tras escuchar la noticia.

—No, señor. Es el otro piloto, José. Está herido, pero le vendaron antes de marcharse.

El fracaso dejó un amargo sabor en la boca de Espinoza. Pensó un momento.

—Has dicho que estás a unos ocho kilómetros del río Rojo, ¿no?

—Así es.

—Tienen una embarcación —afirmó Espinoza—. Debieron de cruzar la frontera anoche, cuando esos inútiles guardias fronterizos estaban durmiendo o demasiado ocupados rascándose los huevos.

—No creo que tengamos suficiente combustible para perseguirlos —dijo Jiménez, con una clara nota de decepción en la voz—. Además, el piloto dice que el helicóptero puede haber resultado dañado con la primera explosión.

—No importa, señala la posición de José en el GPS, para que podamos enviar un equipo de rescate, y luego ve de inmediato a la base. Comunícales por radio que tengan preparado nuestro tercer helicóptero para cuando tú aterrices. Es probable que dispongan de una lancha rápida, pero tendrías que atraparles antes de que lleguen a Paraguay. También avisaré a los guardias de la frontera, para que envíen a las patrulleras y detengan a cualquiera que parezca sospechoso.

—Los pillaremos, jefe. —La sonrisa lobuna de Jiménez se transmitió por la conexión cargada de estática.

—Claro que sí —afirmó el comandante Espinoza, y su sonrisa fue todavía más peligrosa.

Juan y los otros dos supervivientes llegaron a la LNFR al cabo de poco más de una hora. Seguía oculta por las ramas, donde la habían dejado.

Juan sujetó la pila de plutonio en la cubierta mientras Murphy y Trono apartaban el camuflaje. Los dos motores fuera borda se pusieron en marcha con solo girar la llave en el contacto. Juan sabía que su embarcación, con los motores trucados, superaría en velocidad a cualquier otra embarcación en el río, pero no se hacía ninguna ilusión respecto a que no les estuviesen esperando cuando se acercasen a la frontera paraguaya.

—He soltado las amarras —avisó Mark mientras enrollaba el cabo de nailon oscuro alrededor de una cornamusa. Cuando el director no reaccionó, preguntó—: ¿Juan?

—Lo siento, estaba pensando.

Cabrillo movió las palancas de los aceleradores y la embarcación salió de su guarida. No había tráfico en el río, así que en cuestión de segundos planeaban sobre la superficie a casi cuarenta nudos. Solo disminuían un poco la velocidad en las curvas ciegas, pero después aceleraban de nuevo.

Como navegaban en el sentido de la corriente, tardaron menos tiempo en llegar al río principal que el día anterior, cuando iban contracorriente. Los hombres estaban agotados por los acontecimientos de las últimas veinticuatro horas, no obstante permanecían alerta en su veloz navegación hacia al norte.

Mike miraba a popa y sus ojos exploraban el cielo en busca de cualquier señal de persecución. Juan y Mark observaban el río y las orillas atentos a cualquier cosa fuera de lo normal.

Durante una hora no vieron nada, pero entonces Mark Murphy tocó a Juan en el hombro, le dio los prismáticos y señaló un poco a la izquierda de la proa.

A Juan le bastó un segundo para identificar a las dos torpederas que avanzaban hacia ellos a toda velocidad. Tampoco necesitó ver a los tripulantes para saber que iban armados hasta los dientes.

—Mike —gritó por encima del hombro—. Tenemos compañía.

—No me digas —respondió Trono—. Un helicóptero se acerca directamente por la popa.

Cabrillo no se molestó en mirar atrás. Las torpederas se acercaban demasiado rápido para preocuparse del helicóptero. A una velocidad combinada de casi noventa nudos, las embarcaciones les alcanzarían en segundos.

Unos fogonazos les deslumbraron desde ambas embarcaciones. Los argentinos habían abierto fuego mucho antes de tenerlos al alcance. Unos pequeños surtidores saltaron en el agua, lejos de la LNFR.

Juan esperó a que las dos embarcaciones estuviesen a menos de cincuenta metros, sin hacer caso del plomo que llenaba el aire. Vio que había tres hombres en cada una; el piloto y dos fusileros tumbados en la proa. Con las torpederas botando sobre el agua, ninguno de los tiradores podía apuntar con exactitud. Las pequeñas lanchas eran demasiado inestables.

Aunque, por supuesto, tampoco Mark podía disparar con acierto, porque la LNFR saltaba como un potro encabritado.

—Sujetaos —gritó Juan.

Bajó los dos aceleradores y con la palma giró el timón al máximo. A pesar de los flotadores deshinchados, la embarcación hizo un giro perfecto lanzando una pared de agua y deteniéndose casi por completo.

Como habían practicado esta maniobra innumerables veces y sabían qué era lo siguiente, Trono y Murphy reaccionaron al instante. Ahora que la LNFR flotaba, podían anticipar sus movimientos y compensarlos con sus ametralladoras. Abrieron fuego cuando las dos torpederas pasaron a menos de treinta metros. Los dos pilotos que estaban en las cabinas abiertas recibieron las descargas. Uno recibió un impacto que lo atravesó desde el muslo hasta el hombro; la energía cinética de las balas de nueve milímetros lanzó su cuerpo por encima de la borda. El otro recibió dos disparos en la cabeza y se desplomó sobre la consola.

Con los motores todavía funcionando a plena potencia, una de las torpederas comenzó a desviarse del curso debido al peso del piloto muerto sobre el timón. La fuerza centrípeta empujó el cuerpo en la dirección opuesta, por lo que se deslizó de la timonera con una mano todavía sujeta en los rayos del timón. La torpedera hizo un viraje cerrado, cogió parte de la ola creada por la LNFR y dio una vuelta de campana. Se sumergió en el agua y desapareció debajo de la superficie; luego apareció la quilla apuntando al cielo.

La segunda torpedera continuó navegando río abajo, pero no sabían si a bordo quedaba alguien con vida.

Juan viró la LNFR y movió las palancas de los aceleradores al máximo. La proa se levantó y el profundo casco en V planeó más rápido que cualquier otra embarcación.

Raúl Jiménez no hizo caso del viento que le azotaba mientras permanecía de pie en la puerta abierta del helicóptero, atónito al ver que la primera torpedera había hecho una vuelta de campana para después hundirse. La segunda había continuado río abajo detrás de ellos. Al principio creyó que aquellos cobardes escapaban, pero entonces la embarcación se estrelló contra la ribera. Se plegó como un acordeón. Las bordas se desprendieron del espejo de popa y desaparecieron en la maleza mientras los tres hombres volaban por los aires como maniquís. Jiménez no se fijó ni tampoco le importó si alguno de ellos estaba con vida. Toda su atención estaba puesta en la lancha que huía.

Identificó la embarcación negra como una LNFR, el modelo preferido de las fuerzas especiales estadounidenses, aunque también estaba disponible en el mercado, así que podía tratarse de un grupo de mercenarios. Solo necesitaba capturar a uno de ellos con vida. También quería a los demás vivos, pero cuando acabase con ellos no estarían en condiciones de aparecer en las pantallas de televisión.

Ese helicóptero no estaba equipado con una ametralladora, pero habían cogido el arma del otro, dañado por la explosión, y habían montado un trípode pasando las correas por las argollas del techo. Jiménez la empuñaba con la mirada atenta a la LNFR, que cada vez se veía más grande y con mayor claridad a través de la mira. Unos pocos segundos más y destrozaría la popa de la embarcación. Mientras uno de los secuestradores pilotaba, el otro observaba el helicóptero con una metralleta sujeta al hombro. El tercer hombre estaba tumbado en la cubierta, quizá muerto o herido. En cualquier caso, no parecía que se moviera.

Desde la infancia, a Raúl Jiménez le había encantado cazar. Había fabricado su primer tirachinas con una horqueta de madera y matado a centenares de pájaros en la finca de su familia. Con su primera carabina, un regalo que recibió al cumplir los diez años, fue a por presas cada vez más grandes hasta que mató a un jaguar de una distancia de casi seiscientos metros con un disparo que sus compañeros afirmaban que no podía conseguir. Pero el día que mató a su primer hombre, un desertor a quien por aquel entonces el capitán Espinoza había ordenado perseguir, Jiménez comprendió que nunca más se sentiría satisfecho cazando únicamente animales. Había perseguido al desertor durante cinco días sin descanso a través de una de las selvas más espesas de Argentina. El fugitivo había sido muy astuto, hasta el punto de que aquella fue la mejor cacería que había realizado nunca Jiménez; pero nada pudo apartarlo de su presa, y al final el hombre murió.

Jiménez sintió aquella misma satisfacción cuando apuntó con la mira la embarcación negra. Pero, en el momento en el que apretaba el gatillo, la ágil embarcación giró bruscamente, y las balas de calibre 30 atravesaron el agua y levantaron una constelación de pequeños surtidores blancos.

Maldijo, apuntó y disparó de nuevo. Era como si el piloto, quince metros más abajo, le leyese el pensamiento, porque las balas otra vez dieron en el agua por la banda de babor. Estaba seguro de que esta vez la lancha viraría a la izquierda, así que disparó otra ráfaga de trazadoras. Pero, como antes, el piloto le engañó continuando el viraje todavía más a la derecha, para pasar por debajo del helicóptero y salir por el lado ciego.

—Da la vuelta —gritó Jiménez por el micro—. Necesito ángulo de tiro.

El piloto tiró del timón para hacer girar el helicóptero sobre sus ejes mientras continuaba río arriba. Volaba casi de costado, como un cangrejo a través del cielo, pero conseguía mantenerse a la par de la LNFR.

En los tres segundos que Jiménez había perdido de vista la

lancha, el hombre que había creído herido estaba con una rodilla apoyada en el suelo. Detrás de él había un espacio abierto en la cubierta que había ocupado un armario oculto. En el hombro del hombre había un tubo negro apuntando al helicóptero. La distancia era menor de sesenta metros.

Jiménez y el hombre que sujetaba el lanzamisiles se movieron al mismo tiempo. Mike Trono disparó el misil Stinger en el mismo instante en el que el soldado argentino se desabrochaba el arnés. El sistema de infrarrojos del misil solo tardó una fracción de segundo en ponerse en marcha, encontrar la estela de calor que salía del escape del aparato y hacer un pequeño ajuste. Jiménez saltó del helicóptero unas décimas de segundo antes de que el misil hiciese diana en la turbina debajo del rotor. La cabeza de guerra con su carga de tres kilos de explosivos detonó. El bloque del motor salvó la vida de Jiménez pero aun así le alcanzó la onda expansiva, que incendió sus ropas y le propulsó contra el agua como si hubiese saltado desde el doble de esa altura. De no haber caído a las olas que levantaban los motores de la LNFR con los pies por delante, el impacto hubiese sido el mismo que aterrizar en cemento. El agua apagó las llamas del uniforme y evitó que las quemaduras en el rostro y las manos fuesen más allá del segundo grado. Emergió medio ahogado y con la piel ardiendo como si se hubiese sumergido en un baño de ácido.

Quince metros por delante de él, el helicóptero se estrelló en el río, con el humo saliendo por las puertas y el parabrisas destrozado. Jiménez no tuvo tiempo para llenar de aire los pulmones cuando el aparato se inclinó y los rotores golpearon el agua. Se destrozaron como si fuesen de cristal y los trozos de metal volaron por el aire. Algunos de ellos pasaron a pocos centímetros por encima de la cabeza de Jiménez; hubiese muerto decapitado de no haberse sumergido en las olas.

A través del agua vio las llamas que lamían la carcasa aplastada del helicóptero, mientras una luz ondulada y etérea dibujaba la silueta del piloto todavía sujeto al asiento. Los brazos del muerto se movían en la corriente como algas.

Volvió a la superficie y el rugido del fuego llenó sus oídos. No había ni rastro de la LNFR y, con el helicóptero abatido y las dos patrulleras destruidas, los ladrones tenían vía libre en su fuga a Paraguay. Mientras comenzaba a nadar penosamente hacia la orilla, con las manos quemadas ardiendo con cada brazada, el teniente Jiménez ya solo podía confiar en que les detuviesen antes de que cruzaran la frontera.

—Buen disparo —gritó Juan cuando el helicóptero argentino cayó del cielo.

—Esta ha sido por Jerry —dijo Mike Trono, y dejó el lanzamisiles en la cubierta para volver a cargarlo con el segundo proyectil guardado en uno de los varios armeros secretos de la embarcación. Mark Murphy estaba en la proa, atento a la presencia de cualquiera que fuese a por ellos.

—¿Seguimos ateniéndonos al plan original? —preguntó.

Cabrillo lo pensó un momento.

—Sí —respondió—. Más vale ir sobre seguro. El coste de la LNFR solo será un renglón más en el presupuesto secreto de la CIA.

Mientras Juan pilotaba y Mark hacía de vigía, Mike preparó la parte final de la operación. Cuando por fin apagaron los motores a ocho kilómetros de la frontera con Paraguay, tenían todo el equipo preparado. Los hombres se pusieron los trajes de neopreno y se sujetaron los abultados respiradores a la espalda. Juan llenó más de la cuenta su chaleco de flotabilidad, porque él sería el encargado de llevar la pila de plutonio.

Tras cortar las restantes cámaras de aire que rodeaban la embarcación, abrieron las válvulas. La LNFR comenzó a hundirse por la popa, arrastrada por el peso de los dos grandes motores. Esperaron a bordo incluso después de que se sumergiese, para asegurarse de que se quedaría en el fondo. La corriente les había empujado hacia el sur otros cuatrocientos metros, pero necesitaban estar seguros de que la embarcación permanecería hundida. En el fondo del río, tan cerca de la orilla, había un amasijo de troncos putrefactos. Ataron el cabo de proa a una de las ramas más gruesas que encontraron y luego se movieron hacia el norte, propulsándose en el agua con sus torpedos de buceo eléctricos.

Como avanzaban contra la corriente les llevó más de dos horas llegar a la frontera, y otras dos hasta que consideraron seguro salir a la superficie. Las baterías de los torpedos de buceo estaban a punto de agotarse y los respiradores ya eran casi inservibles. Pero lo habían conseguido.

Los hombres se tomaron un descanso antes de comenzar la marcha de seis horas hasta la choza donde habían dormido treinta y seis horas antes. Allí tenían guardado un pequeño bote de aluminio con un motor que habían arrastrado con la LNFR.

Cuando llegaron a la base, Mike se apoyó en un árbol y se durmió de inmediato. Juan le envidió. Aunque Trono había sido mucho más amigo de Jerry que Cabrillo, Mike no cargaba con ninguna culpa por su muerte. Solo pena. Mark Murphy, con su afición por todas las cosas técnicas, estudiaba la pila de plutonio.

Juan se alejó unos pasos y sacó el móvil de una bolsa impermeable. Era el momento de comunicarse.

—¿Juan, eres tú? —preguntó Max Hanley, que respondió a la llamada de inmediato.

Cabrillo se imaginó a Max sentado en el centro de operaciones del *Oregon* desde que había comenzado la misión, siempre con una taza de café en la mano y mascando la boquilla de la pipa hasta no dejar más que un trozo de plástico aplastado.

Los teléfonos utilizaban un sistema de cifrado tan perfecto que no había ninguna posibilidad de que les oyesen, y por lo tanto no necesitaban frases en código o alias.

—Lo tenemos —respondió con tanto cansancio que pareció que nunca se recuperaría—. Nos encontramos a seis horas del punto Alfa.

—Llamaré a Lang de inmediato —dijo Hanley—. Ha estado llamando cada veinte minutos desde que os pusisteis en marcha.

—Hay una cosa más. —El tono de Cabrillo fue como hielo a través de las ondas—. Esta vez Jerry ha pagado la cuenta.

Hubo casi treinta segundos de silencio antes de que Max reaccionase.

—Dios santo, no. ¿Cómo?

—¿Qué importancia tiene? —replicó Juan.

—Supongo que ninguna —admitió Max.

Juan soltó un sonoro suspiro.

—Te diré una cosa, compañero, creo que esta vez me costará mucho superarlo.

—¿Qué te parece si tú y yo nos tomamos unos cuantos días de descanso cuando regreses? Volaremos a Río, nos tumbaremos en la playa y contemplaremos un montón de cuerpos preciosos en tanga.

Tomarse un descanso sonaba bien, pensó Cabrillo, aunque no le entusiasmaba mirar a mujeres que tuvieran la mitad de su edad. Además, sabía que después de tres matrimonios fracasados, Max tampoco estaba por la labor. De repente, Juan recordó el dirigible estrellado y la propuesta de Mark de buscar a las familias de los hombres que habían muerto en la aeronave. Era lo que su espíritu necesitaba. No mirar a chicas bonitas, sino ofrecer la tranquilidad a un grupo de extraños después de cincuenta años de espera.

—Me gusta la idea —comentó Juan—, pero debemos trabajar en la ejecución. Hablaremos de los detalles cuando estemos en el bar. Otra cosa, podrías ir a mi despacho. En el archivador debería estar el testamento de Jerry. Pongamos ese asunto en marcha ahora mismo. No sentía ningún cariño por su ex esposa pero tenía un chico.

—Una hija —le corrigió Max—. Le ayudé a crear un fondo para ella, y me nombró administrador.

—Gracias. Te debo una. Llegaremos a casa mañana por la mañana.

—Tendré preparado el café.

Juan guardó el móvil en la bolsa y se apoyó en el tronco; tenía la sensación de estar alimentando a todos los mosquitos en un radio de ochenta kilómetros a la redonda.

—Eh, director —llamó Mark unos minutos más tarde—. Mira esto.

—¿Qué has encontrado?

Juan se arrastró hasta donde Mark estaba sentado con las piernas cruzadas.

—¿Ves esto aquí y aquí? —Señaló dos pequeñas hendiduras en la resplandeciente superficie metálica.

—Sí.

—Estas se corresponden con los dos agujeros en el arnés de nailon. Son marcas de balas disparadas cuando despegamos en el helicóptero.

—Son de nueve milímetros, a quemarropa —dijo Juan—. Apenas han dejado una ligera marca. Esta cosa es tan dura como dijo la NASA.

—Sí, pero mira aquí. —Mark giró la pila de treinta y cinco kilos de forma que la parte superior quedase hacia arriba y luego señaló una hendidura más profunda en el fragmento de satélite.

Juan miró con una expresión interrogativa a su experto en armamento.

—No se corresponde con nada en el arnés. Ya estaba antes de que lo cogiésemos.

—¿Lo hicieron los argentinos?

Mark sacudió la cabeza.

—Vimos como lo sacaban, y solo lo perdimos de vista unos minutos antes de que lo cargaran en la camioneta. No recuerdo haber oído un disparo. ¿Y tú?

—No. ¿No podría haber sucedido cuando los troncos chocaron contra la camioneta?

—No lo creo. He hecho algunos cálculos para asegurarme, pero no creo que la colisión tuviese la fuerza suficiente para causar algo así. Recuerda que el camión volcó en terreno fangoso. No había nada lo bastante duro y pequeño que pudiera causar una hendidura tan pulida.

La comprensión brilló en la mente de Cabrillo.

—Ocurrió cuando estalló el cohete. Entonces sí hubo fuerza más que suficiente, ¿verdad?

—Ahí tienes la respuesta —manifestó Mark como si lo hubiese sabido desde el principio. Pero no había ningún triunfo en su voz—. El problema es que esta es la parte superior de la pila. Tendría que haber quedado protegida de la explosión por la velocidad vertical del cohete y por el mismo bulto de la pila.

—¿Qué estás diciendo?

—No estoy seguro. Me gustaría hacer algunas pruebas cuando estemos a bordo del *Oregon*, pero supongo que tendremos que dárselo a algún tipo de la CIA en Asunción. Así que nunca sabremos la respuesta.

—¿Qué te dice el instinto?

—El satélite fue abatido intencionadamente con un arma que solo dos países poseen en el mundo. Nosotros...

—... y China —acabó Juan.

9

Houston, Texas

Tom Parker no supo en qué se estaba metiendo cuando entró en la NASA. En su defensa, hay que decir que se crió en el Vermont rural, y que sus padres nunca tuvieron un televisor porque la recepción al otro lado de la montaña donde criaban sus vacas lecheras era pésima.

Ya en su primer día en el Johnson Space Center comprendió que algo se traían entre manos, porque su secretaria colocó una hermosa botella de cristal en la estantería detrás de su mesa y dijo que era para Jeannie. Parker le pidió una explicación, y cuando ella se dio cuenta de que no tenía ni la más remota idea de quién era Jeannie se rió y dijo en tono de misterio que no tardaría en averiguarlo.

Luego apareció un fuelle pintado a mano que dejaron anónimamente en su despacho. Una vez más, Parker no supo qué significaba y pidió una explicación. A estas alturas, varias de las secretarias sabían de su ignorancia, al igual que su supervisor, un coronel de las fuerzas aéreas que era el director adjunto del programa de entrenamiento de astronautas.

La última pieza del rompecabezas fue una foto autografiada de un hombre que rondaba los sesenta, pelirrojo con profundas entradas y unos brillantes ojos azules. A Parker le llevó un rato descifrar que la firma correspondía a Hayden Rorke. Por aquel entonces, el uso de internet estaba en sus inicios, así que tuvo que ir a consultar a una biblioteca local. Allí por fin descubrió que Rorke era un actor que hacía el papel de un psiquiatra de la NASA llamado Alfred Bellows a quien siempre incordiaba el astronauta Anthony Nelson y el genio con cuerpo de mujer que había encontrado en la playa.

El doctor Tom Parker era psiquiatra de la NASA, y las bromas acerca de *Mi bella genio* nunca cesaron. Después de casi diez años con el programa, Parker tenía docenas de botellas de vidrio similares a las que Jeannie llamaba su hogar, además de las fotos autografiadas de la mayoría de las actrices y actores de la serie y varios de los guiones de Sidney Sheldon.

Ajustó la cámara de su portátil para atender la petición de Bill Harris, su actual paciente.

—Así está mejor —comentó Harris desde la base Wilson-George—. Veía una foto de Larry Hagman pero oía su voz.

—Al menos él es más guapo —señaló Parker.

—Deje la cámara en Barbara Eden y me hará feliz —bromeó Harris.

—Estábamos hablando de los demás miembros de su equipo. Dejarán la Antártida dentro de un par de días. ¿Cuál es su estado de ánimo?

—En realidad, están desilusionados —respondió el astronauta—. Se ha acercado un frente. Los muchachos del tiempo en McMurdo dicen que solo durará unos días, pero todos hemos visto la información. La tormenta está cubriendo casi toda la Antártida. Nos quedaremos aquí una semana o más, y luego todavía pasarán algunos días antes de que acaben de despejar su pista y la nuestra.

—¿Cómo se siente al respecto? —preguntó Parker.

Él y el ex piloto de pruebas habían sostenido frecuentes conversaciones a lo largo de los últimos meses, así que mantenían un diálogo sincero. Parker sabía que Harris no endulzaría la respuesta.

—Como todos los demás —respondió Bill—. Es duro cuando ves que se aleja la meta, pero se supone que para eso estamos aquí, ¿no?

—Así es. En particular quiero saber cómo ha afectado esto a Andy Gangle.

—Desde que no puede salir, pasa la mayor parte del tiempo en su habitación. La verdad es que no lo he visto en las últimas doce horas o más. La última vez fue en la sala de descanso. Pasó por allí. Le pregunté cómo estaba, murmuró «bien» y siguió caminando.

—¿Diría que su comportamiento antisocial ha empeorado?

—No —contestó Bill—. Es más o menos el mismo. Era antisocial cuando llegó y sigue siéndolo ahora.

—Sé que ha tratado de establecer una relación con él a lo largo de los últimos meses. ¿Lo ha intentado alguien más?

—Si alguien lo ha hecho, no ha tenido éxito. Como le he dicho en alguna ocasión, creo que los encargados de la selección que le permitieron venir a pasar un invierno aquí cometieron un error. No está hecho para este tipo de aislamiento, al menos no para formar parte activa del equipo.

—Pero Bill —dijo Parker, que se inclinó hacia la cámara del ordenador para dar más énfasis a sus palabras—, ¿qué pasaría si se encontrara usted en la estación espacial o a medio camino a la Luna y se diera cuenta de que los doctores que eligieron a sus camaradas cometieron el mismo error?

—¿Me está diciendo que meterá usted la pata? —preguntó Harris con una risita.

—No —negó Parker y sonrió—, pero los otros miembros del comité de selección podrían. Entonces, ¿qué haría?

—Por encima de todo, asegurarme de que la persona sabe lo que hace. Si no quiere hablar mucho, bien, pero tiene que hacer su trabajo.

—¿Y si se niega?

Bill Harris miró de pronto por encima del hombro como si hubiese oído algo.

—¿Qué ocurre? —preguntó el psiquiatra.

—Ha sonado como un disparo —respondió Harris—. Ahora mismo vuelvo.

Parker vio que el astronauta se levantaba de la silla. Estaba a medio camino de la puerta abierta de su habitación en la remota base polar cuando algo impreciso cruzó el umbral. Harris se tambaleó hacia atrás; después, algo golpeó la cámara y Parker perdió por completo la visión. Observó durante varios segundos. Muy pronto la pantalla negra adquirió un tinte púrpura. A medida que transcurrían los minutos, la visión se hizo cada vez más clara; pasó del ciruela oscuro al berenjena claro, y después al rojo.

Tardó un momento en comprender que lo que había golpeado la cámara era un coágulo de sangre que después se había desprendido de la lente. Parker solo alcanzaba a ver unos pocos detalles debido a la capa sanguinolenta, pero no había ninguna señal de Bill Harris, y el audio recogía el inconfundible aullido de una mujer.

Todavía pasó un minuto antes de que el grito se interrumpiese bruscamente. Parker continuó mirando, pero cuando de nuevo algo pasó por el umbral era una mancha indistinguible. Desde luego parecía el perfil de un hombre, pero era imposible saber quién.

Comprobó dos veces que el ordenador estuviese grabando, como hacía en todas las sesiones con su lejano paciente. Todo estaba bien guardado en el disco duro. Como precaución, envió por e-mail la primera parte del archivo a su propio correo, para tener una imagen de respaldo, y después la reenvió a su jefe. Dejó que la computadora siguiese tomando imágenes de la base Wilson-George, cogió el teléfono y llamó al número directo del supervisor.

—Keith Deaver.

—Keith, soy Tom. Ocurre algo en Wilson-George. Mira el e-mail que acabo de enviarte. Busca en el archivo los últimos cinco minutos. Llámame cuando los hayas visto.

Seis minutos más tarde, Tom atendió el teléfono antes de que sonase por segunda vez.

—¿Qué opinas?

—Sé a ciencia cierta que no hay armas en aquella base, pero estoy seguro de que fue un disparo.

—Yo también —coincidió Parker—. Para tener la certeza absoluta, necesitamos que lo oiga un experto y haga esas pruebas que hacen en las series de polis. Esto no tiene buena pinta, Keith. No sé si has oído la conversación entre Bill y yo, pero no podrán enviar un avión desde McMurdo hasta dentro de una semana o tal vez más, ni siquiera para hacer un reconocimiento visual.

—¿Quién tiene el mando allí?

—La Universidad de Pensilvania tiene el control y hace una supervisión permanente, si es a eso a lo que te refieres.

—¿Tienes algún contacto allí?

—Sí. Creo que se llama Benton. Sí, eso es, Steve Benton. Es un climatólogo o algo así.

—Llámale. A ver si aún reciben las señales de telemetría. Pregunta si tienen otras cámaras funcionando ahora mismo. Debemos ponernos en contacto con McMurdo, informarles de lo que está pasando y averiguar si pueden enviar antes un avión a Wilson-George.

—También tengo un contacto allí —dijo Parker—, en el programa antártico estadounidense. Funcionan a través de la Fundación Nacional de Ciencias.

—Muy bien. Quiero actualizaciones cada hora, y asegúrate de que alguien permanezca atento a la pantalla de tu ordenador a partir de este momento. Te enviaré más personal si lo necesitas.

—Le diré a mi secretaria que venga mientras hago las llamadas, pero probablemente más tarde acepte tu oferta.

Teniendo en cuenta cómo funciona la burocracia, tardaron muy poco tiempo en poner las cosas en marcha. Para el final del día, un agente de policía de Houston había oído la transmisión de audio, aunque no había podido determinar con certeza si el sonido se correspondía con un disparo. Dio unas probabilidades del setenta y cinco por ciento, pero no pudo afirmarlo a ciencia cierta. El encargado de la torre de McMurdo confirmó que todos sus aviones estaban en tierra debido al mal tiempo y que ninguna emergencia era lo bastante grave como para arriesgar a una tripulación. Las condiciones eran todavía peores en la base Palmer, la única otra base estadounidense en la península, así que no tenían ninguna posibilidad de ir a Wilson-George. Se habían hecho llamadas a las otras naciones que tenían alguna base de investigaciones científicas cerca, pero la más próxima era una base argentina, y, a pesar de los vínculos entre la comunidad científica, habían rechazado la petición taxativamente.

A las ocho de la noche ya se había comunicado la situación al asesor del presidente en seguridad nacional. Debido a que Wilson-George estaba muy cerca de la base argentina y parecía que se habían oído disparos, cabía suponer que hubiesen sido atacados por alguna razón. Se discutió hasta bien entrada la noche, y finalmente se pidió a la Oficina Nacional de Reconocimiento que reprogramase uno de sus satélites, para obtener fotografías de la aislada base científica.

Para el amanecer, las fotos ya habían sido analizadas, pero, pese a sus magníficos teleobjetivos, no consiguieron ver nada por culpa de la tormenta que tapaba la mitad del continente.

Después, como en todas las burocracias, la eficacia se interrumpió. Nadie sabía qué hacer a continuación. Se habían reunido y habían estudiado todas las informaciones y las opciones posibles. Era necesario tomar una decisión, pero no había nadie dispuesto a hacerlo. La febril actividad inicial cesó de pronto, y las personas involucradas comenzaron a adoptar la postura de esperar y ver.

Cuando, poco después de las nueve, Langston Overholt llegó a Langley aceptó la taza de café que su secretaria le tenía preparada y entró en su despacho. La visión a través de la ventana con cristal a prueba de balas mostraba un bosquecillo en plena floración. El viento sacudía las ramas y proyectaba sombras fractales en la hierba.

Su despacho era espartano. A diferencia de muchos otros funcionarios superiores de la agencia, Overholt no tenía una pared llena de fotografías de sí mismo con diversos dignatarios. Nunca había sentido la necesidad de proclamar su importancia a los demás. Pero, con su legendaria reputación, en realidad no era necesario. Cualquiera que fuese a visitarle al séptimo piso sabía perfectamente quién era. Y si bien muchos de sus logros permanecían en absoluto secreto, se conocían los suficientes a lo largo de los años como para asegurar su posición en la agencia. Había solo unas pocas fotos en la pared, la mayoría de ellas hechas durante las vacaciones con su familia, y una instantánea de color sepia donde aparecía en compañía de un joven asiático. Solo un experto hubiese reconocido que era el Dalai Lama. «Bueno, quizá un poco de ego...», dijo, mirando la foto.

Overholt leyó el resumen que se repartía a todos los cargos superiores. Era una versión más completa que la que recibía el presidente, que desde el principio de su mandato había dejado claro que no le interesaban los detalles.

Encontró las habituales noticias de todo el mundo: un atentado terrorista en Irak, trabajadores de las empresas petroleras asesinados en Nigeria, una exhibición militar norcoreana a lo largo de la zona desmilitarizada. El incidente en la base Wilson-George solo ocupaba un párrafo en la segunda página, justo debajo del comentario de la fracasada captura de un criminal de guerra serbio. De haber ocurrido en cualquier otra base antártica, no le hubiese prestado mucha atención, pero el informe dejaba claro que los argentinos tenían una base a unos cincuenta kilómetros, y su firme negativa a enviar un equipo a investigar puso en marcha el sexto sentido de Overholt. Pidió la grabación de la webcam del doctor Parker.

Supo de inmediato qué debía hacerse.

Llamó al director de la sección sudamericana y este le dijo

que Cabrillo había llegado a Asunción la noche anterior, había entregado la pila de plutonio a una pareja de correos de la agencia y ahora volaba en un vuelo chárter cerca de la costa de California.

Overholt cortó la llamada interna y llamó a Houston para hablar con el doctor Parker. Después, hizo una llamada de larga distancia.

10

Después de pasarse casi una hora en la ducha y desayunar huevos, tostadas y una tisana —Maurice, el jefe de camareros, se había negado a servirle a Cabrillo cualquier bebida con cafeína—, Juan continuaba inquieto. Debería irse a la cama, pero su colchón de plumas no le tentaba. Tenía claro que le costaría dormir. La doctora Huxley, después de un rápido reconocimiento físico, le había recetado que tomara algo para ayudarle a descansar, pero él lo había rechazado. No se estaba castigando por la muerte de Jerry, pero, de alguna manera, recurrir al sueño químico no le parecía justo con la memoria de su amigo. Si pensar en el gigante polaco iba a tenerle despierto, Cabrillo estaba dispuesto a ello.

Él y los demás miembros del equipo habían llegado a bordo del *Oregon* hacía tres horas, después de un vuelo a Brasil desde la capital paraguaya. Habían pasado la primera hora hablando con los miembros de la tripulación sobre lo ocurrido y sobre cómo Jerry se había sacrificado para que ellos pudiesen escapar. Ya se estaba organizando un servicio fúnebre para aquella misma tarde. En la cocina estaban preparando los tradicionales platos polacos, incluidos los *pierogi* (ravioli), las *kotlet schabowy* (chuletas de cerdo rebozadas) y la *sernik*, una popular tarta de queso, como postre.

Por lo general, Cabrillo era quien dirigía los oficios, pero, debido a su amistad con el difunto, Mike Trono pidió que le concedieran ese honor.

Juan salió de su camarote para hacer una cuidadosa inspección de su barco anclado en la rada del puerto de Santos. El sol tropical se reflejaba en las cubiertas de acero, pero los vientos alisios que hinchaban su camisa de lino blanco le mantenían fresco. Incluso para el ojo más observador, el *Oregon* parecía condenado al desguace. La basura llenaba la cubierta, y la pintura, en casi todas las zonas desconchada, se había aplicado tan al azar y con tal abundancia de colores diferentes que parecía un trabajo de camuflaje. La raya blanca central de la bandera iraní en el mástil de popa era la única nota brillante en el viejo carguero.

Juan se acercó a un bidón de combustible colocado junto a la borda. Sacó el micrófono y el auricular del bolsillo y llamó al centro de operaciones. El *Oregon* disponía de un servicio de telefonía móvil cifrado.

—Hola —dijo la voz aguda de Linda Ross, que en ese momento era el oficial de guardia.

—Hola —respondió Cabrillo—. Hazme un favor y activa la ametralladora número cinco.

—¿Hay algún problema?

—No. Solo estoy dando un repaso. —Juan sabía que la tripulación conocía su costumbre de inspeccionar el barco cada vez que le preocupaba algún asunto.

—Recibido, Juan. Ahora mismo la pongo en marcha.

La tapa del bidón se levantó sin hacer el menor ruido y quedó plegada a un lado. Asomó el cañón de una ametralladora M-60, que rotó hacia abajo para apuntar al mar. Observó la cinta de munición. Las vainas de latón no mostraban ninguna señal de óxido, y el arma estaba untada con aceite.

—Parece que está bien —comentó Cabrillo y le pidió a Linda que la guardase de nuevo.

Luego bajó a la sala de máquinas, el corazón de la nave. Estaba limpia como un quirófano. Los revolucionarios motores del barco empleaban unos magnetos muy refrigerados que captaban electrones libres del agua de mar en un sistema llamado magnetohidrodinámico. De momento, la tecnología era tan experimental que no la utilizaba ninguna otra nave en el mundo. La sala estaba ocupada por las bombas criogénicas, que se utilizaban para mantener los núcleos magnéticos a trescientos grados bajo cero. Los tubos impulsores principales recorrían toda la eslora del *Oregon* y tenían el diámetro de un vagón cuba. En su interior estaban los impulsores de geometría variable que, de no haber estado encerrados en el interior del viejo carguero, hubiesen sido el foco de atracción en cualquier museo de arte moderno. Cuando el agua pasaba por ellos, todo el espacio vibraba con una potencia inimaginable.

El *Oregon* podía alcanzar velocidades inconcebibles en un barco de su tamaño, y detenerse con la misma rapidez que un coche deportivo. Con sus poderosos impulsores laterales y las salidas direccionales, también podía girar rápidamente.

Continuó su recorrido por el barco sin ninguna dirección establecida.

Por lo general, en los pasillos y las zonas de trabajo se oían conversaciones animadas y risas. Hoy no. Las miradas bajas habían sustituido a las bromas. Los hombres y las mujeres de la corporación realizaban sus tareas sabiendo que uno de ellos ya no estaba a bordo. Juan percibía que nadie le culpaba, y eso comenzó a aliviar su carga. No había culpa porque todos se sentían en parte responsables. Eran un equipo y, como tal, compartían las victorias y las derrotas.

Cabrillo dedicó cinco minutos a contemplar un pequeño cuadro de Degas colgado en un pasillo muy cerca de donde estaban la mayoría de los camarotes de la tripulación. El cuadro mostraba a una bailarina que se ataba en el tobillo los cordones de la zapatilla. En su opinión, el artista captaba la luz, la inocencia y la belleza mejor que cualquier otro pintor anterior o posterior a él. Que fuese capaz de apreciar una de las obras maestras de Degas y la fea funcionalidad de una ametralladora en el mismo paseo era una ironía que se le escapaba al director. La estética se presentaba de múltiples maneras.

En la bodega de proa observó cómo los tripulantes sacaban del almacén la LNFR de recambio. Cuando estuviesen en el mar y lejos de los ojos curiosos, una grúa sacaría la LNFR de la bodega, la dejaría en el agua en la banda de estribor y de allí la meterían en el garaje de embarcaciones ubicado sobre la línea de flotación.

Entró en la piscina. Era donde practicaba su deporte favorito, y la razón por la que conservaba unos hombros anchos y una cintura delgada, pero después de pasar tanto tiempo en el agua durante los últimos dos días lo más probable era que se decantase por la sala de pesas.

En el fondo del barco estaba uno de sus secretos mejor guardados. Era un recinto de grandes dimensiones ubicado encima mismo de la quilla desde donde podían lanzar un par de sumergibles. Unas enormes puertas se abrían en el fondo de la piscina, y los minisubmarinos podían ser botados y recuperados incluso cuando el barco estaba en marcha, si bien era preferible que el *Oregon* estuviese parado. La ingeniería necesaria para crear dicho espacio y mantener la integridad del casco había sido el mayor desafío técnico con el que se había enfrentado Juan cuando reconvirtió el viejo carguero.

El hangar debajo de la bodega de popa, una de las cinco que tenía el barco, estaba desierto. El MD-520N negro estaba con los rotores principales plegados. A diferencia de los helicópteros tradicionales, este modelo no necesitaba un rotor de cola. En cambio, el escape del motor a reacción salía por debajo de la cola para contrarrestar el torque del rotor. Hacía que fuese más silencioso que la mayoría de los helicópteros, y Gómez Adams decía que le daba un aspecto muy chulo.

El espacio producía cierto agobio, debido a las modificaciones que se habían visto obligados a hacer cuando cambiaron el viejo y pequeño helicóptero Robinson R44.

En la enfermería encontró a Julia Huxley, una antigua doctora de la marina, que estaba vendando la mano de uno de los técnicos. El hombre se había cortado mientras trabajaba en el taller y había necesitado que le dieran un par de puntos de sutura. Julia vestía la habitual bata blanca y llevaba el pelo recogido en una coleta sujeta con una goma.

—Olvídate de la copa de ron hasta después de acabar el turno, Sam —bromeó Hux después de acabar el vendaje.

—Lo prometo. Nada de taladrar después de beber.

—¿Estás bien? —le preguntó Juan.

—Sí. Aunque cometí una estupidez. El primer día en nuestro garaje mi padre me enseñó que nunca debía apartar la mirada de la herramienta. ¿Y yo qué hago? Desvío la mirada cuando estoy torneando un trozo de acero, así que la maldita cosa resbala y acabo con el aspecto de haber matado a un cerdo.

Sonó el auricular de Juan.

—Sí, Linda.

—Soy Max. Lamento interrumpirte, pero Langston Overholt está al teléfono y dice que solo quiere hablar contigo.

Cabrillo se tomó un momento para pensar y asintió para sí como si hubiese tomado una decisión.

—Ya he acabado. Gracias. Dile que espere un segundo mientras vuelvo a mi camarote.

—Hola.

—Juan, lamento llamarte tan pronto después de una misión pero me temo que ha surgido algo un tanto peculiar —dijo Lang con su habitual discreción.

—¿Te has enterado? —preguntó Cabrillo.

—He tenido que hablar con Max antes de que accediese a pasarte la llamada. Me ha contado lo que le ha ocurrido a tu hombre. Lo siento. Sé cómo te sientes. Si te sirve de consuelo, habéis hecho un gran trabajo —continuó Overholt—. Los argentinos se quejarán a Naciones Unidas y nos acusarán de todo y de más, pero lo que importa es que hemos recuperado la pila de plutonio y ellos no tienen nada.

—Me cuesta creer que valiese la vida de un hombre —murmuró Juan.

—En el gran esquema de las cosas es probable que no, pero todos vosotros sabéis cuál es el precio.

Juan no estaba de humor para iniciar una discusión filosófica con su ex jefe, así que preguntó:

—¿Cuál es la delicada situación que has mencionado?

Overholt le relató al director todo lo que conocía de la situación en la base Wilson-George, incluido lo que había sabido por boca de Tom Parker.

—Así que podría haber sido este tipo, Dangle... —dijo Juan cuando Overholt terminó.

—Gangle —le corrigió Langston.

—¿Gangle se volvió loco y mató a los demás?

—Es muy posible, aunque por la evaluación del doctor Parker, según se enteró por el astronauta, este chico, Gangle, solo era un solitario cabreado.

—Lang, estos son siempre los que terminan matando a sus familias a hachazos o disparando desde los campanarios.

—Sí, lo sé. Pero no debemos olvidar que hay una base argentina a menos de cincuenta kilómetros. Como ya sabes, no dejan de proclamar que toda la península Antártica es territorio soberano. Tal vez esta sea la primera jugada de una operación más importante. Allá abajo hay otras bases. Los noruegos, los chilenos, los británicos. Ellos podrían ser los siguientes.

—También podría ser un chico desequilibrado que ha pasado demasiado tiempo en el hielo —señaló Juan.

—El problema es que no tendremos una respuesta definitiva hasta casi dentro de una semana, o quizá más, si el tiempo no mejora. Si esto es obra de los argentinos, cuando lo descubramos podría ser demasiado tarde.

—Así que quieres que vayamos al sur e investiguemos qué pasó en Wilson-George.

—Así es. Será sencillo. Vais hasta allí, echáis una ojeada y le decís al viejo tío Langston que no hay nada de que preocuparse.

—Lo haremos, por supuesto, pero debes saber que Max y yo no iremos.

—¿Tienes algo organizado?

Cabrillo le habló del descubrimiento del *Holandés Errante* y de su deseo de informar a las familias de la tripulación del dirigible de lo que les había pasado a sus seres queridos medio siglo atrás.

—Creo que es una magnífica idea —aprobó Lang—. Es justo lo que necesitas para ganar un poco de perspectiva. La tripulación no os necesitará para esta misión. Max sufre demasiado, y tú tendrías que descansar un tiempo.

—Ah, antes de que lo olvide, mi jefe de armamento dice que existe la posibilidad de que el satélite fuese abatido.

—¿Qué has dicho?

—Ya me has oído. Hay un par de marcas en la carcasa exterior de la pila. Dos corresponden a impactos de bala, pero la tercera es un misterio. Tendrás que hacer que revisen esa cosa a fondo.

—Lo haremos, gracias por el aviso. Aunque dudo que estéis en lo cierto. Argentina no dispone de la tecnología necesaria para abatir un cohete que está tan avanzado en su vuelo. Además, ¿por qué iban a molestarse? No era una operación militar.

—Solo te he dicho lo que él cree. Si está en un error, perfecto. Si no es así, entonces es algo muy distinto. No olvides quién ha demostrado tener la capacidad para abatir un satélite y quién, por cierto, no deja de vetar cualquier sanción contra Argentina en Naciones Unidas.

Estas palabras hicieron que Lang guardase silencio unos momentos.

—No me gusta lo que insinúas.

—A mí tampoco —admitió Juan—. Pero da que pensar. ¿Todavía nos quieres en la Antártida?

—Más que nunca, muchacho, más que nunca.

11

La llamada había consistido en una sola palabra: «Ven».

A pesar de ser tan breve, el comandante Jorge Espinoza interpretó mucho más en el mensaje, y nada era bueno. Tardó casi doce horas en conseguir un transporte desde la frontera norte hasta la finca de su padre en La Pampa, a ciento sesenta kilómetros al oeste de Buenos Aires. Había volado el último tramo en su Turbine Legend, un avión de hélice que se parecía mucho al legendario Spitfire y que tenía casi las mismas prestaciones. El teniente Jiménez, con unos voluminosos vendajes cubriéndole las manos quemadas, había viajado en el asiento del artillero.

Cuando a su padre le dieron el mando de la Novena Brigada, utilizó el dinero de la familia para construir un nuevo centro de mando y cuarteles en la finca. Además, alargó y pavimentó la vieja pista que estaba a dos kilómetros de la casa principal para poder recibir un C-130 a plena carga. También habían mejorado las instalaciones para los helicópteros y se había levantado un enorme hangar metálico.

El campo de maniobras estaba tan lejos de la casa principal que ni siquiera las prácticas de mortero molestaban al general, a su nueva y joven esposa y a sus dos hijos. Los cuarteles tenían capacidad para albergar a los mil hombres que pertenecían a la unidad de élite y todo lo que se requería para atender sus necesidades. Junto al patio de armas había una pista de obstáculos y un gimnasio equipado con los mejores aparatos.

Con sus enormes llanuras, los espesos bosques y dos ríos, la enorme finca ganadera era el lugar perfecto para mantener a los hombres en excelentes condiciones físicas.

El cercano pueblo de Salto había pasado de ser una pequeña y somnolienta comunidad agrícola a una bulliciosa ciudad donde los habitantes estaban más que dispuestos a atender a una clientela de soldados fuera de servicio.

Como siempre, Espinoza hizo una pasada rasante sobre la casa principal cuando encaró la pista. Sus hermanastros estaban entusiasmados con el avión y siempre le pedían que les llevase a dar una vuelta. Pero hoy no. Quería llamar la atención lo menos posible mientras sobrevolaba la finca, donde las lluvias de primavera hacían que la hierba creciese alta y verde.

El fracaso en la selva habría significado el final de su carrera para cualquier otro oficial, y quizá aún lo fuese para él. Como hijo y subordinado, había fallado al general. Nueve hombres habían muerto bajo sus órdenes, y después, cuando por fin llegó a la guarnición de la frontera, Raúl le contó que los cuatro hombres que le acompañaban en el helicóptero habían muerto, al igual que los seis guardas fronterizos que tripulaban las torpederas hundidas. Además, habían perdido dos helicópteros muy caros, y un tercero estaba averiado.

Pero lo peor de todo, para el hijo y para el soldado, era que había fracasado. Aquel era un pecado imperdonable. Habían permitido que los estadounidenses les robasen el fragmento de satélite debajo de sus narices. Recordó el rostro bañado en sangre del yanqui que conducía la camioneta cargada con sus camaradas «heridos». A pesar de la máscara de mugre y sangre, Espinoza recordaba cada facción: la forma de los ojos, la fuerza de la barbilla, la nariz casi arrogante. Lo reconocería; no importaba dónde volviesen a encontrarse o cuántos años transcurriesen.

Alineó el ágil aparato en la pista y bajó el tren de aterrizaje. Un C-130 estaba aparcado junto al gran hangar. Tenía la plataforma de carga trasera bajada y vio un pequeño toro que salía por el hueco. Espinoza no tenía noticias de ningún inminente despliegue de la Novena Brigada y estaba casi seguro de que después de su encuentro con el general ya no volvería a formar parte del futuro de la fuerza de élite.

El avión rebotó una vez cuando tocó el asfalto y después se posó con la suavidad de una pluma. Resultaba tan delicioso pilotarlo que cada aterrizaje al final de un vuelo era una desilusión. Lo condujo hasta donde su padre tenía su avión, un Learjet capaz de llevarle a cualquier lugar de Sudamérica en un par de horas.

El general provenía de una familia de militares, y la difunta madre de Espinoza había nacido en una familia cuya riqueza se remontaba a la fundación del país. Poseían edificios de oficinas en Buenos Aires, viñedos en el oeste, cinco fincas ganaderas, una mina de hierro y casi el monopolio de la telefonía móvil de la nación. Todo esto lo administraban sus tíos y sus primos.

Jorge había disfrutado de los beneficios de esta riqueza, de las mejores escuelas y de juguetes caros como el Turbine Legend, pero nunca le había atraído participar en las empresas. Quiso servir como militar en cuanto comprendió que el uniforme que vestía su padre cada día cuando iba al trabajo era un símbolo de la grandeza de su país.

Había trabajado de firme para convertir su sueño infantil de ser soldado en una realidad, y ahora, a los treinta y siete años, estaba en lo que consideraba la cumbre de su carrera. Pero con su próximo ascenso llegaría un trabajo de despacho, algo que le entusiasmaba muy poco. De momento tenía el mando operativo de los comandos argentinos más letales. Al menos durante algunos minutos más. La humillación era como una brasa que le quemaba en el fondo del estómago.

Un todoterreno Mercedes ML500 pintado con colores de camuflaje, una idea de su madrastra para darle un aspecto más agresivo, estaba aparcado a un costado de la pista, esperando para llevarles a él y a Jiménez. El interior era de cuero y madera.

—¿Cómo está? —preguntó Espinoza a Jesús, el mayordomo de su padre, que había ido a recoger al joven patrón.

—Tranquilo —respondió Jesús, y puso en marcha el vehículo.

No era una buena señal.

La carretera hasta la casa principal era de tierra pero en tan buen estado que el trayecto fue tan suave como por una autopista, y el pesado todoterreno apenas levantó un rastro de polvo. En lo alto, un halcón vio una presa en el suelo, plegó las alas y se lanzó en picado.

Maxine Espinoza recibió a Jorge en lo alto de la escalinata que llevaba a la puerta principal. Su madrastra era de París, y en otro tiempo había trabajado en la embajada francesa en la calle Cerrito en Buenos Aires. La madre del comandante había muerto tres semanas después de sufrir una caída de su caballo, cuando Espinoza tenía once años. Su padre había esperado que Jorge saliese de la academia militar antes de pensar en volver a casarse, aunque había tenido una larga serie de hermosas mujeres como amantes.

Solo era dos años mayor que Jorge y, de no haber sido porque el viejo la había conocido primero, no hubiese dudado en invitarla a salir. No le reprochaba a su padre tener una esposa joven. Había honrado la memoria de la madre de Jorge al esperar tanto tiempo, y para cuando Maxine entró en sus vidas era bueno tener a una mujer que puliese un poco las aristas del general, que se habían hecho más afiladas con el paso de los años.

Su traje de montar mostraba que haber dado dos hijos al general no había hecho ningún daño irreparable a su figura.

—No estás herido, ¿verdad? —preguntó ella en un español con marcado acento francés. Jorge sospechaba que todas las mujeres francesas conseguían que su segunda lengua pareciese sexy sin importar cuál fuese. Maxine podía hacer que el urdu sonase como poesía.

—No, Maxie, estoy bien.

Cuando Raúl se acercó, se fijó en los vendajes. Palideció.

—Dios mío, ¿qué te han hecho esos cerdos?

—Volaron el helicóptero donde viajaba, señora. —Jiménez habló con la cabeza gacha, como si no se sintiese cómodo en medio de tanta riqueza o con la atención que le prestaba la esposa de su comandante.

—El general está muy alterado —comentó Maxine, que cogió de los brazos a los jóvenes oficiales. El interior de la casa era aireado y fresco; un cuadro de Philippe Espinoza, vestido con el uniforme de coronel que había llevado dos décadas atrás, destacaba en una de las paredes.

—Se comporta como un semental al que le han negado una yegua. Está en la sala de armas.

Jorge vio a tres hombres conversando en un rincón del vestíbulo. Uno de ellos se volvió cuando entraron. Era un asiático. Cincuentón. Espinoza no le reconoció. El teniente Jiménez pretendía seguir a su comandante, pero Maxine no le soltó el brazo.

—El general desea verle a solas.

La sala de armas estaba en la parte de atrás de la casa, con unos ventanales que daban a un patio con un arroyo y un salto de agua. Numerosos trofeos de caza adornaban las paredes. La cabeza de un jabalí gigante ocupaba el lugar de honor sobre la repisa de la chimenea. Había tres armarios con puertas de cristal que contenían escopetas y fusiles, y una caja fuerte donde el general guardaba las armas automáticas. El suelo era de azulejos mexicanos cubiertos con alfombras de los Andes.

Este era el salón donde Jorge recibía sus castigos mientras crecía, y por encima del olor del cuero y el aceite de las armas detectó el olor del miedo que se le había incrustado a lo largo de las décadas.

El general Espinoza medía casi metro ochenta, llevaba la cabeza afeitada y sus hombros eran tan anchos como un patíbulo. Se había roto la nariz cuando era cadete y, como no se había preocupado de recurrir a la cirugía estética, le daba a su rostro una asimetría masculina que hacía difícil mirarle a los ojos. La capacidad de vencer a los demás en un duelo de miradas solo era otra de las muchas herramientas que había utilizado para prosperar durante las dictaduras de los años setenta y ochenta.

—General Espinoza —dijo Jorge, en posición de firmes—. El comandante Jorge Espinoza se presenta tal como se le ha ordenado.

Su padre estaba inclinado detrás de la mesa, con la mirada fija en un mapa. Parecía un mapa de la península Antártica, pero Jorge no podía estar seguro.

—¿Tienes algo que agregar al informe que he leído? —preguntó el general sin alzar la mirada. Su voz era dura, tajante.

—Los norteamericanos aún tienen que cruzar la frontera, y no podrán hacerlo en su embarcación. Las patrullas no han encontrado ningún rastro en las orillas del río. Sospechamos que la hundieron y siguieron por tierra.

—Continúa.

—El piloto de helicóptero que secuestraron dijo que el líder del equipo se llamaba Juan, y que le acompañaba otro hombre llamado Miguel. El cabecilla hablaba español con acento de Buenos Aires.

—¿Estás seguro de que eran norteamericanos?

—Yo mismo vi a ese hombre. Tal vez hable el español como nosotros, pero él... —Espinoza hizo una pausa mientras buscaba las palabras adecuadas— tenía aspecto americano.

El general alzó la mirada y por fin miró a su hijo.

—Yo asistí a la Escuela de las Américas, al igual que Galtieri, solo que unos años más tarde. Todos los instructores de Fort Benning tenían el mismo aspecto. Continúa.

—Hay una cosa que dejé fuera del informe. Descubrimos los restos de un viejo dirigible. Los americanos lo encontraron primero y, al parecer, se entretuvieron un buen rato examinándolo.

Una mirada distante apareció en el rostro del general.

—Un dirigible. ¿Estás seguro?

—Sí, señor. Fue el piloto quien reconoció el tipo de aparato.

—Recuerdo que cuando era un niño un grupo de norteamericanos voló a través de la selva en un dirigible. Creo que eran buscadores de tesoros. Desaparecieron a finales de la década de los cuarenta. Tu abuelo les conoció en una recepción en Lima.

—Ahora los han encontrado. Cuando los ladrones robaron nuestro helicóptero, aterrizaron cerca del lugar del accidente, como si supiesen que estaba allí. Creo que lo descubrieron cuando iban camino de la zona de desmonte.

—¿Dices que examinaron los restos?

—A juzgar por las pisadas, sí, señor.

—¿Es algo que cualquier comando disciplinado hubiese hecho?

—No, señor. En absoluto.

Jorge interpretó como una buena señal que su padre se sentase. La calma exterior que ocultaba su furia comenzaba a dar paso, poco a poco, a otra cosa.

—Tu comportamiento en este asunto va más allá de lo reprochable. Yo diría que casi bordea la negligencia delictiva.

«Hora de la bronca», se dijo Jorge.

—Sin embargo, hay cosas que en este momento no sabes pero que de alguna manera podrían mitigar la situación. Planes que solo se conocen en las más altas esferas del gobierno. Muy pronto tu unidad será enviada al sur, y no serviría de nada que su oficial más popular estuviera arrestado. Lo que escriba en el informe final del incidente dependerá de lo bien que te comportes en la próxima misión.

—General, ¿puedo preguntar adónde nos enviarán?

—Todavía no. Dentro de aproximadamente una semana lo entenderás.

Jorge se irguió.

—Sí, señor.

—Ahora, ve a buscar a tu capitán Jiménez. Creo que tengo algo para que hagáis mientras dura la espera.

12

El *Oregon* navegaba rumbo al sur al mando de Linda Ross, y Cabrillo y Hanley iban al norte en un vuelo regular a Houston, donde la corporación tenía una de la docena de casas francas repartidas en las ciudades portuarias de todo el mundo. Cada una estaba dotada con todo lo que podía necesitar un equipo. Consideraron que este era un lugar muy adecuado para iniciar la investigación sobre los tripulantes del dirigible.

Cuando llegaron a la casa, en una urbanización a treinta kilómetros del centro de la ciudad, Eric Stone y Mark Murphy habían hecho todo el trabajo previo necesario, porque los dos eran auténticos virtuosos cuando se trataba de investigar por internet.

Tal como Mark Murphy solía ufanarse: «Nunca he encontrado un cortafuegos que no pudiese desactivar».

A diferencia de otras propiedades de la corporación —el ático en un rascacielos de Dubai era tan lujoso como cualquier hotel de cinco estrellas—, la casa de Houston era espartana. El mobiliario parecía haber sido comprado por catálogo, cosa que por otra parte era verdad, y la decoración se reducía a reproducciones de paisajes de las más baratas. La única cosa que la distinguía de las otras cuatrocientas casas idénticas de la urbanización era que las paredes, el suelo y el techo de uno de los dormitorios estaban blindados con planchas de acero de dos centímetros de espesor. La puerta, aunque tenía el aspecto de cualquier otra de las fabricadas en serie, era tan impenetrable como la caja de seguridad de un banco.

Lo primero que hizo Max fue asegurarse de que nadie había entrado en la habitación blindada, desde la última vez que había sido utilizada hacía ya tres meses. Colocó pilas nuevas en el aparato detector de escuchas electrónicas y recorrió toda la casa mientras Juan abría una botella de tequila, se servía en un vaso y le añadía los cubitos de hielo que habían comprado en una tienda en el trayecto desde el aeropuerto. Solo cuando estuvieron seguros de que el lugar estaba limpio, Cabrillo conectó el ordenador portátil a internet y lo dejó sobre la mesa de centro de la sala de estar.

El sol de media tarde entraba a través de las ventanas y creaba un reflejo en la pantalla, así que Max echó las cortinas y se sirvió un poco del licor comprado en una de las tiendas del aeropuerto. Se sentó en el sofá junto a Juan con un suspiro.

—Sabes —comentó, al tiempo que se pasaba la copa fría por la frente—, después de años de utilizar nuestro propio avión, la primera clase decepciona.

—Cada vez eres más comodón.

—Bah.

El ordenador se conectó a internet. Juan comprobó dos veces los protocolos de seguridad y llamó al *Oregon*. Las imágenes de Eric y Mark aparecieron en la pantalla casi en el acto. Supo por la enorme pantalla de vídeo detrás de ellos que estaban en el camarote de Eric. Stone era un graduado de Annapolis que había entrado en la corporación después de cumplir con el período mínimo de servicio en la armada. No le desagradaba la marina, pero un comandante que había servido en Vietnam con Max consideró que el brillante joven oficial serviría mejor a su nación uniéndose al equipo del director. Fue Eric quien había propuesto que Mark Murphy se uniese a ellos. Se habían conocido cuando trabajaban en un programa de misiles secretos, donde Murphy era diseñador para una de las grandes empresas de defensa.

Eric no aparentaba ser un veterano de la marina. Tenía los ojos color castaño y un comportamiento casi delicado. Murphy tenía el aspecto de un ciberpunk. Eric era más formal y serio; vestía una camisa blanca con el cuello desabrochado. Mark, una camiseta con un enorme smiley. Ambos parecían demasiado entusiasmados como para estarse quietos.

—Hola, chicos —saludó Juan—. ¿Cómo va todo?

—Vamos a todo galope, gran jefe —contestó Eric—. Linda nos está llevando a treinta y ocho nudos, y con tan pocos países comerciando con Argentina, prácticamente no hay tráfico marítimo que eludir.

—¿Cuál es la hora estimada de llegada a Wilson-George?

—Un poco más de tres días, siempre que no choquemos con el hielo.

—Encontremos hielo —le corrigió Max—. Uno encuentra hielo, nunca debe chocar contra él. Es malo para el barco.

—Gracias por el aviso, EJ —dijo Mark, que utilizó las dos iniciales del capitán del desafortunado *Titanic*.

—¿Qué habéis encontrado? —preguntó Cabrillo.

—No te creerás quiénes eran esos tipos —contestó Eric, ansioso—. Eran los hermanos Ronish. Su familia es la propietaria de Pine Island, en el estado de Washington.

Juan parpadeó sorprendido. Como nativo de la costa Oeste, lo sabía todo de Pine Island y su siniestro pozo del tesoro. Era una historia que le había fascinado en la niñez, como a todos sus amigos.

—¿Estás seguro?

—No hay ninguna duda —afirmó Mark—. ¿Qué te apuestas a que encontraron una pista en el pozo del tesoro que les llevó a buscar algo oculto en la selva amazónica?

—Un momento. No corramos tanto. Empieza por el principio.

—Eran cinco hermanos. Uno de ellos... —Eric hizo una pausa para mirar sus notas—, Donald, murió el 7 de diciembre de 1941, cuando intentaban llegar al fondo del pozo de Pine Island. Inmediatamente después los tres mayores ingresaron en el ejército. El quinto hermano, Jimmy, era demasiado joven. Nick Ronish se convirtió en uno de los infantes de marina más condecorados en la historia del cuerpo. Participó en tres desembarcos y estuvo en la primera oleada en Iwo Jima. Otro hermano fue paracaidista en la 81. Se llamaba Ronald. Desembarcó en Normandía el día D y combatió todo el camino hasta Berlín. El último, Kevin, entró en la armada, donde se convirtió en vigía de los dirigibles que realizaban patrullas frente a la costa de California...

—Un par de años después de la guerra compraron un dirigible hecho de material sobrante —añadió Mark interrumpiéndolo—. Kevin se sacó la licencia de piloto y pusieron rumbo a Sudamérica.

—¿Hay alguna indicación de que encontrasen algo en Pine Island? —preguntó Juan—. Creo recordar que hubo una gran expedición en los setenta.

—Así es. Al parecer, James Ronish, el hermano superviviente, recibió cien mil dólares de Dewayne Sullivan para que le permitiese excavar en la isla. Sullivan era algo así como el Richard Branson de su época. Ganó una montaña de dinero con el petróleo y lo gastó en todo tipo de locas aventuras, como navegar en solitario alrededor del mundo o lanzarse desde un globo meteorológico desde doce mil metros.

»En 1978 puso la mira en Pine Island, y pasó cuatro meses excavando el pozo del tesoro. Utilizaron una enorme cantidad de bombas y construyeron un dique para impedir que el agua se filtrase desde una laguna cercana, pero nunca acabaron de vaciarlo del todo. Los buceadores encontraron el esqueleto de Donald Ronish, que más tarde recibió sepultura, y sacaron montones de desechos. Pero entonces un trabajador resultó muerto mientras cargaban combustible en una de las bombas. La había dejado en marcha, se derramó la gasolina y estalló. Un par de días más tarde, uno de los buceadores tuvo un problema de nitrógeno en la sangre y hubo que trasladarle en avión a un hospital en tierra firme. Fue entonces cuando Sullivan dio por terminadas las operaciones.

—Cierto —exclamó Juan—. Ahora lo recuerdo. Dijo algo así como: «Ningún misterio vale la vida de un hombre».

Eric bebió un trago de una bebida energética.

—Así es. Pero esto es lo que Mark y yo pensamos: después de la guerra, los hermanos volvieron a Pine Island y descubrieron el contenido del pozo. Allí no había ningún tesoro, o quizá solo lo suficiente para comprar el dirigible, aunque no creo que la marina les pidiese mucho dinero. En cualquier caso, allí encontraron algo que los llevó a Sudamérica: un mapa o unas tallas.

—Pero se estrellaron antes de encontrarlo —añadió Murphy.

—¿Qué hay del hermano menor? —preguntó Max—. ¿Qué le paso a él?

—James Ronish fue herido en Corea. Nunca se casó, todavía vive en la casa que sus padres le dejaron cuando se marcharon de la costa Oeste y sigue siendo el propietario de Pine Island. Tenemos su número de teléfono y su dirección.

—También el estado de su cuenta bancaria. —Mark miró una hoja de papel—. Al mediodía de hoy tiene mil doscientos dólares en una cuenta de ahorro. Cuatrocientos en cheques y una deuda de casi mil dólares en la tarjeta de crédito. Va dos cuotas atrasado con los impuestos pero está al día con la hipoteca que sacó sobre su casa hace siete años.

—No parece un tipo cuya familia encontrara el botín de un tesoro.

—No. Solo un viejo que va marcando los días en el calendario hasta que llegue el momento de ir a la tumba —comentó Murphy—. Sin embargo, encontramos algo en la base de datos del periódico local. Un contratista de la zona dijo que él y Ronish estaban montando una sociedad para hacer otro intento en el pozo. Aquello fue hace cinco años. El contratista pondría el dinero y el equipo, pero nunca llegó a concretarse.

Juan pensó durante unos segundos y bebió un sorbo de tequila.

—Tengo la sensación de que cada vez que el señor Ronish se queda sin fondos, permite hacer exploraciones en la isla.

—Lo mismo digo —asintió Eric—. Puedo buscar al contratista y averiguar qué pasó para que desistiese.

Murphy se acercó a la cámara.

—Volveré a meterme en su cuenta bancaria y veré qué problema tenía Ronish cuando anunciaron la sociedad.

—Eso no importa —dijo el director—, porque no haremos nada con el pozo del tesoro.

Murphy y Eric parecieron dos chicos a quienes les hubiesen quitado un caramelo.

—Estamos aquí para decirle que encontramos los restos de sus hermanos y probablemente el diario que uno de ellos escribió después del accidente —continuó Juan.

Nadie había tenido tiempo para leer los papeles guardados en el condón que encontraron en el dirigible. Todavía estaban en la maleta de Cabrillo.

—No lo dirás en serio —protestó Mark—. Esto podría llevarnos a un descubrimiento muy importante. Pierre Devereaux fue uno de los piratas más famosos de la historia. Su tesoro tiene que estar en alguna parte.

—Lo más probable es que esté en el fondo del océano, donde se hundió su barco —señaló Max.

—Todo lo contrario, amigo mío —replicó Mark—. Hubo supervivientes cuando su nave se hundió en el Caribe. Acababan de rodear el cabo de Hornos y contaron que no llevaban ninguna carga. Dijeron que Devereaux había desembarcado en nuestra costa Oeste con un puñado de hombres, pero cuando volvió a la nave iba solo.

—Quizá no es más que una historia para mantener viva la leyenda.

—Vamos, Max, ¿dónde está tu sentido de la aventura? —preguntó Eric.

Hanley enarcó una poblada ceja.

—¿Aventura?

—Ya sabes a qué me refiero. ¿Nunca soñaste con encontrar el tesoro de un pirata cuando eras niño?

—Dos temporadas en Vietnam aplastaron cualquier fantasía que pudiera tener.

—Lo siento, chicos —dijo Juan con decisión—. No hay ninguna busca del tesoro para nosotros. Solo vamos a entregar los documentos y decirle al señor Ronish dónde murieron sus hermanos.

—De acuerdo —dijeron los dos jóvenes al unísono, y Cabrillo sonrió.

—Dejad que busque un bolígrafo para tomar nota de la dirección. Max y yo nos vamos a Washington.

—No te olvides de llevar ajo y una estaca de madera —dijo Eric.

—¿De qué hablas?

—Ronish vive en las afueras de Forks. Esa es la ciudad donde transcurre la novela *Crepúsculo*.

—¿Eh?

—Es una serie de novelas románticas de una adolescente que se enamora de un vampiro.

—¿Cómo querías que yo lo supiera? —preguntó Cabrillo—. Y, ya que estamos, ¿cómo lo sabes tú?

Eric puso una cara compungida mientras Max se desternillaba.

Como no había una urgencia real por llegar a Forks, Washington, a Max no le costó mucho convencer a Cabrillo de que disfrutasen de una noche en Las Vegas. De haber querido, Juan podría haberse ganado muy bien la vida como jugador de póquer profesional, así que no tuvo ningún problema en ganar el dinero a los aficionados que jugaban en su mesa. A Hanley no le fue tan bien con los dados, pero ambos admitieron que había sido una agradable diversión.

En la ciudad de Port Angeles, en el estrecho de Juan de Fuca, alquilaron un Ford Explorer para el viaje de una hora alrededor de las espectaculares montañas Olympic hasta Forks.

El lugar era la típica ciudad pequeña de América: un grupo de tiendas y comercios junto a la carretera 101 y, detrás, casas en diversos estados de abandono. La madera era la industria principal de la región, pero con un mercado en horas bajas estaba claro que Forks sufría. Varios locales estaban vacíos y carteles de SE ALQUILA colgaban en los escaparates. Las pocas personas que circulaban por la calle se movían sin ningún propósito aparente. Sus hombros estaban encorvados por algo más que el aire frío que soplaba del Pacífico Norte.

El cielo oscuro estaba cargado de nubarrones que amenazaban con descargar en cualquier momento.

En el centro de la ciudad, Max señaló con un movimiento de cabeza un hotel.

—¿Nos alojamos primero o vamos directamente a casa de los Ronish?

—No sé hasta qué punto ese tipo será aficionado a la charla, y no sé si la recepción en un lugar como este permanece abierta hasta muy tarde. Mejor que nos registremos ahora y después vayamos a su casa.

—Tío, esto desde luego no es el Caesars.

Veinte minutos más tarde se acercaron a una carretera de tierra cerca de Bogachiel Way, a nueve kilómetros de la ciudad. Los pinos se elevaban muy altos y los troncos estaban tan apiñados que no vieron las luces de la casa hasta que casi la tuvieron delante.

Tal como había dicho Eric, James Ronish nunca se había casado, y se notaba. La casa de una sola planta no había recibido una mano de pintura en diez años o más. El techo había sido reparado con pizarras de distintos colores y el jardín parecía un vertedero. Había varios coches de los que solo quedaba el chasis, una antena de satélite abollada grande como la piscina de un bebé y trozos y piezas mecánicas por todos lados. Las puertas del garaje anejo estaban abiertas, y el interior mostraba el mismo aspecto de desorden. Los bancos de trabajo estaban llenos de cosas inidentificables y la única manera de llegar hasta ellos era por angostos pasillos a través de más chatarra.

—Sacado directamente de las páginas de *Hogares y Vertederos* —citó Juan.

—Cinco contra diez a que las cortinas son trapos de cocina.

Cabrillo aparcó el todoterreno junto a la vieja camioneta de Ronish. El viento hacía crujir los troncos de los pinos y susurrar las copas de agujas. La tormenta no tardaría en descargar. Juan cogió el condón con los papeles que estaba sobre la consola central. Por mucho que había querido leerlos, no le había parecido apropiado. Solo podía esperar que Ronish compartiese con ellos su contenido.

Un resplandor azul a través de una ventana que estaba cubierta de polvo les indicó que Ronish miraba la tele, y cuando se acercaron a la puerta principal oyeron que era un programa de concursos.

Juan abrió la puerta mosquitera y llamó. Después de unos pocos segundos sin que nadie respondiese, golpeó un poco más fuerte. Pasaron otros veinte segundos antes de que se encendiese una luz encima de la puerta y esta se abriese unos centímetros.

—¿Qué quiere? —preguntó James Ronish en tono agrio.

Por lo que Juan alcanzaba a ver, era un hombre fornido, barrigón, con el pelo gris ralo y una mirada de suspicacia en sus ojos. Se apoyaba en un bastón de aluminio. Debajo de su nariz había una cánula de plástico transparente que llevaba a una botella de oxígeno del tamaño de un microondas.

—Señor Ronish, me llamo Juan Cabrillo. Él es Max Hanley.

—¿Y?

«Un tipo amable», pensó Juan. No estaba seguro de qué había esperado, pero se dijo que Mark había acertado. Ronish parecía ser un anciano que solo esperaba que llegara el día de su muerte.

—No estoy seguro de cómo decirle esto, así que se lo diré sin más.

Juan no hizo una pausa, pero Ronish le interrumpió de todas maneras.

—No me importa —dijo, e intentó cerrar la puerta.

—Señor Ronish, encontramos el *Holandés Errante*. Bueno, al menos los restos.

El color desapareció del rostro de Ronish excepto de la nariz.

—¿Mis hermanos? —preguntó.

—Encontramos unos restos en el asiento del piloto.

—Ese tiene que ser Kevin —dijo el viejo en voz baja. Luego pareció volver en sí y se puso en guardia de nuevo—. Y a usted ¿por qué le interesa?

Max y Juan intercambiaron una mirada, como si dijesen «esto no va como pensábamos».

—Verá, señor...

—Si han venido aquí por Pine Island ya pueden olvidarlo.

—No lo entiende. Acabamos de estar en Sudamérica. Trabajamos para... —Juan había pensado en utilizar Naciones Unidas como tapadera, pero sospechó que solo conseguiría que un tipo como Ronish desconfiase todavía más—, para una compañía minera que está realizando trabajos de prospección y descubrimos el lugar del accidente. Tuvimos que investigar un poco para saber qué habíamos encontrado.

En aquel momento comenzó a llover. Las gotas heladas atravesaron la cubierta de pinos y golpearon el suelo como si fuesen granizo. La galería de Ronish no tenía techo, así que de mala gana abrió la puerta para que los dos hombres entrasen en la casa.

Olía a periódicos viejos y a comida a punto de pudrirse. Los electrodomésticos en la cocina, cerca de la entrada, tenían por lo menos cuarenta años, y el suelo mostraba la pátina oscura del linóleo viejo. El mobiliario del salón era de un color marrón sucio que hacía juego con la alfombra raída. Las revistas se apilaban sobre las mesas y a lo largo de las paredes amarillentas. Había quince o veinte botellas de oxígeno junto a la puerta principal. El tubo fluorescente de la cocina emitía un zumbido que para Cabrillo era tan molesto como el ruido de las uñas sobre una pizarra.

La única otra fuente de luz era una lámpara junto a la silla donde Ronish miraba la televisión. Juan hubiese jurado que era una bombilla de veinticinco vatios.

—Así que los han encontrado. —A Ronish no parecía importarle mucho.

—Sí. Cayeron en el norte de Argentina.

—Es extraño. Cuando se marcharon dijeron que iban a explorar a lo largo de la costa.

—¿Sabe qué buscaban? —intervino Max por primera vez.

—Sí, y no es asunto suyo.

El incómodo silencio se prolongó durante varios segundos. No era la situación amable que Juan había esperado. No había nada en la reacción de James Ronish que fuese a compensar lo que le había sucedido a Jerry Pulaski.

—Bien, señor Ronish. —Juan le acercó el paquete que habían cogido del dirigible caído—. Encontramos esto en el lugar y nos pareció que podía ser importante. Solo queríamos entregárselo a usted y quizá darle alguna información sobre el destino de sus hermanos, si lo desea.

—Les diré una cosa —dijo Ronish, y la ira tensó las arrugas alrededor de sus ojos—. De no haber sido por aquellos tres, Don aún estaría vivo y yo no hubiese tenido aquellas estúpidas ideas románticas sobre la aventura cuando me ofrecí voluntario para ir a luchar a Corea. ¿Saben lo que es que los chinos te vuelen una pierna?

—En realidad...

—¡Fuera! —ordenó.

—No, en serio. —Juan se agachó para levantarse la pernera de los vaqueros y bajarse el calcetín. La prótesis estaba cubierta con plástico de color carne, pero aun así se veía que era artificial con la débil luz.

Parte de la ira de Ronish se desvaneció.

—Vaya. Otra pierna artificial. ¿Qué le pasó?

—Arrancada por el proyectil de una patrullera china durante los temerarios días de mi juventud.

—No me diga. Vaya ironía. ¿Puedo invitarles a una cerveza?

Antes de que pudiesen responder, se oyó el chirrido de la puerta mosquitera y alguien llamó.

Cabrillo miró a Max con la preocupación reflejada en el rostro. No había oído que se acercase ningún coche, pero con la lluvia golpeando contra la casa, era posible que se le hubiese pasado por alto. ¿Cuáles eran las probabilidades de que un viejo amargado como James Ronish recibiese dos visitantes en un mismo día?

Luego se dijo a sí mismo que debía relajarse. Eso no era una misión. Solo estaban dando una información a un viejo inofensivo que vivía en mitad de la nada. Max tenía razón. Juan necesitaba un descanso.

—Maldita sea. Y ¿ahora qué? —protestó Ronish. Tendió la mano hacia el pomo de la puerta.

El instinto de Juan se puso en marcha. Algo andaba mal. Antes de que pudiese detenerle, Ronish había abierto la puerta. Un hombre estaba bajo la lluvia; su rostro empapado brillaba a la luz de encima de la puerta.

El hombre y Cabrillo se reconocieron el uno al otro al instante, y mientras uno empleaba un crítico microsegundo en analizar la situación, el otro reaccionó.

Juan agradeció llevar una Glock. No tenía un seguro que le demorase. Sacó la pistola de la funda de debajo de la cazadora y disparó por encima del hombro de James Ronish. La bala impactó en el marco y arrancó un trozo de madera.

El comandante argentino al que Cabrillo había engañado en el campo maderero desapareció de la vista. El disparo de la automática había retumbado en el vestíbulo, pero Juan oyó voces en el exterior. El comandante no estaba solo.

Cabrillo no hizo caso del deseo de su mente de comprender lo que acababa de pasar. Se adelantó de un salto y cerró la puerta. El cerrojo era de los más baratos, no obstante lo corrió. Cada segundo contaba.

Max saltó sobre el atónito James Ronish y ambos cayeron al suelo juntos, el brazo de Hanley sobre la espalda del viejo. Cabrillo fue corriendo a la cocina, buscó el interruptor de la luz y la apagó. Luego volvió al salón y derribó la lámpara de un golpe. La bombilla reventó. Después, desenchufó el televisor, para dejar la vieja casa en la más completa oscuridad.

—¿Qué está pasando? —gritó Ronish.

—Algo de mi temerario pasado ha vuelto para perseguirme —murmuró Cabrillo, y tumbó un sofá devorado por las polillas como una protección adicional.

Pasaron los segundos. Max ayudó a Ronish a acercarse al parapeto improvisado por Juan.

—¿Cuántos?

—Al menos dos —respondió Juan—. El tipo de la puerta es un oficial de la Novena Brigada.

—He supuesto que, dado que le disparaste, no estaba vendiendo productos de belleza.

La ventana delantera estalló a causa de una tremenda andanada. Los cristales llovieron sobre los hombros acurrucados detrás del sofá. Las delgadas paredes de la casa no resistieron las balas de alta potencia, así que aparecieron en los tabiques unos agujeros humeantes. Las balas cruzaron el salón y probablemente no se detuvieron hasta impactar en los árboles del patio trasero de Ronish.

—Están disparando con rifles —dijo Max. Había sacado su pistola, pero la miraba dudando. A juzgar por el volumen de fuego, no solo los superaban en número sino también en armamento.

—¿Tiene algún arma? —preguntó Juan.

El viejo reaccionó de inmediato.

—Sí, tengo un Magnum 357 en la mesita de noche y un rifle 30 en el armario. El rifle está descargado, pero encontrará la munición en el estante de arriba, debajo de las gorras de béisbol. La última puerta a la izquierda.

Antes de que Cabrillo pudiese ir a buscar las armas, una bala argentina alcanzó una de las botellas de oxígeno que Ronish utilizaba para desplazarse. La bala atravesó la dura cubierta de acero y, aunque por fortuna el oxígeno no estalló, la botella de diez kilos salió disparada como un cohete. Golpeó la mesa del comedor, le arrancó una pata e hizo que se cayese bajo el peso de las viejas revistas.

Luego la botella golpeó el sofá con la fuerza suficiente para empujar a los hombres que estaban ocultos detrás y acabó abriendo un agujero en la pared de piedra artificial antes de caer al suelo. Giró como una peonza hasta que se acabó el gas.

Juan comprendió lo afortunados que habían sido. Según el tipo de munición que les dispararan el tanque podría haber estallado y provocado una reacción en cadena con la otra docena o más de botellas que tenían cerca. Estaban sentados en una trampa mortal.

—Olvida las armas —gritó Juan—. Tenemos que salir de aquí.

—No puedo —jadeó James. Sus pulmones funcionaban al máximo pero no recibía aire suficiente—. Necesito el oxígeno. De lo contrario no viviré más de cinco minutos.

—Si nos quedamos aquí, no viviremos ni cinco segundos —dijo Cabrillo pese a saber la verdad: James Ronish no podía moverse.

Los disparos disminuyeron mientras los argentinos se reagrupaban después de los primeros frenéticos momentos del tiroteo. La única cosa que tenía sentido era que necesitaban a Ronish vivo. Juan sabía que a Max y a él no los habían seguido hasta Washington y, por tanto, dedujo que los hombres en el exterior habían perseguido los mismos rastros que él. Eso significaba que conocían algo del fatídico viaje del *Holandés Errante* que ellos no sabían. Una información que solo tenía James Ronish. Y estaba seguro de que no tenía nada que ver con el botín del pirata Devereaux.

Cabrillo disparó la Glock tres veces, con la intención de mantener a los argentinos en una posición fija. Su siguiente movimiento sería rodear la casa y acercarse desde varios ángulos. Pero Juan seguía sin saber cómo conseguiría que saliesen los tres de ese embrollo.

—Señor Ronish —dijo—. Estamos aquí por algo que sus hermanos encontraron en el pozo del tesoro. Algo relacionado con el dirigible que descubrimos. ¿Qué encontraron?

Otra andanada del exterior apagó la respuesta de Ronish. El polvo de las paredes destrozadas llenó el aire y el relleno del sofá caía como copos de nieve. De pronto Ronish se puso rígido y soltó un gemido.

Le habían dado. En la oscuridad, Cabrillo apoyó una mano en el pecho del viejo. Al no sentir nada, movió la mano más abajo. A Ronish no le habían alcanzado en el estómago, así que Juan pasó a las piernas. En los pocos segundos transcurridos desde que la bala había penetrado en su cuerpo, la cantidad de sangre que salía del muslo indicó a Juan que la bala había cortado la arteria femoral. Sin ayuda médica se desangraría en cuestión de minutos. Juan se pasó la pistola a la mano izquierda y apretó la herida con toda su fuerza, mientras Max disparaba a través de la ventana. Era obvio que ahora había menos hombres en el jardín. Uno o dos argentinos estaban rodeándoles.

—¿Qué encontraron? —preguntó Juan con desesperación.

—El camino para llegar al junco —respondió con la voz ahogada por el dolor—. La repisa de la chimenea. Allí tengo una copia.

Juan recordó vagamente un cuadro enmarcado sobre la repisa de la chimenea. ¿Sería el calco de algo? No lo recordaba. Apenas le había dejado una impresión pasajera. Miró a través de la oscuridad en dirección a la repisa y disparó. El fogonazo le mostró el contorno de un dibujo en la pared, pero ningún detalle. Era demasiado grande para poder llevárselo con facilidad.

—Señor Ronish, por favor. ¿A qué se refiere con un camino al junco?

—Desearía que nunca hubiesen ido a la isla —respondió.

Estaba conmocionado; su cuerpo apenas respondía bajo la presión de la sangre—. Todo hubiese resultado diferente.

Max cambió el cargador. Ambos habían cogido solo dos cargadores de la casa franca de Houston.

Juan ya no sentía el corazón de Ronish bombeando sangre contra su mano en la herida. El viejo había muerto. No se sentía responsable. Al menos no directamente. Los argentinos lo hubiesen matado de todas formas. Pero si Juan y su equipo no hubiesen encontrado los restos del *Holandés Errante*, James Ronish habría vivido sus últimos días en la oscuridad. Por tanto, era una culpa indirecta.

Una voz sonó en el exterior. Hablaba en inglés.

—Le felicito por su dominio de mi idioma. El piloto creyó que era usted de Buenos Aires.

—Y usted habla como aquel chihuahua de los anuncios de comida mexicana. —Juan no se pudo resistir. La adrenalina hervía en sus venas como las burbujas de champán.

El argentino gritó una maldición que ponía en duda el estado civil de los padres de Juan.

—Le doy una última oportunidad. Salga de la casa por la puerta de atrás y mis hombres no dispararán. Ronish se queda.

Reventó la ventana de la cocina. Unos pocos segundos más tarde, una luz débil llegó desde la arcada que conectaba con el salón. Habían lanzado un cóctel molotov para apresurar la decisión.

Juan se levantó de un salto y disparó a través de la ventana; luego agarró el calco, o lo que fuese, de la repisa. Lo lanzó hacia la cocina como un Frisbee. El marco golpeó contra un costado de la puerta, el cristal se rompió y el papel desapareció de la vista.

Max disparó de nuevo para cubrir a Cabrillo mientras él cambiaba el cargador, y luego los dos hombres corrieron juntos por el pasillo que llevaba a los dormitorios. La casa era una vivienda estándar, como millones de otras construidas después de la Segunda Guerra Mundial, idéntica a la que Juan había habitado hasta que la empresa contable de su padre había despegado, idéntica a las otras donde vivían todos sus amigos y también idéntica a aquella en la que Max había crecido. Los dos hombres podían moverse por ella con los ojos cerrados.

El dormitorio principal estaba en la última puerta a la izquierda, en cuanto se pasaba el único baño. Juan incluso sabía dónde estaría colocada la cama, dado que era la única ubicación lógica; saltó sobre ella, doblando las rodillas para absorber parte del rebote, y saltó de nuevo. Se cubrió la cabeza con las manos cuando atravesó la ventana.

Cayó sobre el suelo empapado y cubierto de agujas de pino, rodó sobre sí mismo y se levantó con el arma preparada. El fogonazo de un disparo en el extremo más alejado de la casa descubrió la posición del tirador. Cabrillo disparó dos veces. No oyó el habitual ruido de un impacto, pero un leve gemido se alzó en la oscuridad donde había estado el tirador.

Max cruzó la ventana un segundo más tarde, tras haber hecho una pausa para que Juan despejase la zona. Su salida no fue tan espectacular como la de Cabrillo, pero lo hizo de todas maneras. Se movieron bajo el aguacero tan rápido como pudieron; el viento y la lluvia absorbían el sonido de la fuga. Apenas había luz suficiente para ver, pero sí la justa para no tropezar contra los árboles. Después de cinco minutos, y varias vueltas al azar, Juan redujo el paso y se dejó caer cuerpo a tierra detrás de un tronco.

A su lado, el pecho de Max sonaba como el fuelle de una fragua.

—¿Te importaría decirme qué demonios están haciendo aquí? —preguntó con voz entrecortada.

La respiración de Cabrillo no era tan agitada, pero era veinte años más joven que su amigo y, a diferencia de Max, sabía qué era la gimnasia.

—Esa, querido Maxwell, es la pregunta del millón de dólares. ¿Estás bien?

—Solo un pequeño corte en la mano cuando crucé la ventana. ¿Y tú?

—Nada herido excepto el orgullo. Tendría que haber abatido a aquel tipo con el primer disparo.

—De verdad, ¿cómo han llegado hasta aquí?

—Igual que nosotros. Siguieron la pista desde el *Holandés Errante*. Lo que en realidad me gustaría saber es qué esperaban encontrar.

—A menos que sean unos fanáticos como Mark y Eric, no están buscando el tesoro del pirata.

—Y nunca lo sabremos. El calco se quemó en la cocina, y yo ya le había dado el diario o lo que fuese a Ronish.

Max sacó algo del bolsillo de la chaqueta y tocó la muñeca de Juan. Cabrillo sintió el tacto esponjoso de los papeles metidos en el condón.

—Se lo quité cuando lo eché a tierra.

—Te daría un beso.

—Deja que primero me afeite, así podrás disfrutar de verdad de la experiencia. —El humor siempre había sido su manera de relajarse en una situación de alta tensión—. ¿Cuál es el próximo paso?

Mientras que Max siempre había sido el empecinado, el tipo que se abría camino en cualquier desafío, Cabrillo siempre había sido el que pensaba un plan. En realidad, Hanley no sabía qué hacer ahora mismo, mientras que Juan ya lo sabía cuando se levantó y arrojó el calco al incendio de la cocina. Si debía ser sincero, lo había sabido en el mismo instante en el que el comandante argentino había aparecido en el umbral de James Ronish.

—En realidad es muy simple —dijo Cabrillo, y se puso boca arriba de forma que la lluvia le limpiase el sabor a pólvora de la boca—. Tú y yo vamos a resolver el misterio del pozo del tesoro de Pine Island.

13

Un grupo de cinco latinos, uno de ellos herido, hubiese destacado en una ciudad pequeña como Forks o Port Angeles, así que Espinoza y sus hombres se vieron forzados a regresar a Seattle. El camarada herido, con una bala en el costado, sufrió en silencio las horas que tardaron en llegar a la ciudad. No fue hasta que estuvieron en el miserable hotel en las afueras de la población cuando pudieron atender la herida correctamente. Había sido un disparo limpio, con entrada y salida, y no había perforado el intestino, así que a menos que se infectase se recuperaría sin problemas. Lo atiborraron de antibióticos y le dieron media botella de coñac. Una vez que sus hombres estuvieron acomodados, Espinoza regresó hasta la habitación que compartía con Raúl Jiménez. Le pidió a su amigo que le disculpase y puso en marcha el teléfono móvil. No estaba seguro de cómo reaccionaría su padre ante la llamada. De todas maneras se sentía nervioso.

—Informa —dijo su padre como único saludo, sin duda tras reconocer el número.

Espinoza titubeó, consciente de que los ordenadores de la seguridad estadounidense controlaban casi todas las transmisiones inalámbricas en el mundo, buscando, a través de la montaña de información, las palabras claves que harían que esa llamada fuese de interés para los servicios de inteligencia.

—Nos encontramos con la competencia. El mismo hombre que vi hace dos días.

—No pensé que estuviesen interesados, ni tampoco que se moviesen tan rápido —dijo el general—. ¿Qué pasó?

—El objetivo fue una baja colateral, y uno de mis hombres recibió un roce.

—No me interesan tus hombres. ¿Te has enterado de algo? ¿O has vuelto a fallarme?

—Recuperé un documento —contestó Espinoza—. Creo que el estadounidense intentó destruirlo arrojándolo al fuego antes de fugarse. Sin embargo, entramos en la casa del objetivo antes de que resultase dañado. Dijiste que era posible que encontrásemos alguna prueba de que el objetivo sabía algo de China, así que cuando lo vi en el suelo de la cocina lo recogí. Al parecer es algún tipo de calco, como aquellos que las familias hacen de las letras en las lápidas. Muestra el mapa de una bahía, pero no da ninguna ubicación. Hay unas letras en el que parece ser algún idioma asiático.

—¿Chino? —El tono del general era ansioso.

—Eso parece.

—Excelente. Si esto nos lleva a donde creo, cambiaremos el mundo, Jorge. ¿Pudiste hablar con el objetivo?

El general Espinoza no había explicado qué le interesaba, pero las alabanzas hicieron que su hijo se sintiese orgulloso.

—Ya estaba muerto cuando entramos. Quemamos la casa hasta los cimientos. Dudo que alguien se preocupe en analizar el cadáver para buscar alguna prueba de violencia, así que estamos a salvo.

—¿Dónde estás ahora?

—En Seattle. ¿Quieres que volvamos a casa?

—No. Todavía no. Quiero que mañana me mandes el calco por correo urgente. —El general hizo una pausa. Jorge sabía que su padre estaba considerando todas las posibilidades. Acabó por preguntar—: ¿Qué crees que hará ahora la competencia?

—Depende de si consiguieron alguna información útil del

objetivo. Comprobé el capó de su vehículo cuando llegamos a la casa. Todavía estaba caliente, así que no podían llevar mucho allí.

—Estaban lo bastante interesados como para buscar al objetivo —le recordó el general Espinoza, más hablando para sí mismo que para su hijo—. ¿Crees que seguirán adelante o ya se darán por vencidos?

—Si tengo que adivinar... esos hombres sin duda eran soldados. Creo que lo más probable es que fuesen allí para informar al objetivo del destino de sus hermanos, como una cortesía militar.

—¿Crees que ahora lo dejarán?

—Creo que contarán a sus superiores lo que ha pasado esta noche y serán ellos quienes decidirán que abandonen.

—Sí, sin duda esa es la manera como actuarán los militares. No hay ninguna amenaza a la seguridad nacional, así que les dirán a los soldados que lo dejen. Incluso si quieren seguir adelante, recibirán la orden de dejarlo. Esto es bueno, Jorge, muy bueno.

—Gracias, señor. ¿Puedo preguntar de qué va todo esto?

El general Espinoza se rió.

—Incluso si estuviésemos los dos solos aquí en casa, no te lo diría. Lo siento. Únicamente puedo decir que dentro de unos días se anunciará una alianza que cambiará para siempre el equilibrio del poder mundial y, si estoy en lo cierto respecto a tu hallazgo, habrás contribuido a su éxito. Te envié a una misión incierta y tal vez hayas dado con una mina de oro.

Su padre no era muy dado a las frases frívolas, así que Jorge lo interpretó como una señal de satisfacción. Como cualquier buen hijo, se sentía muy orgulloso cuando podía dar algún motivo de felicidad a su padre.

—Ocúpate de tu hombre herido —continuó el general—, y mantente preparado para moverte al primer aviso. No estoy seguro de si volverás a casa o si tendrás que realizar otra misión. Todo depende de lo que averigüemos del grabado. —Hizo una pausa para dar más peso a sus siguientes palabras—. Estoy orgulloso de ti, hijo.

—Gracias, padre. Es lo único que deseo. —Espinoza colgó. Tenía más cosas en su mente; no era de esos que solo esperan órdenes. No estaba seguro de que los estadounidenses hubieran averiguado algo del viejo, pero no era descabellado pensar que pudieran presentarse en su isla privada.

Cabrillo siempre había creído que si invertía lo que fuese necesario en un problema, acabaría por resolverse, así que llegar al fondo del pozo del tesoro no sería diferente.

Max y él habían pasado dos horas en el bosque observando el resplandor naranja del incendio mientras la pequeña casa de James Ronish se quemaba hasta los cimientos. Esperaron para asegurarse de que los argentinos, mejor armados que ellos, dejaban el lugar. No quedaba nada de la casa, salvo un trozo de la chimenea y montañas de cenizas que restallaban y siseaban bajo la lluvia. Como un regalo de despedida, habían perforado a balazos los cuatro neumáticos del todoterreno alquilado, así que tuvieron que volver al hotel rodando sobre las llantas.

Antes de pensar en una ducha caliente y en meterse en la cama, tuvieron que cortar los neumáticos para recuperar los proyectiles, de forma que cuando llevasen el coche a un taller, el mecánico no informara del incidente a la policía. También destrozaron uno de los faros y con las llaves hicieron rayadas al azar en la pintura. Después de aquel terrible incendio, en la pequeña ciudad ni siquiera se fijarían en ellos. El vehículo tenía el aspecto de haber caído en manos de vándalos juveniles.

Era esta atención al detalle, no importaba lo minúsculo que fuese, lo que hacía que la corporación lograse tantos éxitos.

A la mañana siguiente, mientras Max buscaba un taller para reparar el vehículo, haciendo comentarios sobre estos malditos gamberros de hoy en día, Juan montó una videoconferencia con su grupo de cerebros. Cuando les dijo a Mark y a Eric que tendría que bajar al pozo del tesoro parecieron ansiosos por unirse a la expedición.

—La pregunta que os planteo es cómo lo hago. ¿Cómo repito lo que solo los hermanos Ronish consiguieron hacer en el inicio de la Segunda Guerra Mundial?

—¿Has leído la información recuperada del *Holandés Errante*? —preguntó Eric. Juan les había pillado desayunando. Por encima del hombro de Stone, Mark Murphy comía un plátano—. Podrían haber dejado alguna pista.

—Eché una ojeada. A pesar del envoltorio, el papel se encuentra en muy mal estado. No sé si podré conseguir algo. Supongamos que no puedo; decidme qué pensáis. El pozo ha hecho fracasar varios intentos. Mencionasteis a alguien que había utilizado alta tecnología y sin embargo fracasó. ¿Qué creéis que hicieron los hermanos?

Mark tragó el bocado antes de responder:

—Sabemos que el primer intento acabó en desastre, así que es obvio que, durante la guerra, uno de ellos se enteró de algo que le dio la respuesta.

—¿Cuál de ellos?

—Dudo que fuese el piloto. Era observador en un dirigible. No creo que ese tipo de trabajo le diese mucha inspiración.

—Por lo tanto tuvo que ser el infante de marina o el ranger del ejército —dijo Juan.

Mark se inclinó hacia la cámara del ordenador.

—Veamos, este es un problema de ingeniería, hidrodinámica y cosas por el estilo. Los infantes de marina se enfrentaron con algunas bombas trampa muy ingeniosas cuando luchaban de camino hacia Japón. Yo diría que vio algo que habían hecho los japoneses y pensó que a Pierre Devereaux ya se le había ocurrido antes.

Eric le miró de reojo, y dijo lo mismo que Cabrillo estaba a punto de decir.

—¿Todavía crees que esto tiene que ver con el viejo pirata? Es imposible que los argentinos estén interesados en ello si el pozo del tesoro no es más que eso.

Murphy pareció ponerse un poco a la defensiva.

—Entonces, ¿de qué se trata?

—Es obvio que no puedo responder a esa pregunta. —Eric se volvió hacia Juan—. ¿Tienes alguna idea, director?

—Ninguna. Ronish murió antes de que pudiese hablar. Y Max y yo no estábamos en situación de buscar en su casa. Vamos, pensad. ¿Qué descubrieron? ¿Cómo desciframos el misterio del pozo del tesoro?

Mark se tocó la barbilla.

—Un artilugio... un artilugio... una bomba trampa... algo relacionado con el agua... presión hidrostática.

—¿Tienes alguna idea?

Murphy no respondió, porque no tenía ninguna.

—Lo siento. He estado tan metido en la historia que no había pensado a fondo en la tecnología.

Juan exhaló un suspiro.

—De acuerdo. No os preocupéis. Max y yo ya pensaremos algo.

—¿Puedo preguntar qué? —inquirió Eric.

—Dios, no. De momento solo estamos hablando.

Durante la hora siguiente hicieron una lista del equipo que podían necesitar y salieron a hacer las compras. Aquello que no se podía comprar en Port Angeles lo enviarían desde Seattle. Cuando acabaron, un camión de reparto iba hacia Forks desde la capital de Washington y un pequeño transbordador navegaba desde Port Angeles para recoger a Max y Cabrillo en el muelle de pescadores en la ciudad de La Push. Este pueblo costero estaba a tan solo unos pocos kilómetros al norte de Pine Island. El único problema era que perderían otro día porque el complejo equipo de comunicaciones submarino llegaba por vía aérea desde San Diego.

Cuando estuvo todo dicho y hecho, había un cargo de cuarenta mil dólares en la tarjeta de crédito del director, pero, como siempre había creído, el problema estaba solucionado.

Era una ilusión.

Preguntó por la moral de la tripulación, en particular por la de Mike Trono.

—Después del servicio se pasó más de una hora hablando con la doctora Huxley. —Ella era la psicóloga de facto del *Oregon*—. Dice que está preparado para volver al servicio activo. Linda lo consultó con Hux, y ahora está de nuevo trabajando con el resto de los tragasables.

—Probablemente le sentará bien. Estar ocupado es mucho mejor que no hacer nada. —Cabrillo sabía que, en realidad, también hablaba por él mismo—. Os llamaremos cuando lleguemos a Pine Island. Supongo que querréis una transmisión de vídeo cuando estemos allí.

—Demonios, sí —respondieron ambos al unísono.

Juan cerró la conexión y guardó el ordenador portátil. Sus pedidos de Seattle y Port Angeles llegaron a última hora de la tarde, así que no fue hasta la mañana siguiente cuando Max y Cabrillo fueron a La Push. El transbordador llegó dos horas tarde debido al viento, pero embarcaron deprisa, en el todoterreno. Con capacidad para solo cuatro vehículos y la quilla casi plana, el transbordador estaba a merced del mar. El viaje a Pine Island fue una batalla entre el motor diésel de la nave y las olas que se estrellaban contra la proa. Por fortuna, el capitán conocía bien esas aguas y manejó la carga con maestría.

También se le pagó para que olvidase haber hecho ese viaje.

En la aproximación a Pine Island no tuvieron ningún problema, porque la única playa estaba protegida del viento. Solo pudieron llegar a unos doce metros de la orilla antes de bajar la rampa delantera. Juan calculó que había por lo menos un metro veinte de profundidad.

Miró a un lado para ver si Max ya tenía abrochado el cinturón de seguridad antes de retroceder con el todoterreno hasta el final del transbordador.

—¿Preparado?

Hanley se sujetó con fuerza al apoyabrazos.

—Dale.

Juan pisó a fondo el acelerador y los neumáticos del Ford se agarraron a la cubierta. El pesado vehículo cruzó toda la eslora de la nave a gran velocidad y bajó la rampa. Cuando golpeó contra el océano levantó una pared de agua que pasó por encima del capó y luego por el techo, pero llevaba el suficiente impulso para cruzarla. El peso del motor hizo que bajase el morro y permitió que los neumáticos delanteros pudiesen afirmarse en el lecho marino.

No fue una maniobra elegante y el motor jadeaba cuando la parrilla salió del agua, pero lo habían conseguido. Juan llevó el todoterreno a la playa, gritando y animando al vehículo hasta que las cuatro ruedas estuvieron en tierra firme.

—Has disfrutado, ¿verdad? —Max estaba ligeramente pálido. Juan le dedicó una sonrisa—. ¿Has pensado cómo lo haremos para cargar este coche de nuevo en el transbordador cuando hayamos acabado?

—Como recordarás, contraté un seguro a todo riesgo cuando rellené los formularios del alquiler. Hoy no es un día de suerte para Budget Rent a Car.

—Tendrías que habérmelo dicho. En ese caso hubiese comprado neumáticos recauchutados en vez de nuevos.

Juan suspiró como una esposa cansada.

—Es que ya nunca hablamos.

Aparcó poco más allá de la línea de la marea alta. Habían contemplado la posibilidad de que los argentinos se les anticipasen y hubiesen llegado a Pine Island antes que ellos, para tenderles una trampa. Mientras Max reunía parte del equipo, Juan observó la playa para ver si había alguna señal de que alguien hubiese desembarcado hacía poco. Las lajas de pizarra no parecían haberse movido. No había ninguna huella como las que dejaban sus pies con cada paso. Sabía, después de hablar con Mark y Eric, que este era el único lugar donde alguien podía desembarcar en la isla; por lo tanto, estaba seguro de que nadie había puesto el pie allí en mucho tiempo.

Llevaban consigo sensores de movimiento, con sus respectivas baterías, que podían enviar una señal al ordenador de Cabrillo. Escondió varios en la playa, apuntando tierra adentro, de forma que el movimiento de las olas que barrían la playa no los pusiera en marcha. Era lo mejor que podían hacer puesto que solo eran dos personas.

El sendero que llevaba al pozo estaba cubierto de vegetación y exigió el máximo rendimiento del todoterreno. Los arbustos y las hierbas desaparecían debajo del parachoques delantero y arañaban los bajos. Vieron pruebas de que la gente continuaba visitando la isla a pesar de los carteles que lo prohibían. Había varios restos de hogueras donde los adolescentes acampaban. Los desechos de las fiestas abundaban en los claros y se veían iniciales borrosas talladas en algunos árboles.

—Esto debe de ser la versión local del paseo de los enamorados —comentó Max.

—Siempre y cuando no te dé ideas —dijo Juan con una sonrisa.

—Tu virtud está a salvo.

La zona alrededor del pozo había cambiado poco desde que los hermanos Ronish habían estado ahí la primera vez en diciembre de 1941. Pero había una notable excepción: habían atornillado una plancha de acero sobre la abertura en la roca. Estaba muy oxidada, como consecuencia de haber estado expuesta a los elementos durante los últimos treinta y tantos años, desde que la habían colocado por la insistencia de James Ronish; pero seguía siendo sólida. Mark les había avisado, y habían ido preparados.

La única diferencia real estaba delante de la costa, donde habían colocado pilones de cemento que cruzaban la boca de una pequeña ensenada. Cuando Dewayne Sullivan había intentado drenar el pozo, la habían tapado porque era la fuente de agua más probable que inutilizaba sus bombas cada día. La ensenada se había vuelto a llenar, pero el agua parecía estancada, lo cual significaba que el dique impedía que se mezclase con el agua del océano.

Juan comenzó a descargar el equipo mientras Max cargaba con un soplete de acetileno hasta la boca del pozo. La placa era demasiado gruesa para poder cortarla, así que se ocupó de la cabeza de los pernos. Con el soplete, que alcanzaba una temperatura superior a los seis mil grados, los pernos no podrían resistir. Cortó los ocho y apagó el soplete. El olor a metal ardiendo se disipó muy rápido gracias a la fuerte brisa marina.

Colocaron el gancho de la polea del todoterreno en la plancha, y cuando Hanley lo puso en marcha el trozo de metal se deslizó suavemente sobre las rocas y dejó a la vista el agujero que había intrigado a tanta gente durante generaciones.

—No puedo creer que vaya a entrar en el pozo del tesoro —comentó Juan—. Cuando era un chico, seguía los relatos de la expedición de Sullivan en los periódicos y soñaba con formar parte de su equipo.

—Debe de ser algo propio de la costa Oeste —dijo Max—. Nunca había oído hablar de este lugar hasta que me informaron de él Murphy y Stone.

—Además, tú nunca has tenido estas fantasías —se burló Cabrillo, que citó la anterior observación de Eric Stone.

El equipo de buceo que habían comprado en Seattle era de última generación. Juan llevaría una máscara de buceo completa con una conexión de fibra óptica para transmitir datos y conversar con Max, que permanecería en la superficie. Una pequeña cámara montada en un costado del casco le permitiría a Hanley ver todo lo que veía el director. Bucear en solitario, en particular bajo tierra, nunca era una buena idea, pero si algo le ocurría a Juan mientras estaba en el pozo, Max lo sabría y podría sacarlo.

—¿Estás preparado? —preguntó Max cuando Juan acabó de sujetarse un cinturón de herramientas sobre el traje de neopreno.

Cabrillo le respondió con la señal de OK. Los buceadores nunca levantan el pulgar a menos que estén a punto de salir a la superficie.

—No pierdas de vista los sensores de movimiento en el ordenador. Si uno de ellos se dispara súbeme a la superficie tan rápido como puedas. —Max llevaba la pistola en la cintura y había dejado la de Juan en el asiento a su lado.

—No creo que vengan, pero estaremos preparados.

Juan sujetó el gancho de la polea al cinturón y bajó poco a poco al interior del pozo. No tenía ni idea de cuántos metros lo separaban del fondo, porque dentro reinaba la más absoluta oscuridad. Aún tenía que ponerse el casco. El aire olía a pescado podrido y a yodo del mar.

La luz de su lámpara halógena solo iluminaba un par de metros en la oscuridad antes de desaparecer.

—¿Preparado? —preguntó Max.

—Bájame —contestó Juan. Se colocó el casco y cerró el broche en la anilla del cuello. El aire de las botellas que llevaba sujetas a la espalda era puro y fresco.

La polea soltaba cable a razón de dieciocho metros por minuto. Juan observó las paredes de piedra debajo de las gruesas vigas de madera que personas desconocidas habían colocado en algún momento del pasado. Allí donde los hermanos Ronish habían utilizado estopa para tapar las filtraciones de agua, la expedición de 1978 había empleado cemento de fraguado rápido para rellenar todas las grietas, y, por lo que se veía, aún cumplía su función. Las paredes estaban secas.

—¿Qué tal te va? —La pregunta de Max llegó por el cable de fibra óptica.

La oscuridad ocultaba los pies colgantes de Cabrillo.

—Bien, aquí colgado. ¿Cuánto he bajado?

—Unos treinta metros. ¿Has visto algo?

—Nada.

A cuarenta y tres metros, Juan vio el reflejo de la lámpara en la superficie del agua que tenía debajo. El agua era un espejo. A medida que bajaba por fin vio la prueba de que el pozo seguía conectado con el mar. La roca estaba húmeda por la marea alta, y los mejillones se agrupaban como uvas negras en la piedra, a la espera del regreso de la marea. También vio que el acceso del océano al pozo tenía que ser limitado. La marca de la marea alta estaba a una altura que no llegaba a un par de metros.

—Para un segundo —ordenó Juan.

—Al parecer ya has llegado al agua —dijo Max, que observaba la pantalla del ordenador.

—Vale, ahora bájame despacio. —Juan no sabía qué había debajo de la superficie y no quería acabar ensartado—. Para de nuevo.

Cuando su pie entró en contacto con el agua dio unos cuantos puntapiés, atento a la presencia de cualquier obstrucción sumergida. No había nada.

—Vale, otros treinta centímetros.

Repitieron la maniobra hasta que el director estuvo totalmente sumergido y vio por sí mismo que el pozo estaba limpio. Soltó un poco de aire de su chaleco de flotabilidad para sumergirse toda la longitud del cable.

—La visibilidad es de unos seis metros —informó. Incluso con el traje de neopreno notaba el frío abrazo del Pacífico. Sin la linterna estaría sumergido en el mundo de las tinieblas. No llegaba suficiente luz del sol para penetrar a esa profundidad—. Suelta un poco más de cable.

Cabrillo se sumergió todavía más. Cuando se acercó al fondo, a unos veinticuatro metros, comprendió que Dewayne Sullivan les había engañado. Había utilizado la excusa de los dos accidentes para poner fin a la expedición cuando parecía evidente que habían llegado al fondo y había descubierto que el pozo estaba vacío. Habían sacado todos los restos y no habían encontrado nada. Pasó la mano sobre la fina capa de sedimento que cubría el suelo de piedra. El sedimento solo tenía un par de centímetros de espesor. Debajo, la roca era suave contra sus yemas, como si la hubiesen lijado. La única cosa interesante era un nicho del tamaño de un hombre justo por encima del fondo del pozo.

—Creo que esto es un fracaso —le dijo a Max—. Aquí abajo no hay nada.

—Ya lo veo. —Hanley movió el control en el ordenador

para aclarar la imagen un tanto borrosa por la nube de sedimento que Juan había levantado. Una ardilla que pasaba por allí se detuvo, agitó la cola, furiosa, y desapareció corriendo.

De pronto, un ruido captó la atención de Max. No era la alarma de los sensores sino algo mucho peor. Un helicóptero que volaba bajo se acercaba. Había estado volando casi al ras de las olas, así que la isla había absorbido el batir de los rotores hasta casi tenerlo encima.

—¡Juan! ¡Un helicóptero!

—Súbeme —gritó Cabrillo.

—Lo haré, pero esto ya habrá acabado cuando llegues aquí arriba.

Era un movimiento de los argentinos que habían analizado pero para el que no habían encontrado ninguna defensa. Hanley solo tenía unos segundos para reaccionar.

El helicóptero parecía dirigirse a la playa donde él y Juan habían desembarcado. Era el único lugar de aterrizaje lógico. Max pulsó el interruptor para subir a Cabrillo a la superficie, cogió la pistola de Juan del asiento y salió del todoterreno. Echó a correr lo más rápido que pudo mientras desenfundaba su pistola.

Pensó en la posibilidad de que los argentinos hubiesen llevado a su propio piloto a Estados Unidos y concluyó que habían contratado al tipo de los controles para que los llevara a Pine Island. Si Max llegaba allí lo bastante rápido todavía podría evitar que aterrizasen.

Las piernas le quemaban después de unos centenares de metros y le pareció que su corazón le iba a estallar en el pecho. Los pulmones sufrían mientras luchaban por respirar. Los kilos de más que llevaba alrededor de la cintura le pesaban como un ancla. Pero se impuso al dolor, corriendo con la cabeza gacha y moviendo los brazos. El ritmo del rotor cambió. Sabía que el piloto estaba preparándose para el aterrizaje. Max gruñó mientras corría sendero abajo. Sus sesenta y tantos años parecieron desaparecer. Sus pies de pronto bailaban sobre el suelo y apenas entraban en contacto con la tierra.

Hanley salió del bosque. Delante estaba la playa y, justo encima, un helicóptero JetRanger civil. El chorro de aire creado por el rotor azotaba implacablemente el agua mientras el aparato bajaba despacio hacia el suelo. Max vio el perfil de una pareja de hombres en los asientos traseros.

La distancia era excesiva para las Glock. Cuando se detuvo su cuerpo temblaba, pero levantó las pistolas de todas maneras. Apuntó hacia la cabina del helicóptero y apretó los gatillos, disparando con la izquierda y la derecha de forma que la detonación de cada arma se convirtió en un rugido continuo. En pocos segundos había levantado una cortina de plomo de treinta balas.

No sabía cuántos proyectiles habían alcanzado al helicóptero, pero creía que unos cuantos. Se abrió la puerta lateral y uno de los argentinos se preparó para saltar a tierra, unos tres metros por debajo de los patines. El piloto reaccionó aumentando la potencia y comenzando a virar.

Max dejó caer la pistola de la mano izquierda y pulsó el botón para soltar el cargador de la otra. El hombre en la puerta se deslizó hacia delante en un intento de compensar la inclinación del aparato. En el cambio más rápido que había realizado desde Vietnam, Hanley metió el cargador en la Glock y corrió el cerrojo antes de que el argentino pudiese saltar.

Disparó tan rápido como antes, castigando sus oídos con las sucesivas detonaciones. De pronto, el tipo en la puerta abierta se sacudió y se soltó. No hizo ningún intento de enderezarse mientras caía al agua.

Hanley se imaginó lo que estaba ocurriendo a bordo del JetRanger. El comandante argentino debía de gritarle al piloto que volviese a la isla, sin duda con un arma apuntándole a la cabeza, y el piloto quería alejarse todo lo posible del loco que le disparaba.

Max cambió el otro cargador y se mantuvo a la espera para ver quién ganaba este asalto. Al cabo de unos pocos segundos, quedó claro que el helicóptero no volvería. Voló en dirección oeste ofreciendo un blanco cada vez menor hasta que al cabo de unos momentos solo era un punto blanco en el cielo gris.

Ahora, la única pregunta que se hacía Hanley era si los argentinos dejarían al piloto con vida. Dudaba mucho de las posibilidades del hombre. Los argentinos ya habían demostrado que eran despiadados, y no era probable que fuesen a dejar vivo a un testigo.

Su pecho todavía se movía agitado cuando por fin comenzó a caminar hacia la playa. El argentino que había caído del helicóptero yacía boca abajo a unos cinco metros de la orilla. Max mantuvo la pistola apuntada hacia el hombre y se metió en las aguas frías respirando entre los dientes cuando el agua le llegó a la cintura. Agarró al hombre por el pelo y le levantó la cabeza. Sus ojos estaban abiertos e inmóviles. Max dio la vuelta al cadáver. Su disparo le había alcanzado en el corazón; de haber apuntado allí hubiese sido un magnífico disparo. Pero no había sido más que pura suerte.

No llevaba ninguna identificación en los bolsillos, solo unos cuantos dólares, un paquete de cigarrillos empapados y un mechero desechable. Max se quedó con el dinero y arrastró el cuerpo hacia la playa. Cuando llegó a la zona de poca profundidad, comenzó a colocar piedras bajo las prendas del muerto. Le llevó unos minutos, pero por fin el cuerpo comenzó a hundirse. Max lo arrastró de nuevo a aguas profundas y lo dejó ir. Con el cuerpo lastrado y la marea retirándose, el cadáver desaparecería para siempre. Cogió la pistola que había dejado caer y emprendió el camino de regreso.

Si bien quería correr, su cuerpo no estaba en condiciones de hacerlo. Tuvo que conformarse con un trote suave, que también le provocó un dolor terrible en las rodillas. Había tardado menos de siete minutos en llegar a la costa pero se demoró más de quince en el trayecto de regreso.

Max esperaba ver a Juan, pero no había ninguna señal del director. Para su desconsuelo, la polea no había recogido el cable. Miró la caja de control y comprendió que por error había pulsado el botón de bajada. Echó una mirada al parachoques delantero y vio que había soltado todo el cable.

Se acomodó en el asiento trasero del todoterreno y se colocó los cascos. Frunció el entrecejo cuando vio que la señal de la cámara de Juan únicamente mostraba nieve electrónica.

—Juan. ¿Me recibes? Cambio. —Max tendría que haber oído la respiración del director dentro del casco de buceo, pero solo oyó silencio, un silencio respaldado por una sensación de finitud—. Hanley a Cabrillo. ¿Me recibes? Cambio.

Lo intentó tres veces más, y su preocupación fue en aumento con cada llamada no atendida.

Decidió no recoger el cable de la polea, sino bajar del Ford y recoger a mano el cable de fibra óptica. Después de unos pocos segundos se dio cuenta de que no estaba sujeto a nada. El delgado filamento se enrollaba a sus pies mientras él lo subía a toda velocidad. Cuando por fin apareció el extremo lo sostuvo en alto para examinar el corte. No parecía un corte limpio. La funda de plástico alrededor del delicado cable estaba deshilachada, como si hubiese quedado atrapada entre dos superficies ásperas. Él había visto el vídeo. En el pozo del tesoro no había nada que pudiese haber causado semejante daño. Fue entonces cuando puso en marcha la polea y esperó inquieto mientras el cable subía poco a poco de las profundidades. Al igual que la fibra óptica, el cable de acero trenzado estaba cortado.

Max gritó en el interior del oscuro pozo hasta quedarse ronco, pero lo único que oyó fue el eco de un hombre angustiosamente preocupado.

14

Contra un telón de fondo de imponentes icebergs que el viento
y las olas habían tallado con formas fantásticas, y el cielo teñido
de rojo de un horizonte a otro, el *Oregon* continuaba teniendo el aspecto de un contenedor de basura. Ni siquiera el prís-
tino entorno antártico podía mejorar el aspecto fatigado del viejo
carguero. Como en el arte, un hermoso marco no puede mejorar
una mala pintura.

Linda Ross había hecho un notable trabajo navegando hacia
el sur. Por fortuna, el tiempo ayudó y encontraron poco hielo
hasta que estuvieron a sotavento de la península. Una vez allí,
Gómez Adams buscó un paso a través de los gigantes de hielo
con el helicóptero MD-520. La terrible tormenta que había cas-
tigado a la mayor parte del continente por fin se había retirado,
pero Adams dijo que el vuelo del día anterior fue uno de los más
arriesgados y peligrosos de su vida, y lo decía alguien que se había ganado la vida transportando a equipos de las fuerzas especiales detrás de las líneas enemigas.

Linda se miró en el antiguo espejo de su camarote y decidió
que sería la esposa perfecta del hombre Michelin. Era consciente de que había una mujer de cincuenta y tres kilos debajo de todas aquellas capas de ropa ártica, pero desde luego el espejo no
la mostraba. Aún tenía que ponerse otra prenda antes de bajar al
garaje donde estaban las embarcaciones.

Miró la pantalla de su ordenador, que estaba conectado al sistema de sensores del barco. La temperatura exterior era de menos treinta y siete grados, pero la sensación térmica, debido al viento, era de veinte grados menos. El océano apenas estaba por encima del punto de congelación. La presión atmosférica se mantenía constante, pero sabía que podía cambiar en cualquier momento.

Aquello era precisamente lo que había dejado atrás en la norteña Minnesota.

Linda había crecido en una familia de militares y nunca había dudado de que ella también lo sería. Hizo la instrucción de oficiales de la reserva de la marina en Auburn y pasó cinco años en el servicio. Le encantaba su trabajo, sobre todo su destino en el mar, pero sabía que su carrera tenía limitaciones. En la marina se recompensaban los méritos mucho mejor que en cualquier otra rama militar; sin embargo, sabía que con su aspecto de elfo y su voz aguda nunca sería llamada a comandar. Y un barco era lo que deseaba por encima de todo.

Después de dieciocho meses trabajando para la Junta de Jefes de Estado Mayor, le habían ofrecido un ascenso y otro destino de oficina. Los hilos que pudiese mover nunca la llevarían a un barco, y mucho menos a un mando. Linda comprendió que ya no tenía nada más que hacer allí y se marchó. Al cabo de un mes, era primer oficial de un barco petrolero en el golfo de México, con el compromiso de que sería suyo al cabo de un año.

Pero entonces su vida sufrió uno de aquellos caprichosos cambios que ponen a una persona en un rumbo que nunca había anticipado. Un almirante al que no conocía la llamó y le dijo que tenía la posibilidad de trabajar con un equipo absolutamente secreto. Cuando preguntó por qué ella, el almirante respondió que la marina había cometido un error al no darle lo que merecía y que esta podía ser una manera de compensarla.

Lo que Linda nunca sabría era que ese tal Langston Overholt de la CIA había hecho indagaciones entre los jefes de todas las ramas del servicio en busca de personas que consideraran aptas para servir en la corporación. Era así como Cabrillo había reclutado a la mayor parte de su tripulación.

Apagó el ordenador, preocupada por el frío en el exterior, y salió del camarote. Las botas aislantes hacían que caminara como Frankenstein.

El garaje de las embarcaciones estaba en mitad de la nave, en la banda de estribor. Linda se tomó su tiempo. Una de las primeras reglas de la supervivencia en el Ártico era no sudar. Pero incluso con todo desabrochado, sentía cómo subía la temperatura corporal. Algunos de los tripulantes hicieron comentarios sobre su cambio de tamaño con las abultadas prendas blancas, pero siempre con el mejor sentido del humor.

La puerta exterior del garaje estaba aislada, y, sin embargo, al apoyar los dedos para empujarla Linda retrocedió ante el intenso frío que se filtraba. Cerró las cremalleras de las muchas capas de abrigo que llevaba antes de mover la palanca.

Habían bajado la rampa de lanzamiento revestida con teflón y la puerta exterior estaba abierta, así que recibió el impacto del clima antártico con toda la fuerza. Soltó una exclamación y aparecieron lágrimas en sus ojos. En el exterior, el agua era negra y estaba encrespada por el viento. Los hielos flotantes pasaban junto al barco. El resto de su equipo ya la esperaba. Franklin Lincoln, el más fornido de la tripulación, era como una montaña; lo único que veía de él era su rostro negro que sonreía desde un montículo de tela blanca, y Mark Murphy parecía perdido en sus prendas, como un niño pequeño que se pone el traje de su padre para una fiesta familiar.

Un tripulante le entregó un abrigo largo y una máscara con un sistema de comunicaciones integrado. Él comprobó que no tuviese ninguna cremallera abierta y utilizó cinta aislante blanca para sujetarle los mitones; después la ayudó a colocarse la mochila y le entregó un arma. Llevarían los L85A2, la versión que Heckler & Koch había hecho del fusil de asalto bullpup británico. El armero de la nave los había modificado de nuevo. Con el cargador detrás del gatillo, era fácil quitar la guarda y disparar sin que el tirador se quitase los mitones. También había colocado unas potentes lámparas halógenas debajo de los cortos cañones.

—Yo soy tu padre, Leia —dijo Linc en una perfecta imitación de Darth Vader. Con la máscara puesta se parecía muchísimo al gran villano.

—Antes preferiría besar a un wookiee —dijo ella citando otra frase de *La guerra de las Galaxias*—. Prueba de comunicaciones. ¿Estás con nosotros, Mark?

—Sí, ¿pero qué es un wookiee y quién es Leia?

—Buen intento, chico —dijo Linc—. No me sorprendería nada si te cambiases el apellido por el de Skywalker.

—Por favor. En ese caso sería Solo.

—Eric —llamó Linda—. ¿Estás en la red?

Eric Stone estaba sentado en el puesto del navegante en el centro de operaciones. Llevaba en servicio desde que habían entrado en la zona más difícil de la travesía, por la sencilla razón de que era el mejor piloto que tenían cuando el director no se encontraba a bordo.

—Te copio, Linda.

—Bien, en cuanto estemos en marcha quiero que vuelvas hasta que estés al otro lado del horizonte. Si necesitamos una evacuación rápida, Gómez podrá venir a recogernos con el helicóptero. Pero hasta que sepa a qué nos estamos enfrentando no quiero que el *Oregon* esté expuesto a la vista de nadie en tierra.

Una leve sonrisa pasó por los labios de Linda. Claro que sí, estaba al mando.

—Recibido —dijo Eric—. Solo seremos otro trozo de hielo que flota por el mar.

—Bien, chicos, a bordo. —Linda subió a bordo de la segunda LNFR de la corporación.

Un ariete hidráulico podía lanzar la embarcación fuera del *Oregon* como si fuese un proyectil si era necesario, pero optaron por un descenso suave hasta el agua helada. Linda puso en marcha los grandes motores fuera borda en cuanto tocaron el agua. Ya habían calentado los motores en el garaje, así que movió los aceleradores y la proa de la LNFR comenzó a levantarse. Aunque se encontraban a cinco millas de la costa, la navegación por la bahía donde estaba ubicada la base Wilson-George no era nada fácil debido a la presencia de innumerables bloques de hielo flotante. Tenía que desviarse a estribor y a babor para encontrar un camino entre el hielo. La mayoría de los fragmentos no eran mucho mayores que la neumática, pero había varios gigantes que se alzaban en el cielo cada vez más oscuro.

Linda no pudo evitar sentirse impresionada por la desnuda belleza del continente más aislado de la Tierra.

A la izquierda de la embarcación, una pequeña ondulación en el agua resultó ser el hocico de una foca. Los miró por un momento y después desapareció bajo las olas.

Tardaron veinte minutos en llegar a la costa. En vez de ir en línea recta a la playa, Linda les llevó hasta un pequeño acantilado que se alzaba sobre el agua. Ocultaría la LNFR de una mirada casual, y de esta manera no tendrían que chapotear en el agua para llegar a la orilla. Linc fue el primero en desembarcar. Amarró la embarcación a un saliente de piedra y utilizó su fuerza hercúlea para levantar la neumática. La playa era el lugar más solitario que Linda hubiese visto jamás. Estaba cubierta con una delgada capa de nieve, un resto de la tormenta. Una súbita ráfaga la lanzó contra el formidable corpachón de Franklin Lincoln.

—Necesitamos poner un poco de carne en esos huesos, muchacha.

—O mantenerme lejos de la Antártida —respondió Linda—. La base está dos kilómetros tierra adentro.

Habían discutido las posibilidades hasta el aburrimiento; al final, se acercarían partiendo de la suposición de que la base había sido tomada por fuerzas hostiles. Tardaron una hora en su cautelosa aproximación. Encontraron un risco que miraba a la base y la observaron a través de los prismáticos.

La estructura futurista, con sus cúpulas y tubos que la conectaban, parecía abandonada. El sonido de un generador tendría que haber llegado hasta ellos pero solo oyeron el silbido del viento y el ocasional batir de una puerta abierta. Era la entrada del personal, junto al edificio del garaje, que se movía con el viento. Todas las ventanas de la base se veían oscuras.

Un estremecimiento, que no tenía nada que ver con el clima, corrió por la espalda de Linda. A través de la óptica verde de sus prismáticos de visión nocturna, la base Wilson-George transmitía una sensación siniestra. Los copos de nieve arrastrados por el viento tomaban la forma de espíritus condenados a vagar por ese lugar desolado.

—¿Qué os parece? —preguntó Linda para apartarse de las visiones oscuras.

Mark se volvió hacia ella.

—Hace un par de días creía estar en el decorado de *Apocalipsis Now*. Ahora tengo la sensación de estar en la base de *La Cosa*.

—Una observación interesante, pero no es eso lo que pregunto.

—Yo diría que no hay nadie en casa —respondió Linc.

—A mí también me lo parece. —Linda guardó los prismáticos en la mochila—. Vamos allá, con mucha discreción.

Las prendas árticas conseguían contener el frío, pero nada podía deshacer el nudo en la boca de su estómago. Un mal presentimiento aumentaba con cada lento paso que daban hacia la base. Estaba segura de que allí había ocurrido algo malo, algo muy malo.

No había huellas alrededor de la base, lo cual significaba que nada se había movido desde la tormenta, aunque era posible que alguien hubiese llegado allí antes o durante las misma. Linc subió la escalera hasta la entrada, con el fusil de asalto preparado. Mark se colocó en posición a su lado, y Linda acercó la mano a la manija con cautela. Se abrió hacia fuera y dejó a la vista un vestíbulo en penumbra. La puerta principal de entrada a la instalación estaba abierta, lo cual significaba que el calor que pudiese haber quedado atrapado en la gruesa capa de aislamiento de la base había desaparecido hacía tiempo. No había ninguna esperanza de que alguno de los científicos hubiese sobrevivido a una exposición al frío tan prolongada.

Linda le indicó a Linc que avanzase. El ex SEAL asintió y asomó la cabeza por la puerta de la base. Retrocedió un poco y se volvió.

Movió los labios para decir sin voz: «Tiene muy mala pinta».

Linda se acercó a su lado y miró. La habitación era un desastre. Había ropas desparramadas por todas partes. Las taquillas estaban vacías y en el suelo. Un banco donde los trabajadores debían de sentarse para ponerse las botas estaba caído sobre algo que enseguida captó su atención. Era el cuerpo de una mujer con la piel azul por el frío. Llevaba una máscara mortuoria de hielo, los minúsculos trozos se le habían pegado a la piel y los ojos se habían vuelto opacos. Lo peor era la sangre, un charco congelado debajo de su cuerpo. Su pecho estaba empapado en ella, y las salpicaduras manchaban las paredes.

—¿Un disparo? —susurró Linda después de quitarse la máscara protectora.

—Un puñal —contestó Linc.

—¿Quién?

—No lo sé.

Movió el arma para que la linterna sujeta al cañón alumbrara el espacio y buscó en cada centímetro cuadrado, antes de entrar en la habitación. Linda y Mark entraron.

Les llevó diez minutos cargados de tensión confirmar que todos los miembros de la base estaban muertos. Había trece cuerpos en total. Todos mostraban las mismas señales de una muerte terrible. La mayoría habían sido apuñalados y yacían en charcos de sangre congelados. Dos de ellas presentaban múltiples traumatismos, como si alguien la hubiese emprendido a golpes con un bate. Uno mostraba heridas defensivas en los brazos; era obvio que había intentado responder a la agresión. Los huesos estaban astillados. Otro parecía haber sido alcanzado por el proyectil de un arma de gran calibre, aunque a Linda le habían asegurado que no había armas de fuego en la base. Es más, no había ninguna en todo el continente.

—Falta alguien —señaló Linda—. Wilson-George tiene una dotación de invierno de catorce personas.

—Tiene que ser nuestro asesino —opinó Mark.

—Iré a comprobar en el cobertizo de los vehículos —dijo Linc—. ¿Cuántos tractores de nieve tendría que haber?

—Dos, y dos motos de nieve.

Unos pocos minutos más tarde, Linda estaba buscando en un cajón de una mesa cuando Mark la llamó desde otro módulo. Su voz la sobresaltó. Decir que la base y los muertos le provocaban escalofríos era decir poco. Aún tenía el vello de los brazos como escarpias. Encontró a Mark en una de las pequeñas habitaciones del personal, con la luz enfocada hacia unas manchas de sangre en la pared. Tardó un segundo en comprender que las líneas no eran manchas al azar. Eran letras.

—¿Qué significan esas palabras?

—«Boya rapará Nicole» —leyó Mark en voz alta.

—¿Quiere decir que la tal Nicole ha tenido algo que ver con todo esto?

—No lo creo —contestó Mark, distraído.

—No tiene ningún sentido. No había nadie aquí que se llamase Nicole. Comprobé la lista.

Murphy no respondió. Sus labios se movían en silencio mientras leía la extraña frase una y otra vez.

—¿En qué estas pensando? —preguntó Linda, mientras los segundos se convertían en un minuto.

—¿De quién es esta habitación?

—No estoy segura.

Buscaron y encontraron un libro que tenía escrito «Propiedad de Andrew Gangle» en la solapa.

—¿Quién es? —preguntó Murphy.

—Creo que un técnico. Si no recuerdo mal, un licenciado.

—Es nuestro asesino y lo confesó antes de cometer los asesinatos. También estaba muy enfermo.

—Ya puedes decirlo. Trece cuerpos apuñalados.

—Me refiero a enfermo de enfermedad. Tenía afasia.

—¿Afasia?

—Un trastorno que afecta al lenguaje. El paciente no puede procesarlo correctamente. Por lo general, es debido a un ataque o a un daño cerebral, y puede aparecer a consecuencia de un tumor, el Parkinson o el Alzheimer.

—¿Puedes explicarme cómo has deducido todo eso?

—Solía practicar un juego con algunos estudiantes graduados en neurociencia en el MIT. Decíamos frases como si tuviésemos afasia y desafiábamos a los demás a que las descifrasen.

—Tú no salías con muchas chicas, ¿verdad?

Mark no hizo caso del comentario sarcástico.

—Por lo general teníamos que dar una pista, como el motivo de la frase, de lo contrario hubiese sido imposible resolverlo. La pista aquí son las muertes, el asesinato.

—Claro, pero ¿qué tiene que ver «Boya rapará Nicole» con el asesinato?

—¿En el lenguaje de la calle cómo dicen «matar»?

—No lo sé.

—Pelar —dijo Mark con una mirada triunfal. Aunque en el MIT siempre era el más inteligente de la habitación, aún disfrutaba haciendo gala de su intelecto—. Hay otras como cepillar, tumbar. En el cerebro de Gangle, pelar y rapar eran sinónimos.

—¿Qué quieres decir? ¿Que buscamos a un peluquero?

—No. La afasia no funciona de esa manera. Las conexiones en el cerebro están alteradas. Pueden ser palabras que suenan parecido, palabras que recuerdan a Gangle algo de su pasado.

—Por lo tanto, «boya» puede sonar como «voy a».

—Así es. En su mente escribió «Voy a matar a».

—Muy bien, listillo, pero ¿qué pasa con la tal Nicole?

Mark le dirigió una sonrisa insolente.

—Es la más fácil de todas. Nicole Kidman fue la estrella en una película de terror titulada *Los otros*.

—Voy a matar a los otros —dijo Linda, uniendo toda la traducción—. Un momento, ¿la afasia te vuelve loco?

—No es habitual. Creo que la enfermedad subyacente que provocó la afasia también hizo que se volviera contra sus compañeros.

—¿Cuál puede ser?

—Tendrás que preguntárselo a la doctora Huxley. Yo únicamente conozco la enfermedad debido al juego de palabras en el que participaba.

De pronto se oyó un fuerte estruendo que les sobresaltó.

—Linda, Murphy, tenemos compañía. —La voz de barítono de Linc sonó por toda la base.

Ambos cogieron sus fusiles de asalto de donde los habían dejado, sobre la cama, y salieron corriendo del inquietante dormitorio de Andy Gangle. Se encontraron con Linc en el comedor.

—¿Qué has encontrado?

—Algunas cosas muy extrañas, pero ahora no hay tiempo para explicaciones. Un quitanieves viene hacia aquí desde el sur. Ahí es donde los argentinos tienen su base científica más cercana, ¿verdad?

—Sí —contestó Linda—. A unos cincuenta kilómetros costa abajo.

—Lo vi cuando regresaba. Tenemos menos de un minuto.

—Todo el mundo fuera.

—No, Linda. No hay donde ponerse a cubierto. —La preocupación se dibujó en el rostro de Linc—. Nos verían enseguida.

—Está bien, busquemos un lugar donde escondernos y mantengámonos en silencio. Solo roguemos que estén haciendo un breve reconocimiento y no pretendan instalarse aquí para hacer limpieza. Si nos descubren, nos abriremos paso a tiros.

—¿Y si solo son científicos que vienen a comprobar el estado de la base? —preguntó Mark. Era una pregunta razonable.

—Entonces hubiesen aparecido por aquí hace una semana, tal como les pidió nuestro gobierno. Ahora, en marcha.

El trío se separó. Linda volvió a la habitación de Andy Gangle. El falso techo era de placas acústicas hechas de un material parecido al cartón, colocadas sobre guías de metal. Ágil como un mono, se encaramó a una cómoda y levantó una de las placas con el cañón del fusil. Había un espacio de noventa centímetros entre el falso techo y el aislamiento de la cúpula. Colocó el arma en el falso techo y subió. Las gruesas prendas dificultaban sus movimientos, pero a fuerza de mover las caderas y sacudir las piernas consiguió pasar el tronco por la abertura.

Oyó el golpe de la puerta principal al abrirse y a alguien que hablaba en español. A sus oídos le sonó más a órdenes que a llamadas.

Metió las piernas en el hueco y con mucho cuidado colocó la delgada placa en la posición original. Había un tubo flexible revestido conectado a una rejilla en el falso techo, que se utilizaba para enviar aire caliente a la habitación. Linda quitó el tubo de la rejilla y miró abajo. Tenía una buena visión a vuelo de pájaro.

La adrenalina que había corrido por sus venas cuando había oído el grito de aviso de Linc estaba desapareciendo deprisa, y de nuevo sintió frío. No tenía que enfrentarse al viento, pero en aquel espacio la temperatura era de menos de diez grados. Tenía el rostro entumecido y comenzaba a perder la sensibilidad en la punta de los dedos, a pesar de los gruesos mitones. En ese momento lo más difícil para su cuerpo era mantenerse inmóvil, pero tenía que conseguirlo a toda costa.

Escuchó más palabras en español. Cerró los ojos y se imaginó a los soldados recorriendo la base como habían hecho antes ella y su equipo. ¿A qué conclusión llegarían cuando se encontrasen con los asesinatos? ¿Les importaría?

Un hombre vestido con un uniforme ártico blanco y armado con una gran pistola entró de pronto en el dormitorio. Llevaba una máscara muy parecida a la que había llevado Linda, y, por lo tanto, no podía verle las facciones. Al igual que Mark, miró las palabras escritas con sangre en la pared.

Sucedió tan rápido que Linda no pudo hacer nada para evitarlo. Una gota de líquido cayó de su nariz y golpeó en el hombro del hombre. Él se la limpió sin mover la cabeza y fue hacia la puerta para continuar la búsqueda.

En el mismo instante en el que salió de la habitación, Linda se puso en movimiento. Como una araña que cuida de su tela, se deslizó sobre las manos y las rodillas por los rieles de soporte de las placas. No las habían diseñado para soportar el peso de una persona adulta y tenía miedo de que los cables que la sujetaban se partiesen sin previo aviso.

Entonces, cuando menos se lo esperaba, sonaron unos disparos. La placa donde había estado hasta hacía unos momentos se convirtió en un polvo muy fino y cayó al suelo del dormitorio. Se oyeron otras dos detonaciones y otras dos placas se desintegraron. Pequeños rayos de luz penetraron por los agujeros que las balas habían hecho en el techo.

Linda utilizó el sonido de las detonaciones y la momentánea sordera que sin duda las acompañaba para deslizarse sobre una gran línea troncal del sistema de ventilación de la base. El tubo era lo bastante grande para ocultarla. Había quitado el seguro de su fusil.

Sabía que no debía contener el aliento, así que dejó que saliese poco a poco y con regularidad. Con el corazón acelerado, necesitaba oxígeno. El techo por encima de ella quedó a la vista cuando lo alumbró la luz de una linterna.

El argentino se había dado cuenta de que algo líquido había caído sobre su hombro pero, con el frío que hacía en la base, cualquier líquido tendría que haberse congelado. Había sospechado.

«Respira, Linda, respira —se ordenó a sí misma—. No puede verte, y es demasiado corpulento para subir aquí.»

Transcurrieron los diez segundos más tensos de su vida. Diez segundos en los que era consciente de que él podía disparar al tubo de ventilación solo para divertirse y atravesarle la cabeza de un balazo.

Se oyeron los sonidos de otro hombre que entraba en la habitación. Pisadas muy fuertes y una pregunta formulada a gritos. Siguió una conversación y de pronto se apagó la luz; comprendió que los hombres habían salido de la habitación.

Se obligó a relajar los músculos e incluso se sorbió la nariz suavemente.

«Esto lo supera todo», pensó Linda. Que la matasen por una nariz que goteaba... Era una historia que se guardaría para ella misma. Apretó el rostro en el forro de piel de la capucha y se preparó a esperar a que el grupo de búsqueda argentino se tomara todo el tiempo que necesitase.

15

Cabrillo esperó a que la polea comenzase a levantarlo, pero no pasó nada. Entonces comprendió que estaba bajando más cable por el pozo y que se estaba formando un lazo cada vez mayor justo debajo de donde él estaba flotando en el agua. Max había pulsado el botón equivocado. Juan intentó llamarlo por la línea de comunicaciones pero no recibió respuesta. Hanley se había marchado a enfrentarse él solo contra los argentinos. Y con la prisa había dejado a Juan atrapado en el pozo del tesoro.

Lo prudente era salir a la superficie siguiendo las tablas de inmersión que había aprendido de corrido hacía décadas y esperar el regreso de Max. Pero Juan no era de los que dejaban pasar una oportunidad, así que giró sobre sí mismo y nadó hacia el fondo. No tenía sentido marcharse hasta estar seguro de que no había pasado nada por alto.

Primero buscó en el nicho; incluso llegó a empujar la piedra para ver si se activaba algún tipo de mecanismo. La piedra a su alrededor permaneció inalterable. Bajó un poco más. El sedimento que había levantado había vuelto a depositarse en el fondo. Despejó un trozo donde la pared se unía al suelo. Algo llamó su atención. Cogió el cuchillo de buceo de la funda sujeta a la pantorrilla y lo pasó a lo largo de la junta. La punta desapareció en una diminuta brecha entra la pared y el suelo. Probó de nuevo en otro punto y sucedió lo mismo.

Otros tres intentos le convencieron de que el suelo del pozo del tesoro estaba encajado como un tapón. Había algo más profundo en la tierra, algo enterrado debajo de ese falso fondo.

Pensó un momento. Tenía que haber una manera de llegar hasta allí. Los Ronish lo habían descubierto. Lentamente, Cabrillo nadó en círculo alrededor del suelo, con la luz alumbrando la junta. Estaba en un rincón. Una piedra con forma de cuña encajada firmemente entre el suelo y una pequeña irregularidad que salía de la pared.

Juan no la tocó. Levantó las rodillas hasta el pecho y después bajó las piernas con todas sus fuerzas contra el suelo. El impacto le produjo una descarga de dolor desde los talones, pero también hizo que todo el suelo del pozo se moviese un poco. Miró de nuevo el nicho.

«Astuto —pensó—. Muy astuto.»

Volvió a la cuña y se preparó. No tenía ni idea de cuánto tiempo disponía, pero sabía que debía moverse rápido. Tendió una mano, quitó la cuña de piedra y luego nadó hacia el nicho lo más rápido que pudo. Mientras que un segundo antes solo oía el sonido de su respiración, ahora el pozo retumbó con el roce de la piedra contra la piedra.

El fondo de la cámara era un enorme flotador que la cuña mantenía en posición. Juan se introdujo en el nicho en el momento en el que el suelo cubierto de sedimento le alcanzaba. Se metió tan adentro como pudo. Los diseñadores del pozo no habían calculado las abultadas botellas de aire, así que el espacio que le quedaba era mínimo. Observó asombrado cómo el suelo subía y subía. Pasó a la altura de las rodillas, la cintura y continuó subiendo. No era tan liviano como para subir a toda prisa hacia la superficie, pero ascendía con un ritmo majestuoso.

Se dio cuenta de que el cable de fibra óptica estaba atrapado entre el flotador y la pared y rogó en silencio que no se cortase. Acababa de pensarlo cuando el trozo cortado pasó por delante de él, con el plástico destrozado. Un segundo más tarde, el extremo suelto del cable de la polea también cayó.

No tenía ni idea de cómo se detendría el flotador, pero supuso que lo haría, de lo contrario los hermanos Ronish hubiesen perecido ahí abajo setenta años atrás.

El misterio quedó resuelto cuando echó una mirada a un costado del flotador gigante. La tapa superior era solo una delgada laja de pizarra y el resto era metálico. Cuando lo golpeó sonó a hueco. El metal había aguantado siglos de inmersión en el agua salada porque los diseñadores lo habían recubierto con una fina capa de oro. El oro no se corroe y protegería el flotador de metal durante siglos.

Había algunas marcas en el oro; unas rayas muy finas como si alguien lo hubiese raspado con un cuchillo. Imaginó que debió de ser uno de los chicos Ronish, convencido de que todo el flotador era de oro, y que luego descubrió que no era más que una lámina de menos de un milímetro de espesor. Allí donde el cuchillo había dejado marcas, Juan vio que el flotador estaba hecho de bronce. Si bien este metal resistía la corrosión mejor que el acero, se dijo que en un par de décadas más el mar encontraría la manera de colarse por las cicatrices. El flotador se llenaría de agua y la trampa no volvería a funcionar nunca más.

Cabrillo calculó que el flotador tendría unos tres metros de altura. Cuando el fondo pasó por fin por encima de su cabeza se detuvo alineado con la parte superior del nicho. Tenía que haber otro pequeño saliente en la pared del pozo que no había visto durante el descenso. Se maravilló ante la precisión de los cálculos y la técnica utilizada para que funcionase.

Nadó fuera del nicho y miró hacia arriba. Había un asa en la parte inferior del flotador. La cogió y tiró. La flotabilidad del conjunto también era fruto de un cálculo exacto y, al tirar, todo el flotador se movió un poco hacia abajo. Comprendió que para salir no tendría más que atar el cinturón de lastre al asa y dejar que el flotador se acomodase de nuevo en el fondo mientras él esperaba en el nicho. Supuso que era lo que los Ronish habían hecho, solo que el contrapeso empleado había desaparecido. Juan pasó por donde había estado el falso fondo y siguió bajando.

En el centro del nuevo suelo del pozo del tesoro encontró una pila de rocas de la playa: el contrapeso de los hermanos Ronish. La bolsa que una vez las había contenido había desaparecido hacía mucho, disuelta por el agua salada del Pacífico. El otro descubrimiento que hizo Juan fue mucho más misterioso. Había un túnel bajo que partía del pozo vertical.

Cabrillo entró y las botellas de aire golpearon en el techo, porque las dimensiones eran muy ajustadas. El túnel se desviaba hacia arriba, así que tuvo que detenerse varias veces para permitir que el exceso de nitrógeno desapareciese de su sangre. Comprobó la reserva de aire. Si no se entretenía demasiado, todo iría bien.

De pronto, la luz de su lámpara brilló con un reflejo por encima del casco. Estaba saliendo a la superficie, aunque aún estaba a unos centenares de metros bajo tierra. Calculó que una persona podía nadar desde el nicho hasta ese punto con una sola respiración, si la marea estaba baja.

Juan subió poco a poco con los brazos extendidos por encima de la cabeza para protegerse de cualquier obstrucción invisible que hubiera arriba. Su cabeza emergió en una gruta del tamaño de un dormitorio con el techo a unos dos metros de altura. Se dio cuenta de inmediato de que era una gruta natural, de lo contrario hubiesen sido necesarios años de trabajo para hacerla.

Movió la luz de un lado a otro sobre las piedras mojadas hasta que se posó en un objeto colgado en la pared.

—¿Qué demonios es eso? —preguntó Cabrillo, con la voz ahogada por el asombro y las piedras que le rodeaban.

Justo por encima de la línea del agua había una placa que parecía de metal. Supuso que era bronce. En ella había unas líneas de caracteres que le parecieron chinos y el trazado de una costa que mostraba una profunda bahía. Había deducido desde que los argentinos se habían presentado en la casa de James Ronish que el pozo del tesoro no tenía nada que ver con un pirata del siglo XVIII, pero no había esperado esto. ¿Qué explicación podía haber para que una placa escrita con caracteres chinos estuviese en ese lugar?

Y lo más importante, ¿por qué podía interesarle a alguien?

Cabrillo siempre había confiado en su instinto. Le había resultado útil en la CIA, y más cuando creó la corporación. Por alguna extraña razón, alguien se había tomado mucho trabajo para ocultar la placa y, sin embargo, permitir descubrirla. No le encontraba lógica; solo podía esperar que la escritura explicara esos motivos. Juan sabía que acababa de encontrar algo importante y, si bien no sabía qué, estaba seguro de que iba mucho allá de dirigibles perdidos o satélites abatidos.

Con el cable de fibra óptica cortado, no podía utilizar el vídeo para grabar imágenes de la placa de bronce, así que cogió una pequeña cámara digital de una bolsa que llevaba atada a la cintura y después la sacó de la caja impermeable. Hizo docenas de fotos, aunque el flash lo cegaba después de tanto rato dentro del pozo.

Se zambulló de nuevo bajo la superficie y siguió su luz mientras volvía por el mismo camino hasta el pozo principal. Tuvo que esforzarse en no pensar en el enigma y concentrarse en el recorrido que tenía por delante.

Una vez que llegó al gran flotador, Juan se desabrochó el cinturón de lastre y lo ató al asa que —¿quizá los chinos?— habían dejado para ese propósito. El misterio del pozo del tesoro se remontaba a más de cien años, pensó. ¿Cuándo habían estado los chinos en el estado de Washington el tiempo necesario para adecuar las cuevas a sus necesidades?

«Concéntrate, Juan.»

Con el cinturón de lastre en su lugar, el flotador bien equilibrado, comenzó a bajar poco a poco. Se metió en el nicho y esperó a que el artefacto se hundiese por debajo de él. Lo ayudó empujando el costado hacia abajo con las manos. En unos instantes se encontró con el camino despejado para ascender a la superficie. Era incómodo sin el cinturón de lastre, y tuvo que luchar contra la flotabilidad positiva, sobre todo en las paradas de descompresión.

Cuando su cabeza emergió del agua, ya no le quedaba aire en las botellas.

Se quitó el casco y respiró el aire salado con ansia. El ángulo del sol había cambiado, y la pequeña cantidad de luz que entraba desde la superficie fue una grata visión. Movió el haz de la linterna buscando en vano el cable de la polea. Las consecuencias de que algo le hubiera pasado a Max eran demasiado horribles para pensar en ellas. Una subida de sesenta metros sin el equipo adecuado acabaría incluso con sus fuerzas. Aunque peor aún sería haber perdido a su mejor amigo.

Juan gritó. No creía tener la potencia de voz necesaria para que le oyesen desde tan arriba. Se quitó el equipo y dejó que los tanques se hundiesen en el pozo, de modo que pudo quedarse flotando boca arriba. Gritó una y otra vez. Se le ocurrió que si Hanley había fallado, ahora mismo estaba llevando a los argentinos hasta él; aunque ellos ya lo habrían averiguado. Pero, que aún no lo hubiesen ametrallado desde arriba podía indicar que Max se había encargado de ellos.

—Hola —gritó una voz distante.

—¿Max?

—No. Soy el comandante argentino.

Era Max.

—¡Sácame de aquí! —pidió Juan.

—Un momento.

Llevó unos minutos bajar el cable y un par más sacar al director fuera del pozo, pero fue uno de los mejores trayectos de su vida. Cuando llegó a la superficie, Max estaba allí y le echó una mano para ayudarle a salir. Luego se apresuró a detener el motor de la polea, para que no arrastrase a Cabrillo por las piedras.

—Desde luego ha sido una tarde interesante —comentó Hanley con despreocupación.

—¿Qué ha pasado?

—Intentaron aterrizar cerca de la playa, pero el piloto se acobardó cuando le disparé unas cuantas veces. Además, alcancé a uno de ellos. ¿Te importaría decirme dónde demonios has estado?

—No me creerías si te lo dijese.

—Ponme a prueba.

Cabrillo le explicó lo que había encontrado cuando acabaron de guardar el equipo y conducían de vuelta a la playa. Los últimos objetos voluminosos en la zona de carga del Ford eran una lancha neumática y un motor fuera borda. Hanley se encargó de prepararlos para el viaje de regreso a tierra firme y Juan utilizó el cuchillo de buceo para perforar el tanque de gasolina del todoterreno. Lo habían alquilado con una identidad falsa, pero habría pruebas forenses en el vehículo, así que tendrían que quemarlo. Esperaron en la playa hasta estar seguros de que no quedaba nada del Ford excepto un chasis chamuscado. Tardaron menos en llegar al pueblo de La Push que en encontrar a alguien que les llevase hasta una ciudad medianamente grande. Acabaron montados en la cabina de un semirremolque que llevaba una carga de madera, lo cual hizo recordar a Juan su reciente aventura en la selva argentina en un vehículo casi idéntico.

El rugido de un gran motor diésel en el exterior indicó que los argentinos habían puesto en marcha el quitanieves y que se marchaban de la base Wilson-George. Habían pasado quince minutos desde que Linda se había ocultado dentro del tubo de ventilación en el falso techo. Ahora, con la seguridad de que se habían marchado, partió una almohadilla caliente química y se la aplicó en la cara. Había conseguido impedir que se le entumeciesen los dedos de los pies y las manos moviéndolos constantemente en el interior de las botas y en los guantes. Sin embargo, las mejillas y la nariz estaban a punto de congelarse. El dolor que le produjo recuperar la sensibilidad fue agónico pero bienvenido, porque significaba que no había ningún daño permanente.

Dado que no había oído más disparos sabía que el resto de su equipo había permanecido bien oculto.

Linda se descolgó del falso techo y guardó silencio hasta que llegó a la puerta principal de la base, para comprobar si el quitanieves se había marchado. Linc y Mark aparecieron justo cuando ella volvió al comedor.

—Oí disparos —dijo Linc, con arrugas de preocupación en su ancha frente—. ¿Estás bien?

—Estuvieron cerca, pero sí —respondió ella—. ¿Dónde os habéis escondido?

—Yo me tumbé junto a uno de los cadáveres —dijo Mark—. El tipo que entró en la habitación no se fijó en mí.

—Yo estaba en el fondo de un armario, debajo de un montón de ropa. Creo que estaban muy asustados por lo que veían. Esta operación era un puro trámite.

—Sé cómo se sintieron —asintió Linda, que intentó no pensar en el siniestro escenario que la rodeaba—. Linc, ¿dijiste que habías encontrado algo en el cobertizo de los vehículos?

—Sí, pero tendrás que verlo tú misma.

Con las máscaras puestas, los tres fueron por el sendero marcado hasta el cobertizo. La puerta aún se movía con el viento; ese golpeteo como el de un metrónomo era la única señal de vida en la base. No había electricidad y el garaje estaba tan oscuro que la pared del fondo se perdía en las sombras. Los rayos de sus linternas cortaban la oscuridad como láseres. Los dos quitanieves parecían un híbrido entre un tanque y una furgoneta. La parte superior de las orugas llegaba a la cintura de Linda. El chasis estaba pintado de un naranja brillante de forma que fuese bien visible en los campos nevados detrás de la base.

—Allí. —Linc les llevó hasta un banco de trabajo a un costado del garaje.

Entre los objetos habituales amontonados en un garaje —herramientas, latas de aceite y trapos congelados— había un baúl de unos noventa centímetros de longitud. Linc levantó la tapa.

Linda tardó un momento en comprender lo que estaba viendo. Había otro cuerpo en el baúl, pero, a diferencia de los otros, era obvio que llevaba muerto y expuesto a los elementos desde hacía más tiempo. Parecía una momia, y gran parte del rostro lo habían devorado los carroñeros antes de que se congelase hasta el punto de que fuera imposible comerlo. Sus ropas eran curiosas. No vestía el equipo antártico contemporáneo, sino una chaqueta acolchada de lana marrón y unos pantalones demasiado delgados para aquel lugar. El sombrero, colocado sobre el pelo negro helado, también resultaba extraño. Tenía dos picos y un ala corta.

—Yo diría que este tipo lleva aquí cien años o más —comentó Mark mientras examinaba el cuerpo.

—¿Quizá un ballenero que cayó por la borda de su barco? —preguntó Linda.

—Podría ser. —Mark miró a Linc—. ¿Has buscado en los bolsillos?

—Yo no, tío. Eché una ojeada y cerré la tapa. Pero nuestro hombre desaparecido sí que lo hizo.

Linda había olvidado que no habían encontrado a los catorce miembros de Wilson-George.

—¿Has encontrado a Andy Gangle?

—¿Es el nombre del tipo? Está al fondo del garaje. Y está hecho un asco.

Al final, Andy se había quitado la vida, empujado al suicidio por la misma locura que le había llevado a matar a sus compañeros. Se había sentado con la espalda apoyada en una caja de herramientas de recambio y se había tirado de la mandíbula con tanta fuerza que casi se la había arrancado. Había muerto, ya fuese por exposición al frío o por pérdida de sangre, con un puño metido en la boca como si intentase llegar a lo que fuese que afectaba a su cerebro.

Un objeto resplandecía en la otra mano. Mark lo cogió de

sus dedos rígidos. Era un trozo de oro, ahora deformado, pero que en su momento había sido algún tipo de adorno. Había un martillo en el suelo junto al cuerpo de Gangle. Cuando Mark lo alumbró con la linterna, vio que había partículas de oro adheridas a la cabeza.

—¿Lo aplastó con el martillo?

—¿Por qué?

—Y ¿por qué hizo todo esto? Estaba enfermo.

—¿Qué podría ser?

—Difícil de decir. Una especie de figura.

—¿Es oro puro?

—Yo diría que por lo menos pesa un kilo. Pongamos unos treinta mil dólares.

Mark miró en la mochila que también estaba al alcance de Gangle. Se oyó un sonido como el de vidrios rotos que chocaban entre sí cuando la levantó. Miró en el interior y después vació el contenido en el suelo.

Era imposible saber qué había contenido, porque todo lo que cayó fue una arena de un color verde opaco y pequeños trozos de una piedra del mismo color. Al igual que con la estatuilla de oro, Andy Gangle lo había golpeado hasta que lo único que quedaba era polvo y fragmentos del tamaño de una uña.

En la bolsa también había un extraño tubo que parecía de bronce. Un extremo estaba cerrado y el otro tenía la forma de la boca abierta de un dragón. El cuerpo del tubo estaba grabado para imitar la piel escamosa de la mítica fiera. Mark observó el artefacto con mucha atención.

—Es una pistola —dijo.

—¿Qué?

—Mira, aquí en el extremo cerrado hay un pequeño agujero para una mecha. Es una pistola de un solo tiro que se carga por la boca.

—Con el dragón y todo lo demás parece china.

—Y muy antigua —añadió Linda—. Supongo que todo esto, sea lo que sea, pertenecía a nuestro misterioso amigo de la caja.

—Es lo que creo —dijo Linc.

—Extraño —opinó Mark.

—Ahora ¿qué? —preguntó Linc.

—Informaremos de nuestros hallazgos al *Oregon* para que la CIA sepa qué ha ocurrido. Yo diría que Overholt querrá que hagamos una visita a la base argentina para ver qué está pasando allí. En los informes que leí, decía que nadie ha echado un vistazo a esas instalaciones en dos años. Propongo que nos anticipemos y vayamos allí por nuestra cuenta.

—No pienso caminar cincuenta kilómetros a través de la Antártida —protestó Mark.

Linda dio una palmada en el frontal del quitanieves que estaba más cerca.

—Yo tampoco.

Después de llamar al barco y recoger muestras de tejido y sangre de Andy Gangle y de la momia del baúl, tal como les había pedido la doctora Huxley, dedicaron casi una hora a poner en marcha uno de los grandes vehículos. Sin electricidad para el calentador, el aceite se había vuelto tan denso como el alquitrán. Tuvieron que vaciarlo y calentarlo en un fogón de campaña dos veces, porque la primera se congeló demasiado rápido para que funcionase el motor. Mark Murphy, además de ser un empollón, era un excelente mecánico. El calor de los ventiladores del quitanieves fue muy bienvenido. A pocos kilómetros de Wilson-George la temperatura en la cabina había subido lo suficiente para que se desabrochasen los abrigos exteriores y se quitasen los pesados mitones que llevaban sobre los guantes Gore-Tex. Linc conducía, y Linda había cedido el asiento del acompañante a Murphy.

Linda decidió que darían un rodeo por la extensión nevada que había detrás de la base, para poder acercarse al campamento argentino por el este. Las brújulas eran inútiles tan cerca del Polo Sur, pero el quitanieves estaba equipado con un GPS. Aunque tampoco era muy de fiar, porque la constelación de satélites utilizada para la triangulación a menudo quedaba oculta bajo el horizonte. El sistema no se había desarrollado para ser utilizado en la navegación polar. Había estaciones de retransmisión para ayudar al GPS, pero casi todas estaban al otro lado del continente, donde se ubicaban la mayoría de las bases científicas.

El panorama era un ininterrumpido manto blanco. Incluso las lejanas montañas se veían cubiertas con el hielo del invierno. Aunque con el deshielo de primavera se derretiría y dejaría a la vista las laderas de granito gris, por ahora se alzaban bajo un manto de nieve congelada.

A diferencia de otras zonas de la Antártida, donde el hielo tenía kilómetros de espesor, aquí había pocas posibilidades de encontrar grietas ocultas, una ventaja que le permitía a Linc pisar el acelerador y que el quitanieves los llevase sin problemas a través de la superficie barrida por el viento.

—Se dice —comentó Mark para evitar el aburrimiento—, que las montañas a nuestra izquierda son la prolongación de los Andes en Sudamérica.

En vista de que nadie le respondía, guardó silencio.

Después de tres horas de monotonía llegaron a unos tres kilómetros detrás de la base científica argentina. Dada la naturaleza militar del régimen de Buenos Aires, suponían que habría algún perímetro de seguridad, probablemente patrullas en motos de nieve. Linda juzgó que tres kilómetros ya era bastante cerca. A partir de ahí, seguirían a pie.

Linda y Linc se ajustaron las prendas árticas. Mark se quedaría con el quitanieves para poner en marcha el motor de vez en cuando y mantenerlo caliente, y también para acudir en su ayuda si surgían problemas. Cogieron las armas y saltaron al hielo. Estaba oscuro, pero las nubes se habían alejado y permitían que el resplandor de la luna brillase en la nieve.

La quietud de la noche era siniestra. Parecía que los únicos sonidos en el mundo fuesen sus respiraciones y el crujir del hielo debajo de las botas. Era como si estuviesen caminando por un planeta inhóspito. Y en cierto sentido así era, porque sin los trajes protectores no hubiesen vivido ni cinco minutos.

Linda había cogido un puñado de tuercas y arandelas de la caja de herramientas del quitanieves. Iba dejando caer una cada cincuenta o sesenta pasos. El metal negro se distinguía sobre el hielo. También llevaba un GPS de mano, pero el pequeño rastro de migas de metal era su respaldo de baja tecnología.

Habían caminado un kilómetro y medio cuando, de pronto, Linc se echó al suelo. Linda le imitó y comenzó a mirar el horizonte.

—No veo nada —susurró ella.

Linc se arrastró sobre los codos. Ella le observó mientras se movía y después vio lo que él había visto. Había huellas de una moto de nieve en el hielo. Tenían razón en ser precavidos. Los argentinos patrullaban alrededor de la base.

—Me pregunto qué estarán protegiendo —dijo Linc.

—Vayamos a averiguarlo.

Se levantaron de nuevo y continuaron la marcha. Como era propio de un ex SEAL, Franklin Lincoln siempre estaba en guardia, pero ahora se movía con más cautela de la habitual. Su cabeza giraba de un lado a otro para observar el terreno desierto a su alrededor, y cada par de minutos se bajaba la capucha por si captaba el revelador zumbido de una moto de nieve que se acercase.

La retaguardia de la base argentina estaba protegida por unas colinas bajas. El viento había barrido la nieve y el hielo en algunos lugares donde habían quedado unas grietas negras como la medianoche. No eran difíciles de escalar, pero se movieron con precaución. Las gruesas botas no eran las más adecuadas para aquella tarea; además, tenían que estar continuamente vigilando que no hubiera patrullas.

Llegaron a lo alto y sacaron los prismáticos antes de mirar por encima de la cumbre.

Linda no sabía qué esperar. Creía que los argentinos tendrían algo parecido a Wilson-George, pero lo que había abajo entre las colinas y el mar era asombroso. No se trataba de una pequeña base científica aislada como se decía, sino de una ciudad tan bien camuflada que era imposible saber su tamaño. Había decenas de edificios construidos en lo que a primera vista parecía una placa de hielo, pero que en realidad era una construcción artificial que lo simulaba. Como la naturaleza aborrece la línea recta, todos los edificios estaban construidos con formas curvas que ocultaban su perfil a las cámaras de los satélites.

Unas enormes tiendas blancas ocultaban gran parte de la base. Supuso que estaban hechas de Kevlar, para soportar los elementos. También habían construido un largo muelle con varios espigones, todos camuflados para que pareciese un terreno helado.

En la bahía natural adonde daba la base no había témpanos, excepto una decena de icebergs. Se fijó en uno de ellos. Había algo que no encajaba. Parecía bastante real, pero era demasiado alto para la base que tenía. Debería haberse derrumbado con la última tormenta. Todos tendrían que haber caído. Fue entonces cuando comprendió que también eran artificiales.

Plataformas petrolíferas. Eso eran: pequeñas plataformas petrolíferas frente a la costa.

Entonces comprendió lo que los argentinos habían construido ahí; se dio cuenta de que las tres curiosas colinas que había cerca del muelle eran gigantescos tanques de almacenaje enterrados debajo de terraplenes. No eran pozos de exploración. Estaban preparados para la producción a gran escala. El muelle quizá no era lo bastante grande para los superpetroleros de última generación, pero podía atender perfectamente a uno de cien mil toneladas. Sabía que lo que estaba viendo violaba uno de los tratados vigentes más importantes. Desde principios de los años sesenta, el Tratado Antártico establecía que el continente era una reserva científica y que ninguna nación podía reclamar la soberanía sobre ninguna parte del mismo. El tratado también prohibía a los signatarios explotar cualquier yacimiento de materias primas y buscar petróleo, en la tierra o en el mar.

Linc le tocó el hombro y señaló más al sur. Linda vio qué le mostraba, un edificio separado de los demás, pero no entendía la razón por la que había despertado su interés. Ella le interrogó con la mirada.

—Creo que es una batería de misiles —explicó Linc.

Si estaba en lo cierto, se trataba de otra violación del tratado. Linda tomó más de una decena de fotos con su cámara, a través de los prismáticos de visión nocturna. No eran las mejores fotos, pero al menos servirían como prueba.

Linc se deslizó desde la cresta de la colina.

—¿Tú qué crees? —preguntó cuando estuvieron lejos.

—Yo diría que los argentinos han estado muy ocupados. ¿Te has fijado en los icebergs en la bahía?

—Sí. Son las torres de las plataformas petrolíferas.

Linda asintió.

—Tenemos que informar de esto.

Comenzaba a levantarse viento. No era lo bastante fuerte para provocar una cortina de nieve, pero la visibilidad se redujo mucho y, después de estar tanto tiempo al aire libre, Linda sentía que el frío comenzaba a colarse por sus prendas. Era una suerte que aún se viera su senda de tuercas y arandelas.

Linc continuó mirando alrededor, así que fue el primero en ver la moto de nieve. Empujó a Linda al suelo con tanta fuerza que le hizo expulsar el aire de los pulmones. No sabían si les habían visto, así que transcurrieron unos tensos segundos mientras el único faro de la máquina brincaba en la oscuridad.

Parecía que se alargara el tiempo. Tal vez el conductor no les hubiera visto moverse, o, si lo había hecho, creyó que era un efecto del viento. El ruido del motor era un aullido penetrante, pero continuó alejándose de ellos. Sin embargo, en el último segundo, el centinela giró el manillar y fue directamente hacia la pareja tumbada.

Linc maldijo y se llevó el fusil de asalto al hombro.

No alcanzaba a ver qué hacía el conductor, porque le cegaba el resplandor del faro, pero el ruido de la detonación se oyó con mucha claridad sobre el rugido del motor. El disparo pasó muy lejos porque el vehículo circulaba por un terreno escabroso. La moto de nieve estaba casi encima de ellos. Linc intentó sacarse los enormes mitones para quitar el seguro; cuando comprendió que no tendría tiempo, se levantó de un salto y movió el fusil como un bate de béisbol.

El arma golpeó al conductor en el cuello y, por la energía cinética de su avance, chocó contra el enorme cuerpo de Linc. Salió despedido de la moto y cayó en el hielo.

El motor del vehículo se paró de forma automática, porque el conductor, al caer, arrancó del tablero la llave de seguridad, que llevaba sujeta a la muñeca. Avanzó un par de metros y se detuvo, con la luz del faro reflejada en los copos de nieve arrastrados por el viento.

Linda corrió hacia el argentino caído. Yacía inmóvil. Le quitó el casco. Por la manera como su cabeza cayó a un lado comprendió que a consecuencia del brutal impacto se había partido el cuello. Se levantó.

—¿Muerto?

—Sí.

—Era él o nosotros —dijo Linc con el fatalismo del soldado profesional.

Levantó el cadáver y lo acercó a la moto de nieve. Lo depositó en el hielo y sujetó el manillar del vehículo. Afirmó las piernas, flexionó los músculos y tumbó la moto que pesaba doscientos cincuenta kilos como si fuese un juguete. Colocó el cadáver de forma que pareciese un trágico accidente.

—Desearía cogerla y volver con ella hasta el quitanieves —dijo Linda, pese a saber que no podía.

—Caminar te hará bien. —Franklin Lincoln sonrió.

—Primero dices que mis huesos necesitan carne y ahora que necesito hacer ejercicio. A ver si te decides.

Linc sabía que si respondía caería en una trampa, aunque ella solo bromeara, así que con mucha prudencia no dijo nada y continuó la larga marcha hasta donde estaba Murphy, para emprender el cálido viaje de regreso a Wilson-George.

16

En Bremerton, Washington, el único requisito que Juan y Max pedían a su hotel era que tuviese una conexión a internet. Cabrillo quería mandar las fotos que había tomado en el pozo a Eddie Seng a bordo del *Oregon* y conseguir una traducción lo más rápido posible.

Para cuando acabaron de hartarse de ostras de la bahía de Wallapa y de centollos en un restaurante cercano, Eddie ya tenía para ellos un informe preliminar.

Seng era otro ex agente de la CIA y llevaba con la corporación casi desde el primer día. Sorprendentemente, ambos habían trabajado allí en los mismos años, y sin embargo él y Cabrillo nunca se habían cruzado en los pasillos de Langley. Eddie, que había nacido en el Barrio Chino de Nueva York, hablaba con fluidez el cantonés y el mandarín.

Miraba el mundo a través de sus ojos oscuros y sus gruesos párpados, y en ellos Juan vio que Eddie había descubierto algo interesante. Detrás del jefe de operaciones en tierra de la corporación, se veía la parte trasera del centro de operaciones, así que Cabrillo dedujo que su imagen estaba en la pantalla principal por encima de los puestos del timón y el control de armamento.

—Tenías razón, es mandarín, pero antiguo. Me ha recordado a cuando tuve que leer a Shakespeare en el instituto.

—¿Qué dice?

—¿Sabes algo del almirante Zheng He?

—Creo que era un explorador chino de principios del xv. Navegó hacia el oeste hasta África y al sur hasta la costa de Australia.

—En realidad hasta Nueva Zelanda. Realizó cinco viajes entre los años 1405 y 1433 en lo que fueron los barcos más grandes construidos hasta el siglo xviii. Tenía más de doscientos, que formaban la Flota del Tesoro, y veintiocho mil hombres a su mando.

—¿Me estás diciendo que los chinos descubrieron América setenta años antes que Colón?

—No. Zheng no fue quien colocó aquella escritura en el pozo. Pero el almirante que lo hizo se inspiró en Zheng y se embarcó en un notable viaje por su cuenta. Eran tres barcos, y zarparon de China en 1495 con rumbo al este. Al mando estaba Tsai Song. El almirante Tsai había recibido orden del emperador de comerciar hasta lo más lejos que pudiese. Como Zheng había encontrado un continente al oeste, África, y Tsai pensaba que la Tierra era simétrica, supuso que habría otro al este.

—Así que llegaron a América del Norte, pero un par de años después que Colón —dijo Max mucho más tranquilo al saber que no tendrían que reescribir los libros de historia.

—Por lo que sé, primero desembarcaron en Sudamérica. Pero había un problema. Como escribe Tsai, una de las naves fue maldecida cuando se encontraban en una «bahía donde hacía un frío infernal». Supongo que se refería a Tierra del Fuego.

—¿Qué pasó?

—La tripulación fue poseída por el demonio. Es lo que escribe Tsai. Un demonio tan poderoso que él se vio obligado a ordenar que destruyeran la nave y abandonar a la tripulación maldita para que muriese en tierra. La hundieron con una carga explosiva colocada en el casco.

—¿Qué tamaño tenía esa nave? —preguntó Hanley.

—Más de cien metros de eslora y una tripulación de cuatrocientos marineros.

Max silbó por lo bajo, impresionado por la arquitectura naval china medieval.

—¿Explica la naturaleza de la supuesta maldición?

—No. El único propósito del pozo era dar una pista sobre la ubicación de la nave. Escribió que nunca había que acercarse al mar que la rodeaba. Pero también era un hombre pragmático y había riquezas incalculables a bordo, un tesoro que se emplearía para comerciar con los nativos que encontrasen. Tsai dejó dos señales, una para honrar a los dioses del submundo, la que estaba en el pozo, y otra en honor a los dioses en el cielo.

—Algo bajo tierra y algo en la superficie —murmuró Juan en voz alta—. ¿Dice cómo es la segunda señal?

—Tsai escribe que solo puede verse desde el cielo, y que la dejaron a doscientos días del pozo del tesoro.

—¿Doscientos días? —protestó Max—. ¿Qué demonios es eso?

—Supongo —dijo Eddie, tranquilo y sin hacer caso del sarcasmo de Max— que significa a doscientos días de navegación al sur de Pine Island. Es obvio que los hermanos Ronish creyeron que estaba cerca del paralelo 25.

—Espera un momento —intervino Juan—. Si estaban buscando una señal dejada por un almirante chino ¿qué hacían tan tierra adentro? Sin duda tendría que estar cerca de la costa.

—No lo sé.

—Deberíamos analizar los papeles que encontraste en el lugar del accidente —propuso Max—. La respuesta podría estar en el diario de a bordo.

—Necesitamos saber más del almirante Tsai —manifestó Eric Stone, que había dejado su puesto en el timón y ahora estaba detrás de Eddie—, y de lo que llevaba a bordo de la nave abandonada. Podría tratarse de un hallazgo arqueológico muy importante.

—En realidad —dijo Max—, deberíamos preguntarnos si el esfuerzo vale la pena. ¿A nosotros qué más nos da todo este asunto?

—Creo que la respuesta es muy clara —señaló Stone—. Es algo que interesa al gobierno argentino, un régimen que en este momento está en contra de Estados Unidos. Sean cuales sean sus intenciones, no pueden ser buenas.

—Estoy de acuerdo —afirmó el director—. Los «generalísimos» tienen interés en este asunto, y hasta que sepamos qué es lo que buscan deberíamos seguir investigando. ¿Qué pasa con el dibujo de la cueva o la ensenada?

—Es un bosquejo de la zona donde se hundió la nave, y, antes de que preguntes, ya tengo a Eric buscando en el ordenador alguna similitud en la costa sudamericana, incluidos un par de centenares de islas que forman Tierra del Fuego. Llevará algún tiempo.

—Está bien. ¿Cuáles son las últimas noticias de Linda y su equipo?

—Todavía están en el quitanieves. No vas a creer lo que han encontrado. Lo que se suponía que era una pequeña base científica argentina ha resultado ser un campo petrolífero a pleno rendimiento.

—¿Un qué?

—Ya me has oído. Están sacando petróleo en la península Antártica.

La noticia sacudió a Cabrillo.

—Pero ¡eso es ilegal! —exclamó ingenuamente.

—Sí, bueno. Al parecer no les importa.

—¿Se lo has comunicado a Overholt?

—Todavía no. Linda dijo que había hecho fotos. Quiere incluirlas en el informe.

—Esto resulta cada vez más extraño —opinó Max—. Están corriendo un gran riesgo con esta jugada.

—En realidad no —señaló Eric Stone—. Ya son unos parias internacionales, ¿qué les importan unas cuantas críticas más?

—¿Unas cuantas críticas más? Un cuerno. Estados Unidos enviará una flota allá abajo. Volverá a ser como en la guerra de las Malvinas.

—¿Estás seguro? —preguntó Stone, con una ceja enarcada.

Hanley abrió la boca para replicar, pero se lo pensó mejor porque no estaba seguro. Con los militares estadounidenses desperdigados por todo el mundo y el actual ocupante de la Casa Blanca, más centrado en los problemas nacionales, era posible que la respuesta del gobierno solo fuese una leve protesta y otra sanción de Naciones Unidas.

—Ahora tenemos que preguntarnos si una nave china de hace seiscientos años tiene algo que ver con los actuales acontecimientos mundiales.

—Si las cosas responden a lo que parecen —contestó Juan—, podemos contar que así es.

—¿Qué quieres que hagamos cuando regrese Linda? —preguntó Eddie—. ¿Nos quedamos aquí o ponemos rumbo hacia el norte?

Cabrillo consideró las opciones y tomó una rápida decisión.

—Sacad el barco de allí. No sabemos qué se proponen los argentinos en la Antártida, pero si se monta un lío y estalla una guerra quiero al *Oregon* bien lejos. Además debemos ocupar nuestra posición para la visita del emir kuwaití a Sudáfrica. Nos ha contratado para reforzar su seguridad, y es un contrato muy lucrativo.

—Hecho —dijo Eddie—. Estarán de vuelta en un par de horas y entonces pondremos rumbo al norte.

—Llámame cuando regresen. Quiero escuchar el informe completo de Linda.

Juan cortó la conexión y buscó su agenda electrónica. Había más de mil nombres en la lista, desde teléfonos directos de jefes de Estado hasta algunos de los personajes más tenebrosos del mundo. Le pareció irónico que en el listado alfabético Langston Overholt apareciese junto a un chulo francés que también traficaba con información.

Eran tres horas menos en la costa Este, así que no se preocupó por la diferencia horaria. Una profunda voz de barítono respondió al segundo timbrazo.

—¿Hola?

—Señor Perlmutter, soy Juan Cabrillo.

—El tristemente célebre director. ¿Cómo está usted?

Aunque no se conocían y solo habían hablado por teléfono una vez, cada uno conocía muy bien la reputación del otro. St. Julien Perlmutter era una enciclopedia viviente de cuestiones marítimas y propietario de la mayor colección privada de libros, manuscritos y folios de la historia de los barcos y la navegación. Su casa en Georgetown estaba llena casi hasta el techo con su muy hojeado tesoro.

Había sido uno de los proyectos de investigación del historiador, unos pocos meses atrás, lo que había llevado a la tripulación del *Oregon* a Libia para organizar el rescate de la secretaria de Estado, Fiona Catamora.

—Muy bien, señor. ¿Y usted?

—Digamos que un poco hambriento. La cena todavía está en el horno, y con el aroma se me está haciendo la boca agua. —El segundo gran amor de Perlmutter era la comida y, cuando se le conocía, se veía que comía con placer—. Dígame que está aquí y que por fin podré hacer un recorrido por su nave.

—Max Hanley y yo estamos aquí, pero el *Oregon* está en alta mar. —No había ninguna razón para no decirle a Perlmutter dónde estaba el barco, pero Juan no sabía si el teléfono del historiador estaba pinchado—. Me preguntaba si podía escarbar en su cerebro.

—Dios mío, señor, empieza a hablar como Dirk. Solo llama para pedir información. Al menos sus hijos tienen la decencia de traerme algo cuando recurren a su viejo tío St. Julien para explotar su conocimiento.

—Max y yo estamos en el estado de Washington. Le enviaremos algunas de sus famosas manzanas.

—Que sean centollos y trato hecho. ¿Qué quiere saber?

—La Flota del Tesoro china.

—Ah, el almirante Zheng. ¿Qué necesita?

—La verdad es que estoy hablando del almirante Tsai Song.

—Me temo que es un mito —comenzó Perlmutter, pero luego se detuvo un momento—. ¿Ha encontrado pruebas de que existió de verdad? ¿Es real?

—¿Conoce la historia del pozo del tesoro de Pine Island?

—Sí, por supuesto. —La voz de Perlmutter de pronto subió un par de octavas—. Dios mío, ¿aquel fue Tsai?

—Hay una cámara secreta que sale del pozo principal. Allí dejó una placa que contiene una pista del lugar donde abandonaron uno de sus barcos.

—Así que, después de todo, no es el botín de un pirata. Nunca creí que lo fuese, pero es fantástico. El viaje de Tsai Song se consideraba una simple historia, inventada en el siglo XVIII para afirmar el orgullo nacional cuando China estaba a punto de atravesar un período de disturbios debido a la intervención inglesa.

—Algo así como: «Atención, una vez tuvimos un imperio mayor que el de ustedes».

—Así es. Escuche, capitán Cabrillo...

—Juan, por favor.

—Juan, en realidad yo no soy la persona con la que debe hablar. Todo lo que sé es que hay quien afirma que Tsai navegó hasta América y regresó a China en algún momento a finales de 1400. Le pondré en contacto con Tamara Wright. Es una historiadora muy buena que escribió un excelente libro sobre el viaje del almirante Zheng a India y África y que ha recopilado la historia de la leyenda del almirante Tsai. ¿Puedo llamarle en diez minutos?

—Por supuesto. —Le dio el número del móvil y miró a Max—. Acabas de ser testigo de un hecho histórico, amigo mío. Dirk Pitt me dijo una vez que, a pesar de los años que hace que conoce a Perlmutter, nunca ha sido capaz de sorprenderle.

Como no conocía a St. Julien, Hanley no se mostró en absoluto impresionado.

—Lo mencionaré la próxima vez que vaya a la NUMA.

El teléfono de Juan sonó unos pocos minutos más tarde.

—Malas noticias. Tamara se ha ido de vacaciones y no volverá a su despacho en Dartmouth hasta el próximo lunes.

—Por razones que no puedo explicarle —dijo Juan—, el tiempo puede ser un factor esencial. Solo necesitamos un par de minutos de su tiempo.

—Lo lamento, pero no está disponible. La estudiante que me atendió en su despacho dijo que Tamara se dejó el móvil.

—¿Sabe dónde ha ido de vacaciones? Quizá haya alguna manera de encontrarla.

—¿De verdad es tan importante? —preguntó Perlmutter, y después habló de nuevo antes de que Juan pudiese responder—. Por supuesto que lo es, de lo contrario no hubiese preguntado. Está haciendo un crucero por el río Mississippi a bordo del *Natchez Belle*. No tengo ni idea de dónde están ahora mismo, pero sin duda podrá conseguir la información de la empresa naviera.

—Ya estoy buscando la página web —dijo Cabrillo—. Muchas gracias, señor Perlmutter.

—Olvídese de mis cangrejos y envíeme una traducción de aquella placa. Estaremos en contacto.

—Hecho —dijo Juan y colgó.

—¿Tienes algo? —preguntó Max.

Juan giró el ordenador portátil para que Hanley pudiese verlo. En la pantalla aparecía un hermoso barco blanco a paletas, el humo salía por las dos delgadas chimeneas y la gente saludaba desde las tres cubiertas con forma de tarta de bodas. En el fondo estaba el famoso St. Louis Arch, uno de los puertos para cruceros donde solía detenerse.

—¿Preparado para hacer saltar la banca en un casino flotante?

—Me dejé la pistola Derringer en la casa franca. —Max se tiró de los puños de la camisa—. Pero podré encontrar algunos ases. ¿Dónde está ahora?

—Podremos embarcar en Vicksburg y después volver a Natchez, Mississippi —dijo Juan. Compró los dos pasajes para un viaje de un día y los billetes del avión que les llevaría hasta allí—.

Después nos reuniremos con el *Oregon* en Río de Janeiro y pondremos rumbo a Sudáfrica, o veremos qué nos depara el destino.

—Te estás divirtiendo, ¿verdad? —Max estaba complacido.

—Menos cuando me disparan y me dejan abandonado en un pozo de sesenta metros durante unas horas, sí, me divierto.

Hanley se rió.

—También te gustó esa parte.

Juan solo sonrió.

17

El aeropuerto importante más cercano a Vicksburg estaba en Jackson, Mississippi, a ochenta kilómetros al este. La humedad que abofeteó a Cabrillo cuando salió de la terminal le hizo creer que estaba de nuevo en el Amazonas. El aire se ondulaba con el calor, y le parecía que no conseguía llenar los pulmones. Las gotas de sudor que aparecieron en la calva de Max lo obligaron a enjugarse la frente con un pañuelo.

—¡Dios mío! —exclamó Hanley—. ¿A qué distancia está este lugar del sol? ¿A quince kilómetros?

—A veintiocho —contestó Juan—. Lo he leído en una revista en el avión.

Sufrían todavía más por el calor porque ambos se habían puesto las americanas después de recuperar las pistolas del equipaje facturado.

En vez de perder tiempo con las formalidades de alquilar otro coche, decidieron tomar un taxi. Una vez que encontraron un taxista y acordaron un precio, metieron el equipaje en el maletero y se acomodaron en el frío ártico del aire acondicionado del taxi.

Como había mucho tráfico, les llevó algo más de una hora llegar a su destino, pero llegaron con tiempo de sobra. El *Natchez Belle* zarparía hacia la ciudad que le daba nombre al cabo de cuarenta minutos.

Estaba amarrado detrás de una estructura que imitaba un costado de un barco a vapor a paletas que albergaba uno de los casinos que funcionaban a la sombra de los puentes de Vicksburg; un par de estructuras de acero cruzaban el fangoso Mississippi. La pasarela estaba bajada en el mismo aparcamiento. Habían instalado una tienda blanca, y la rítmica música de una orquesta de jazz llegó hasta donde estaban los hombres; el taxista emprendió el camino de regreso. Había docenas de personas que paseaban por la explanada con platos de aperitivos y copas en las manos. Parte del personal del barco, vestidos con trajes de época, se ocupaban de atender a los viajeros.

—Qué te parece si jugamos. —Max ya se había olvidado del calor.

—Olvídalo, ya perdiste suficiente en Las Vegas. Sabes, todo esto a mí no me parece bien. Vicksburg fue el escenario de una de las batallas más famosas de la guerra civil. Me cuesta hacerme a la idea de que aquí haya casinos. Es como construir un Eurodisney en las playas de Normandía.

—Estoy seguro de que muchos estarían de acuerdo, pero otros muchos más agradecen las ganancias y el trabajo.

Juan lo admitió con un gesto.

—Ahora que lo pienso, no tengo la menor idea de qué aspecto tiene Tamara Wright. —Ya tenía el móvil en la mano para llamar a Perlmutter cuando comenzó a sonar.

—Director, aquí St. Julien.

—Deben de haberle zumbado los oídos, porque justo ahora iba a llamarle. No sabemos qué aspecto tiene la profesora Wright.

—Es alta, casi un metro ochenta; es una afroamericana de piel clara. La última vez que la vi llevaba el pelo lacio, pero de eso hace varios años. Puede reconocerla porque siempre lleva un colgante taijitu de oro.

—¿Un qué?

—Es el símbolo taoísta del yin y el yang. Una mitad negra, la otra blanca. Pero eso no es lo importante. Su ayudante acaba de llamarme de nuevo. Dice que anoche recibió otra llamada de un hombre que preguntaba por Tamara. Pero hasta ahora no se le había ocurrido llamarme.

Juan sintió un puño en la boca del estómago.

—¿Qué le dijo a ese hombre?

—Todo. No creyó que estuviese revelando nada confidencial.

—¿El hombre se identificó?

—Sí, dijo que era un profesor que venía de Argentina y quería encontrarse con Tamara.

El puño helado se extendió al pecho de Cabrillo. Comenzó a mirar a un lado y a otro del pequeño aparcamiento esperando ver al comandante argentino en cualquier momento.

—Esto no es bueno, ¿verdad? —preguntó Perlmutter.

—No, no lo es. Significa que la vida de la profesora Wright está en peligro.

Al oírle, Max Hanley también comenzó a fijarse en el público.

—Gracias por el aviso, St. Julien —dijo Cabrillo y cortó la comunicación.

—Unos tipos insistentes, ¿no? —opinó Max.

—Siempre van una hora por detrás de nosotros.

—¿Cómo crees que se enteraron de la existencia de la profesora Wright?

—De la misma manera que hubiésemos hecho nosotros de no haber llamado a Perlmutter. Anoche la busqué en Google después de que te fueras a la cama. Goza de fama mundial por sus conocimientos de la navegación y el comercio de la antigua China. Si quisiera saber más del almirante Tsai, ella es la persona con la que debería hablar.

—Supongo que eso significa que el calco que arrojaste a la cocina en la casa de Ronish sobrevivió al fuego —comentó Max.

—¿Qué puedo decir? Fue un mal lanzamiento. Subamos a bordo y busquemos a la doctora Wright. Aquí tengo la sensación de llevar una diana pinchada en la espalda.

A pesar de su aspecto antiguo, el *Nachetz Belle* era un barco moderno construido con todas las comodidades para los setenta pasajeros que podía llevar de una vez entre San Luis y Nueva Orleans. Las dos altas y delgadas chimeneas eran un decorado, como lo era la enorme rueda roja a popa que batía las aguas rítmicamente. Las hélices debajo del espejo de popa eran las que impulsaban el navío.

El interior era tan decorativo y estaba tan adornado como el exterior. Las maderas brillaban bajo innumerables capas de cera, y todos los objetos de latón relucían como el oro. La alfombra que pisaron cuando se acercaron al mostrador de la recepción era tan mullida como cualquiera de las del *Oregon*.

Los dos hombres se registraron. Juan ya solo disponía de una última identidad falsa, porque había tenido que quemar la que utilizó para alquilar el todoterreno en Washington. Preguntó por la doctora Tamara Wright, pero la recepcionista, con una falda con miriñaque y un corpiño ajustado, le respondió que no daban información sobre los pasajeros. Tendrían que encontrarla ellos mismos.

El camarote revestido de madera era diminuto pero al menos tenían un balcón que daba al lado del río correspondiente a Luisiana. Cuando Max comentó que el baño era más pequeño que una cabina de teléfonos, Cabrillo replicó que no estaban allí para disfrutar del viaje. No deshicieron el equipaje y dejaron el camarote de inmediato.

Antes de subir a bordo habían buscado entre las personas que participaban en el cóctel del muelle. La doctora Wright no estaba entre los invitados, así que el siguiente lugar lógico sería en su camarote o en la cubierta. Esperaban encontrarla, convencerla de que estaba en peligro y sacarla antes de que apareciesen los argentinos. Si no era así, la vigilarían hasta el próximo puerto y entonces escaparían.

Había un bar en la sección de popa de la cubierta superior que daba a la rueda de palas que giraba libremente impulsada por la corriente. Una gran toldilla de lona blanca resguardaba el bar de los últimos rayos del sol poniente. Unos pocos pasajeros estaban sentados allí, y había unos cuantos más repartidos en los sofás cercanos, pero ninguno correspondía a la descripción de Tamara Wright. Un poco más a proa, a la sombra de las falsas chimeneas del *Natchez Belle*, había una piscina con capacidad para diez personas. Al igual que el bar, parecía muy frecuentada por el pasaje, pero no había ninguna señal de la doctora Wright.

—¿Qué te parece? —preguntó Max.

—Creo que iremos a Natchez —contestó Juan.

—En ese caso podríamos vestirnos para la cena.

Ninguno de los dos se había molestado en llevar un traje, así que tuvieron que arreglarse con una camisa limpia y las americanas que llevaban. Cuando salieron del camarote ya habían levantado la pasarela, que ahora estaba colocada paralela a una banda del barco. La vieja sirena de vapor —o al menos una versión electrónica de la misma— señaló con varios bocinazos que el barco estaba a punto de zarpar.

Mientras muchos de los pasajeros se acomodaban en las bordas o en los balcones de los camarotes para decir adiós a Vicksburg, Cabrillo y Hanley recorrían el *Natchez Belle* en busca de Tamara o del grupo de asesinos argentinos. No encontraron a nadie.

Ambos hombres se tranquilizaron un poco. Cuando apareciesen los argentinos, como no dudaban que sucedería, ya habrían llegado a su próximo destino. Para entonces, Tamara Wright estaría al corriente del peligro que la amenazaba y podrían sacarla del barco. Cabrillo ya había elaborado un plan.

Volvieron al bar en la cubierta principal, donde la mayoría de los pasajeros estaban disfrutando de otra copa antes de la cena y escuchaban a la orquesta de jazz. Un concierto del legendario pianista de jazz Lionel Couture estaba anunciado para después de la cena.

De pronto, Max golpeó el pecho de Juan con el dorso de la mano y señaló.

—Creo que estoy enamorado.

La mayoría de las personas que habían visto eran parejas

mayores que estaban despilfarrando la herencia de sus hijos, así que Cabrillo no entendió de qué hablaba su amigo. No creía que se refiriese al camarero con bigote vestido con una chaqueta blanca. Al menos, confiaba en que no. El camarero cambió de posición y Juan vio con claridad a la mujer sentada al otro lado.

Ahora lo entendía.

—Es ella, ¿verdad? —preguntó.

—Fíjate en el collar. Es el que mencionó Perlmutter.

Tamara Wright debía de haber sido una extraordinaria belleza en su juventud, y ahora, en la cincuentena, seguía siendo una mujer muy guapa. Tenía la piel color café con leche sin una sola arruga y el pelo negro, lustroso como el ala de un cuervo y largo hasta los hombros. Al sonreír por algo que había dicho el camarero, dejó a la vista los dientes más blancos que Juan hubiese visto nunca. Llevaba un vestido de tirantes estampado.

Se había imaginado a una erudita de aspecto monjil cuando St. Julien la había descrito y ahora estaba encantado de admitir su error.

Juan tuvo que alargar el paso para mantenerse a la par de Hanley, que iba hacia ella como un elefante en una cacharrería.

—Doctora Wright —dijo Max con toda la galantería de que fue capaz—. Me llamo Max Hanley.

Una intrigada pero complacida mirada hizo que su sonrisa resultase todavía más encantadora.

—Lo siento. ¿Nos conocemos?

Antes de que Max comenzase lo que podría ser un largo asalto a su virtud, intervino Juan.

—No, señora, no nos conoce, pero hemos venido porque St. Julien Perlmutter nos dijo que la encontraríamos aquí.

—¿Conocen a St. Julien?

—En efecto, y dijo que usted conocía la historia de un almirante chino que él, por mucho que le doliera admitirlo, desconocía.

La historiadora se mostró realmente intrigada.

—¿Quién es usted?

—Me llamo Cabrillo. Juan Cabrillo. Hace un par de días, mi socio aquí presente y yo descubrimos un escrito en el fondo del pozo del tesoro de Pine Island que había dejado allí el almirante Tsai Song en 1498.

Se quedó boquiabierta por un momento antes de darse cuenta de que los miraba con asombro. Bebió un sorbo de vino blanco para calmarse. Hanley y Cabrillo no parecían personas que gastaran bromas pesadas. Al contrario, se les veía muy serios.

—¿Es verdad? —Su voz fue un susurro lleno de asombro.

—Sí —dijo Max, con una sonrisa feliz porque había sido capaz de ofrecerle una información que ella apreciaba.

—Un momento —dijo Tamara de pronto—. ¿Pine Island no es un lugar donde se supone que un pirata enterró su tesoro?

—La realidad es incluso más sorprendente que la leyenda —respondió Juan. Había decidido sacarle toda la información posible antes de hablarle de la amenaza argentina. No quería correr el riesgo de que se negara a cooperar—. Por favor, ¿qué puede decirnos del almirante Tsai?

—La razón por la que se sabe tan poco de este personaje es porque cuando regresó a China había un nuevo emperador en el trono, contrario a que sus súbditos abandonasen el Reino Medio, así que ordenó matar a Tsai y a su tripulación para que no pudiesen contaminar al pueblo con relatos del mundo exterior. Uno de los hombres consiguió escapar, y por él sabemos de ese viaje.

Hablaba del tema con auténtica pasión. Si bien Juan había formulado la pregunta, ella dirigía casi toda su atención a Max.

—Háblenos de la nave que se vieron forzados a abandonar. Tsai escribió que sus hombres habían sido poseídos por un demonio, pero no dejó ninguna explicación de qué pasó en realidad.

—Sí, aquella nave se llamaba *Mar del Silencio*. Tsai se vio forzado a hundirla y a matar a toda su tripulación porque se habían vuelto locos.

—¿Dónde ocurrió todo esto? —preguntó Max.

—El superviviente no era más que un marinero, no un navegante. Solo dijo que ocurrió en una tierra de hielo.

—Curioso —dijo Juan—. ¿Cómo es...?

—¿Que una mujer negra se ha convertido en una erudita de la historia marítima china?

—No, iba a preguntarle cómo es que la historia ha perdurado durante tanto tiempo, pero ya que lo ha mencionado...

—Mi padre era un ingeniero electrónico que pasó la mayor parte de su vida profesional en Taiwán. Me crié en Taipéi. Fue allí donde me licencié. Cuando acabé la carrera regresamos a Estados Unidos. En cuanto a cómo perduró la historia, el superviviente, Zedong Cho, la escribió en su vejez. Vivía en Taiwán, que entonces era otra provincia china. El manuscrito permaneció en manos de la familia, pero después de unas pocas generaciones empezó a considerarse una ficción, la fantasía de un viejo antepasado con mucha imaginación. Me enteré de su existencia porque mi compañera de habitación durante los cuatro años en la universidad era Susan Zedong, una descendiente de Cho. Por supuesto, no había manera de probar la existencia del almirante Tsai, porque el emperador borró cualquier prueba de él y de sus hombres. Así que la historia continuó siendo solo eso, una historia.

—Hasta ahora —le recordó Max.

—Hasta ahora —dijo ella y le dirigió una sonrisa.

Cabrillo vio con toda claridad que allí ocurría algo, pero por mucho que le hubiese gustado dejarlos un rato a solas, el tiempo era un lujo del que no disponía.

—¿Dice cuál fue la causa de la locura? —Estaba pensando en el informe de Linda Ross. Coincidencia era una palabra que no formaba parte de su trabajo.

—El *Mar del Silencio* se separó de las otras dos naves un mes durante su viaje a Sudamérica. Recalaron en una isla remota, pero, por favor, no me pregunte cuál, y cambiaron con los nativos algunos de los productos que llevaban a bordo por víveres frescos. Es la única diferencia. Por lo demás, todo coincide con las experiencias de las otras naves, así que siempre he creído que la comida estaba contaminada.

—Si me perdonan un momento... —dijo Juan, y se apartó.

Max no podía sentirse más feliz.

Juan llamó al *Oregon* y pidió que le pasaran con la doctora Huxley.

—Hux, soy Juan.

—Hola, ¿dónde estáis?

—Te lo creas o no, en un barco en el Mississippi.

—Allí hace sol y calor, ¿no? —Había envidia en la voz de la doctora del barco.

—El sol acaba de ponerse, pero la temperatura todavía ronda los veintisiete grados.

—Y llamas para darme envidia. Eso es cruel, director, incluso para ti.

—Escucha, ¿has tenido la oportunidad de analizar las muestras que le pediste a Murphy que trajese de Wilson-George?

—Todavía no.

—Busca priones.

—¿Priones... de verdad? ¿Crees que Andrew Gangle tenía la enfermedad de las vacas locas?

—Sí, una variante, y creo que se contagió del otro cadáver. Los priones no mueren, ¿verdad?

—Solo son proteínas, así que en realidad no viven. Pero, sí, en cierto sentido no mueren.

—Por lo tanto, alguien podría contagiarse si los priones entraran en el torrente sanguíneo, por ejemplo al clavarse por accidente el hueso de un cadáver infectado.

Julia no titubeó.

—En teoría. ¿De dónde viene todo este razonamiento?

—De un barco chino que no está donde se supone que debía estar. Hazme un favor y dile a Mark y a Stone que dejen de estudiar el mapa. He encontrado la bahía. —No dijo nada más. Se despidió de la doctora y fue a reunirse con Max y Tamara, que se reía de un chiste que Hanley acababa de contarle.

—¿De qué iba toda esa historia? —preguntó Max.

—Solo es una corazonada sobre la comida contaminada a bordo del *Mar del Silencio* —respondió el director. El canibalismo era una práctica común en varias islas del Pacífico y, si estaba en lo cierto, sabía qué tipo de comida habían comprado los chinos—. ¿Qué carga llevaba el junco?

—Iba cargado con todos los artículos que los chinos estiman, desde oro y especias hasta seda y jade —contestó Tamara—. Querían obtener lo mejor cuando trataran con los nativos que encontrasen en su viaje, así que solo llevaban lo mejor. ¿Qué más escribió el almirante Tsai?

—Tengo una traducción en mi camarote —contestó Juan—. Será un placer darle una copia.

En ese momento la orquesta dejó de tocar y Juan oyó el sordo retumbar de unos poderosos motores. Adivinó qué era incluso antes de levantarse de un salto. Su súbito movimiento alertó a Max.

Juan corrió a la borda del barco y miró las oscuras aguas. Había suficiente luz en el cielo para ver que una planeadora de doce metros estaba junto al *Natchez Belle*. En ella había cuatro hombres vestidos con prendas oscuras y pasamontañas tapándoles el rostro. Tantas cosas pasaron por su mente en aquel momento, tantas explicaciones de lo que aquella tenaz persecución significaba... Pero no tenía tiempo para pensar en ellas.

Uno de los hombres ya había saltado la angosta brecha que había desde la planeadora a la cubierta inferior del lento barco fluvial.

Eran cuatro. Uno tendría que quedarse en la planeadora, lo cual significaba que tres abordarían el *Natchez Belle.* Juan y Max se habían enfrentado a situaciones más difíciles, pero tenía que pensar en la seguridad de los demás pasajeros. Por lo que había visto de los argentinos, no vacilarían en disparar a civiles.

—Max, quédate con Tamara. Salta por la borda si es necesario.

Hanley no había desenfundado la pistola, pero su mano estaba preparada debajo de la americana.

—¿Qué está pasando? —preguntó Tamara, al advertir la tensión en sus nuevos compañeros.

—Está en peligro —dijo Max—. Tiene que confiar en nosotros.

—Pero yo no...

—No hay tiempo. Por favor, confíe en mí —la interrumpió Max.

Juan ya iba camino de la escalerilla principal que llevaba a las cubiertas inferiores cuando oyó gritos que llegaban desde abajo. Supuso que los argentinos ya estaban todos a bordo y que mostraban las armas. Vio a una multitud dominada por el pánico que subía por la escalera. No había manera de que pudiese abrirse camino entre aquella muchedumbre que gritaba.

Se volvió rápidamente y corrió hacia proa. Junto a la piscina había una claraboya piramidal hecha con docenas de paneles de cristal montados en un marco de hierro forjado. Rompió a puntapiés algunos de los paneles; los trozos de cristal cayeron sobre las mesas del comedor que estaba abajo. Se oyeron más gritos de los sorprendidos comensales que todavía no se habían enterado de lo que ocurría.

Cabrillo saltó a través de la abertura que había hecho y aterrizó sobre una mesa un poco más allá del centro. La mesa se hizo pedazos y él rodó hasta el suelo en medio de una avalancha de comida, cubiertos y platos. Al rodar chocó con una matrona que cayó de espaldas con las gruesas piernas apuntando al cielo. Inició un cómico pedaleo cuando intentó levantarse.

Juan se puso de pie; apestaba a vino y verduras. Sintió un ligero tirón en un tobillo. No era un esguince, pero se lo había torcido. Mientras algunos pasajeros miraban, el marido de la mujer que había derribado comenzó a gritar. Quiso empujar a Cabrillo por el hombro, pero este lo esquivó, giró sobre sí mismo y empujó al hombre por la espalda en una maniobra que parecía la de un torero que elude la embestida de un toro.

Ocurrió tan rápido que el airado marido dio dos pasos antes de comprender que su objetivo había quedado atrás. Se volvió para seguir con el intento pero se detuvo en el acto cuando vio que Juan había desenfundado la pistola. Cabrillo no le apuntó, aunque se aseguró de que el tipo viese el arma y buscase otra forma de defender el honor de su esposa. Ella seguía sin conseguir bajar las piernas ni desatascar la espalda de la silla caída.

Las puertas de cristal que daban al comedor se abrieron de pronto. Entraron dos de los pistoleros. Sonaron más gritos cuando los pasajeros vieron los fusiles de asalto. Cabrillo vio que eran Ruger Mini-14, uno de los mejores rifles de uso civil que se fabricaban. No tenía un tiro limpio, porque las personas corrían para huir de los intrusos armados. Algunos se lanzaron debajo de las mesas y otros parecían haber echado raíces donde estaban, asustados y con los rostros desencajados.

Los asaltantes recorrieron el comedor buscando a Tamara Wright. Probablemente habían conseguido su foto en internet, algo que Cabrillo había olvidado hacer. Juan se volvió un poco y se agachó para que no pudiesen verle la cara.

—Todo el mundo contra la pared de atrás.

Cabrillo reconoció la voz del comandante argentino.

Había un camarero junto a la puerta de la cocina. Intentó escapar por allí con mucho sigilo. El segundo pistolero vio el movimiento y disparó sin vacilar. La bala le alcanzó en el pecho a tal velocidad que lo atravesó y se perdió en la cocina, donde rebotó contra algún cacharro.

Los gritos de los pasajeros aumentaron hasta llenar todo el comedor. Cabrillo aprovechó el nuevo ataque de pánico para ponerse en movimiento. Sabía que una vez que los pistoleros se hiciesen con el control del salón sería hombre muerto. Corrió hacia la gran ventana que daba al río oscuro. Dio cuatro pasos antes de que los argentinos reaccionasen. Las balas de los rifles semiautomáticos zumbaron a su alrededor. Las copas y los platos estallaban en las mesas cuando los alcanzaban los proyectiles. Una bala hirió en el brazo a un hombre vestido con esmoquin. Se encontraba tan cerca de Cabrillo que la sangre salpicó la manga de Juan.

Varias balas más impactaron en la ventana. Resquebrajaron el cristal y lo debilitaron lo suficiente para que, cuando Cabrillo se arrojó a través de ella, se derrumbara espectacularmente. Cayó al Mississippi en medio de una lluvia de cristales e intentó sumergirse cuanto pudo.

A pocos centímetros debajo de la superficie, el agua era negra como la brea. Palpándolo, nadó a lo largo del casco mientras el *Natchez Belle* seguía viaje al sur. Notaba la vibración de las hélices y oía el implacable batir de las palas decorativas de popa.

Juan salió a la superficie a la altura del casco y la cubierta, en una zona protegida desde arriba. El barco se movía a unos cuatro nudos, y su movimiento le arrastraba por el agua casi a la misma velocidad. Guardó la pistola en la funda para tener las manos libres.

Igual que en los tradicionales barcos que llevan las palas a popa había un émbolo que sobresalía por un costado del barco, como los pistones que empujan las grandes ruedas de una locomotora. En el *Natchez Belle* no cumplía ninguna función, solo era otro elemento para darle más autenticidad.

Juan estiró las manos y se sujetó a uno de los soportes. No había nada que le permitiese subir más arriba una vez que su torso quedó fuera del agua. Esa parte del barco era como una pared. En parte estaba a bordo, pero atrapado junto a la línea de flotación. El émbolo le bajó de nuevo al río como si fuese una bolsa de té antes de volver a subirle. La repetición de aquel movimiento le provocaba náuseas. Más disparos atravesaron la noche desde el interior de la superestructura. Se acababa el tiempo, y sabía qué debía hacer.

Ayudándose primero con una mano y luego con la otra, se movió poco a poco hacia popa, hasta que la rueda de diez metros de diámetro asomó por encima de sus hombros y batió el agua junto a su cintura. A diferencia de los barcos originales, donde las palas estaban hechas de madera sujetas a un marco de acero, la rueda del *Natchez Belle* era toda de metal.

Juan la observó en el resplandor de las luces que brillaban sobre el espejo de popa, y calculó la rotación y el ritmo del émbolo hasta que estuvo seguro.

Se lanzó por una de las palas con ambas manos y consiguió poner los dedos en posición justo antes de que le llevase hacia abajo. El brusco tirón de su cuerpo amenazó con descoyuntarle los brazos, pero no se soltaría por nada del mundo. Tan rápido como se había visto arrastrado debajo de la superficie volvió a emerger chorreando agua. Estaba de espaldas al barco, así que en los segundos de que disponía se giró para que, cuando llegara a lo alto de la rueda, mirara las ventanas de la suite presidencial, justo debajo del bar en la planta alta.

El impulso le arrojó contra el cristal con fuerza más que suficiente para romperlo. Aterrizó en una gran cama de matrimonio y de un salto se puso de pie. Una mujer envuelta en una toalla acababa de salir del baño. Empezó a gritarle, mientras Juan se sacudía los trozos de cristal, chorreando agua.

En momentos como ese, Juan solía ser muy hábil para escabullirse con una frase elegante, pero estaba demasiado aturdido por el impacto y el viaje alrededor de la rueda. Dirigió a la mujer una sonrisa encantadora y salió del camarote.

Solo habían pasado diez minutos desde que se había zambullido en el río. Diez minutos en los que Max había estado solo, enfrentándose con tres rivales. Juan sacó la pistola, corrió el cerrojo para vaciarla y sopló en el cargador. Era lo único que podía hacer, pero la Glock era un arma resistente que hasta entonces nunca le había fallado.

El pasillo estaba desierto. Unas lámparas de color naranja que imitaban a las velas proyectaban sombras desde los soportes en la pared. Le daban al pasillo en penumbra el aspecto de una casa embrujada. Los zapatos de Juan chapoteaban con cada pisada y estaba dejando un rastro de apestosa agua de río a medida que avanzaba. De pronto se entreabrió una puerta y vio un ojo que le espiaba.

—Cierre la puerta y quédese dentro —dijo Juan.

La persona no necesitó que se lo repitiese. Incluso de no haber ido armado, la voz de Juan imponía obediencia.

Los gritos habían cesado, lo que en una situación con rehenes significaba que los pistoleros tenían el control absoluto y la multitud se mostraba dócil. No era una buena señal.

Juan encontró una escalerilla, asomó la cabeza un instante y subió al ver que estaba despejado. Continuó subiendo hasta que atisbó el suelo de la cubierta superior. Desde donde él estaba parecía desierta, así que llegó arriba. A pesar del aire cálido, sentía frío por las ropas empapadas.

Había un grupo de personas de pie y otras arrodilladas alrededor de un cuerpo caído. Cabrillo tuvo la sensación de que el corazón se le paraba. No había ningún pistolero argentino allí, solo pasajeros, pero enseguida supo quién era.

Corrió desde su posición oculta. Una mujer gritó cuando le vio dirigirse hacia el grupo con una pistola en la mano. Otros se giraron, pero Juan no les hizo caso. Se abrió paso en el círculo de personas.

Max Hanley yacía tumbado de espaldas, con la mitad del rostro empapado por la sangre que formaba un charco oscuro en la pulida cubierta de madera. Juan le sujetó la cabeza y apretó los dedos en el cuello de su amigo en busca del pulso. Para su sorpresa, lo encontró y era fuerte.

—Max —llamó—. ¿Max, puedes oírme? —Miró a la multitud que les observaba—. ¿Qué ha pasado?

—Le dispararon, y los pistoleros se llevaron a una mujer con ellos escaleras abajo.

Cabrillo utilizó el faldón de la americana para limpiar la sangre y vio una herida como una trinchera a lo largo de la sien de Hanley. La bala le había rozado. Probablemente Max tenía una conmoción y desde luego necesitaría varios puntos de sutura, pero todo indicaba que se recuperaría sin problemas.

Juan se levantó.

—Por favor, cuiden de él.

Se abalanzó de nuevo escaleras abajo. La ira y la adrenalina lo volvían temerario. Los argentinos habían abordado el *Natchez Belle* por babor, así que cruzó corriendo de una banda a la otra y bajó por otras escaleras hasta la cubierta principal.

Delante estaba la puerta de entrada que horas antes él y Max habían cruzado para subir a bordo. Estaba abierta y a través del hueco vio la silueta oscura de un hombre. Gritó, y cuando el hombre se volvió vio que llevaba un pasamontañas. Cabrillo le disparó dos veces al pecho. El pistolero se desplomó de espaldas, su cabeza golpeó algo con un sonido hueco y a continuación cayó al agua.

Un instante más tarde, unos motores rugieron. Juan cruzó la puerta abierta y vio la popa de la planeadora que se alejaba; el agua formaba una burbujeante cresta de gallo en su estela mientras ganaba velocidad. Alzó la pistola sujeta con las dos manos en posición de combate pero no disparó. Estaba demasiado oscuro para ver algo que no fuesen sombras, y no podía arriesgarse a herir a Tamara.

Se dobló por la cintura, con la respiración agitada, y luchó para controlar sus emociones.

Había fracasado. No había otra manera de verlo. Había fracasado, y ahora Tamara Wright iba a pagar por ello. Se volvió, furioso consigo mismo, y, llevado por una rabia estúpida alimentada por la testosterona, descargó un puñetazo contra un espejo colgado en una pared cercana. Su reflejo se destrozó en mil pedazos y sus nudillos se empaparon de sangre.

Juan respiró hondo un par de veces más para controlarse e intentar que su cerebro pensase de nuevo de forma racional. La lista de favores que necesitaría reclamar para conseguir que le sacaran a él y a Max de aquel embrollo iba a ser monstruosa.

Sin embargo, por ahora, lo importante era Max. Sintió la vibración del teléfono mientras subía los escalones de dos en dos, pero no hizo caso. Que hubiese sobrevivido milagrosamente a la inmersión era un hecho tan poco importante que ni siquiera pensó en ello. Tuvo la sensación de que algo había cambiado en el barco, y el marinero que había en su interior le dijo que el capitán del *Natchez Belle* había aminorado la velocidad para virar y emprender el viaje de regreso a Vicksburg, donde todos los policías de servicio les estarían esperando.

Tendría que inventarse muchas explicaciones para evitar que le metiesen en la cárcel. Los tiroteos no eran lo más grave, porque antes o después se demostrarían justificados, pero quedaban la identificación falsa, las armas sin registrar y que él y Max habían mentido en la aduana para entrar en el país. Esta era la razón por la que Juan prefería trabajar en el Tercer Mundo. Allí, un soborno en las manos adecuadas te compraba la libertad. Aquí, añadía otro par de años a la condena.

En la cubierta, los pasajeros seguían rodeando a Max, pero Juan vio que su amigo se había sentado. Le habían limpiado la sangre del rostro y un hombre le sujetaba una toalla de bar en la herida.

—Lo siento —dijo cuando Juan se puso en cuclillas a su lado—. Intenté poner a Tamara detrás de mí, pero el tipo disparó. Una bala se perdió en el aire, pero la segunda... —Se señaló la cabeza—. Me desplomé como un saco de patatas. ¿Se la han llevado?

—Abatí a uno de ellos, pero sí, se la han llevado.

—Maldita sea.

—Es poco decir. —El teléfono de Juan vibró de nuevo. Esta vez lo sacó para ver quién llamaba—. Esto no puede ser bueno. Langston, llamas en el momento menos oportuno —le dijo al veterano agente de la CIA.

—No vas a creer lo que ha ocurrido hace dos horas.

Juan ya lo había deducido cuando los pistoleros asaltaron el barco.

—Argentina acaba de anunciar que se anexiona la península Antártica, y China ya ha reconocido su soberanía —dijo Juan.

—¿Cómo has podido...? —La voz de Overholt se apagó con incredulidad.

—También te garantizo que cuando esta cuestión se plantee mañana en Naciones Unidas, China utilizará el veto como miembro permanente del Consejo de Seguridad para acabar con cualquier resolución que condene el acto.

—Ya han anunciado que lo harán. ¿Cómo lo has sabido?

—La explicación es bastante larga, pero primero creo que necesitaré un favor. ¿Conoces a alguien en el Departamento de Policía de Vicksburg? —Cabrillo lo preguntó justo en el momento en el que el sobrecargo del barco aparecía con dos gigantes de la sala de máquinas que llevaban llaves inglesas del tamaño de bates de béisbol.

Un segundo más tarde, estaba tendido boca abajo en la cubierta, con uno de los gigantes sentado en su espalda mientras que el segundo gorila le sujetaba las piernas. El sobrecargo sujetaba la Glock en una mano como si fuese una tarántula y tenía el móvil de Cabrillo en la otra. Juan no se había molestado en presentar batalla. Podría haber vencido a los tres, pero tenía que pensar en Max.

Solo deseaba que Overholt le hubiese respondido, porque de lo contrario iba a ser una noche muy larga.

18

En total, perdieron dieciocho valiosas horas. Max pasó la mayor parte de ellas en el River Region Medical Center, donde le hicieron un escáner de cabeza y le suturaron la herida. Juan era huésped del Departamento del Sheriff de Warren County. Le tuvieron toda la noche en una sala sin ventanas, donde los detectives y los agentes le interrogaron sin piedad.

Les llevó dos horas determinar que su identificación era falsa. De haber previsto Cabrillo algún tipo de verificación, hubiese llevado consigo documentos que hubiesen resultado legítimos por mucho que las autoridades los investigasen. Pero no se esperaba este tipo de problemas, y ahora podían demostrar que su identidad era falsa. Una vez que supieron que no era William Duffy de Englewood, California —el nombre que aparecía en su segundo juego de documentos—, las preguntas se volvieron más duras y frecuentes.

Si bien su historia sobre la mujer secuestrada a bordo del *Natchez Belle* había sido confirmada por los demás pasajeros y la tripulación, la policía parecía más interesada en averiguar el cómo y el porqué de la presencia de él y de Max para impedir el ataque.

No había nada que Juan pudiese decir para convencerles de que aquello no formaba parte del plan. Y cuando llegó el informe de balística donde se demostraba que el cadáver sin identificar que llevaba un pasamontañas y que habían sacado del río había sido asesinado con el arma que la tripulación le había quitado, le amenazaron con una acusación de homicidio en primer grado. Disfrutaron señalándole que Mississippi era un estado en el que había pena de muerte.

El FBI llegó alrededor de las nueve de la mañana siguiente, y durante una hora, mientras se establecían las jurisdicciones, Cabrillo se quedó solo. Por pura diversión, fingió desmayarse. Cuatro polis, que habían estado mirando a través del espejo, entraron a toda prisa. Lo último que querían era que su prisionero escapase de la justicia porque hubiese muerto en la comisaría.

Calculó que eran las doce y media —le habían quitado el reloj al detenerle— cuando aparecieron dos tipos anónimos con trajes grises. Los polis y los agentes del FBI, que se habían alineado contra Cabrillo como una jauría de perros que se disputan un hueso, se mostraron nerviosos. Los hombres anónimos les dijeron que aquel era un asunto del Departamento de Seguridad Interior.

Las miradas hambrientas desaparecieron. Un perro todavía más grande les había arrebatado el hueso.

Le quitaron las esposas y las reemplazaron por otras que llevaban los agentes de Seguridad Interior. Después le entregaron sus pertenencias, incluida la maleta del *Natchez Belle,* y lo escoltaron al exterior. La luz del sol le pareció magnífica después de tantas horas sometido a las lámparas fluorescentes. Le llevaron sin decir palabra hasta un Crown Victoria negro al que solo le faltaba un cartel que dijese «vehículo del gobierno». Uno de los hombres abrió la puerta trasera. Max estaba sentado, con la mitad de la cabeza envuelta en vendajes y esparadrapos.

—¿Qué tal la cabeza?

—Duele como un demonio, pero la conmoción no es grave.

—Es una suerte que te disparasen a la cabeza, de lo contrario podrían haberte herido en alguna parte importante.

—Eres todo corazón.

En cuanto Cabrillo se sentó junto a Max, el vehículo se alejó de la oficina del sheriff. El agente en el asiento del acompañante se volvió con una llave pequeña en la mano. Juan no estaba seguro de qué quería hasta que vio que era la llave de las esposas. Levantó las manos y se las quitaron.

—Gracias. No le causaremos ningún problema. ¿Adónde nos llevan?

—Al aeropuerto.

—¿Y después?

—Eso es cosa suya, señor. Aunque mis órdenes son que le recomiende que deje el país.

Max y Juan intercambiaron una mirada burlona. Langston Overholt lo había conseguido. Solo Dios sabía cómo, pero los había sacado del berenjenal. Juan quería llamarle inmediatamente, pero su móvil se había estropeado al mojerse en el agua, y a Max no le habían devuelto el suyo.

Los agentes los dejaron en la acera, delante de la terminal de Jackson-Evers. Juan llamó a un taxi tan pronto como los perdieron de vista.

—Veo que no vamos a seguir su consejo —dijo Max.

—Claro que sí, pero no quiero oírte protestar porque vamos en un vuelo comercial. Aquí hay un servicio chárter.

—Eso está mejor.

Veinte minutos más tarde, mientras esperaban en la terminal de aviación general a que acabasen de cargar el combustible, Juan utilizó el ordenador como teléfono. Su primera llamada fue a Overholt.

—Entiendo que estáis fuera ¿verdad? —dijo el viejo agente de la CIA.

—Ahora mismo están cargando combustible en un avión. Max y yo te debemos una. ¿Cómo lo has hecho?

—Basta decir que se ha hecho, sin añadir nada más. ¿Cómo has logrado saber lo de Argentina?

Juan quería relatarle el secuestro de Tamara Wright pero, de momento, incluso alguien tan poderoso como Overholt no podía hacer más de lo que ya habían hecho la policía local y el FBI.

Le explicó lo que Linda Ross y su equipo habían descubierto en su inspección de la base científica argentina. También le habló del terrible hallazgo en Wilson-George.

—Ahora comprendo que dedujeses que Argentina iba a intentar hacerse con la península; llevan con ese ruido de sables desde hace años, incluso desde antes de la junta actual. Pero ¿China? Eso pilló por sorpresa a la CIA, al Departamento de Estado y a la Casa Blanca.

—Todo tiene su explicación. Cuando hablé contigo anoche, Max y yo estábamos con una mujer llamada Tamara Wright...

—¿La que secuestraron?

—¿Has leído el informe de la policía?

—Solo unos fragmentos. Se lo han tomado muy en serio, pero no hay pistas. Encontraron la planeadora en Natchez, donde habían robado una furgoneta de la casa de un lampista. Se ha dado la orden de busca y captura, pero hasta el momento no hay resultados.

—Supuse que ocurriría algo así. Son listos. Estoy seguro de que encontrarán la furgoneta donde robaron la planeadora. Allí debían de tener sus propios vehículos y ahora pueden estar en cualquier parte.

—De acuerdo. ¿Qué hay de China? —preguntó Overholt.

—La doctora Wright nos habló de una expedición china a finales de 1400, que envió tres naves a Sudamérica. —Juan hizo una breve pausa a la espera de que Overholt pusiese en duda la validez de la afirmación, pero el astuto agente sabía cuándo tenía que guardar silencio—. A bordo de uno de los barcos se propagó una enfermedad que volvió locos a los tripulantes. ¿Te suena familiar?

—El tipo en Wilson-George —dijo Langston.

—Ingirieron la comida contaminada que les vendieron los nativos de una isla. Creo que era carne humana, en su mayor parte sesos; de ahí procedían los priones. Hundieron la nave con la tripulación a bordo, y las dos restantes siguieron rumbo al norte y volvieron a China.

»Quinientos años más tarde, aparece Andrew Gangle, que encontró una momia en algún lugar cerca de la base. Llevaba consigo una bolsa con oro y jade. De alguna manera, se infectó; lo más probable es que se clavase por accidente una astilla de hueso. Contrajo el mal de los priones, que le comieron el cerebro hasta que se volvió loco.

—¿La nave hundida está frente a la costa de la Antártida? ¡Dios mío! —exclamó Overholt cuando tuvo la misma intuición que Cabrillo la noche anterior—. Si pueden demostrar que los exploradores chinos descubrieron la Antártida doscientos años antes que el primer europeo, ellos...

—Así es —asintió Juan—. Presentarán una reclamación del continente, o al menos de la península. Pero con Argentina ya bien atrincherada, la mejor jugada para ellos es convertirse en sus socios y compartir los despojos. Yo creo que esto llevaba preparándose desde hace tiempo, mucho antes de que nosotros interviniéramos. Creo que los argentinos cortejaban a los chinos porque les darían la protección de una superpotencia y el respaldo en Naciones Unidas. Fue el descubrimiento casual de aquel dirigible y los posteriores acontecimientos, como conseguir una prueba tangible de que los chinos habían visitado Sudamérica, lo que confirmó el trato.

—¿Los argentinos o los chinos conocen la ubicación de la tercera nave?

—Todavía no, pero podrán deducirlo si investigan a fondo. El dibujo del almirante Tsai era muy concreto. Un buen programa informático y Google Earth bastarían. Pero lo grave es lo siguiente: incluso si no la encuentran, todavía pueden afirmar que la nave llegó a la Antártida. ¿Quién se lo va a impedir?

—Nosotros.

—¿Cuál es la postura oficial de la Casa Blanca?

—Los acontecimientos se desarrollan demasiado deprisa. No han dicho gran cosa, más allá de las habituales condenas.

—¿Qué te dice tu instinto?

—Con toda sinceridad, no lo sé. En la actualidad, China tiene la parte del león de nuestra deuda nacional, y por ese lado nos tienen cogidos por el cuello. Además, ¿estaríamos dispuestos a iniciar una guerra por una parte del mundo que solo interesa a un puñado de personas?

—Es una cuestión de principios —señaló Juan—. ¿Nos mantenemos firmes en nuestros ideales y arriesgamos vidas por un puñado de pingüinos y un tratado de cuarenta años de antigüedad o les dejamos que se salgan con la suya?

—Es un buen resumen, pero no sé qué hará el presidente. Demonios, ni siquiera sé cómo me siento. Una parte de mí dice que mandemos a esos cabrones de vuelta a Pekín y Buenos Aires, pero en el fondo ¿qué más da? Que se queden con el petróleo y los pingüinos. No vale la pena poner a nuestros militares en peligro.

—Una jugada llena de peligros —asintió Juan, aunque en su mente la decisión estaba muy clara. Argentina había violado un tratado internacional al invadir un territorio vecino que no les pertenecía. Merecía que toda la ira de Estados Unidos y de cualquier otro signatario del Tratado Antártico cayera sobre ellos sin ninguna contemplación. De pronto recordó algo—. ¿La NASA ha podido analizar la pila que recuperamos del satélite abatido?

—Sí, y es posible que lo derribasen, como dijo tu instinto, aunque han eludido la cuestión y dicen que no puede determinarse la causa.

—¿Por qué se arriesgarían? —murmuró Cabrillo—. ¿Por qué, con todo lo que hay en juego, tomaron la decisión de arriesgarse y derribar uno de nuestros pájaros?

—Si quieres un verdadero rompecabezas, no se trataba de un satélite espía ni nunca hubo el menor rumor de que lo fuese. Estaba diseñado para controlar las emisiones de dióxido de carbono; sus mediciones hubiesen servido para verificar que los países se mantienen dentro de los límites establecidos cuando se firmara, si se hace, un nuevo tratado para reemplazar el protocolo de Kioto.

Juan permaneció en silencio unos momentos, mientras pensaba.

—Por supuesto —dijo—. Pueden ocultar la señal térmica de sus actividades antárticas utilizando agua de mar, pero las explotaciones de petróleo y gas producirían una densa nube de dióxido de carbono en un lugar donde no tendría que haber ninguna. Una vez que el satélite entrase en funcionamiento, hubiésemos sabido con exactitud qué hacían.

—Si iban a anexionarse la península solo una semana después de abatir el satélite, ¿por qué arriesgarse? —preguntó Overholt.

—No has prestado atención, Lang. El tratado con China solo se consolidó hace un par de días. Sin esa alianza, Argentina hubiese tenido que mantener sus actividades en secreto durante meses, quizá un año. Tal vez China les ayudó a derribarlo como un gesto de buena fe o una garantía de que recibirán la mayor parte del crudo que se extraiga de los nuevos pozos. En cualquier caso, esos dos llevan compartiendo cama desde hace tiempo.

—Tendría que haber pensado en eso.

—He pasado las últimas dieciocho horas sometido a un interrogatorio de la policía y lo vi, así que tú también tendrías que haberlo visto. —Juan se burlaba, y en un momento como ese era una indicación de su profundo cansancio.

—¿Cuáles son ahora tus planes?

—Tengo que ponerme en contacto con el *Oregon* antes de decidir adónde vamos, pero te mantendré informado. Por favor, haz tú lo mismo.

—No tardaré en llamarte.

Max había escuchado el final de la conversación de Juan.

—¿No sabes adónde vamos?

Juan se quitó los auriculares.

—¿Crees de verdad que voy a confiar en que los agentes locales encuentren a Tamara Wright? La hemos metido en un lío y desde luego tenemos que rescatarla. He contratado el avión con mayor autonomía que tienen, así que vamos a ir a buscarla adondequiera que esté.

—Por eso te quiero tanto. No reparas en gastos cuando se trata de conseguirme una cita.

Cabrillo sonrió ante el descaro de Max y volvió a colocarse los auriculares con el micro integrado para llamar al *Oregon*. Preguntó por Hali Kasim, su experto en comunicaciones, para que le pasase a Eric Stone.

—¿Por qué nos has apartado de la busca de la bahía misteriosa? —preguntó Eric.

—Porque ya la has encontrado.

—¿La he encontrado?

—Está a la distancia que recorre un quitanieves desde la base Wilson-George, quizá más cerca.

—¿Cómo es posible que lo sepas?

—Porque soy el director. —Juan estaba realmente agotado—. Hazme un favor, quiero verificar los registros del campo de aviación de Jackson-Evers, para saber si algún avión privado ha salido de allí entre la medianoche y el mediodía de hoy.

En los días anteriores al 11-S, probablemente le hubiese sacado la información a una bonita recepcionista del mostrador con unas cuantos halagos, pero eso era el pasado.

—Dame un segundo. —Por los auriculares, oyó como los dedos de Stone volaban sobre el teclado.

Juan estaba jugándoselo todo a una corazonada, pero estaba bastante seguro.

—Un último cortafuegos —dijo Eric en tono ausente, y después triunfal—. Lo tengo. Veamos, hubo dos. Uno era de Atlantic Aviation a la ciudad de Nueva York y salió a las nueve de esta mañana. El otro presentó un plan de vuelo a Ciudad de México y despegó a la una treinta de la madrugada.

—¿Qué puedes decirme de ese avión?

—Espera un momento. Está en otra base de datos. —Tardó

menos de un minuto—. El avión pertenece a una compañía con base en las islas Caimán.

—Una fachada.

—Sin duda. Llevará algún tiempo... espera. Estoy verificando sus anteriores vuelos. Llegó a Estados Unidos, al aeropuerto de Seattle-Tacoma, hace tres días desde Ciudad de México.

—Entonces volaron aquí ayer —acabó Juan por él. Era el avión de los argentinos, y si iban a Ciudad de México, era solo para repostar—. Gracias, Eric.

Juan se volvió hacia Max.

—La llevan a Argentina.

19

El caballo era un gran semental árabe con los músculos tan tensos que las venas destacaban en relieve debajo de la piel resplandeciente. Aunque estaba bañado en sudor y resoplaba con fuerza, estaba dispuesto a seguir galopando a través de la llanura argentina; sus cascos batían el suelo con un ritmo atronador. El jinete apenas se movía en la montura, el sombrero blando colgaba de su cuello por una correa.

Maxine Espinoza era una soberbia amazona, y galopaba hacia el arroyo que estaba a ocho kilómetros de la mansión como si estuviese dispuesta a ganar la Triple Corona. Vestía unos pantalones de montar color ante y una camisa de hombre blanca, lo suficientemente desabrochada para que el viento le acariciase la piel. Sus botas tenían un aspecto gastado que delataba innumerables horas de cabalgada y casi el mismo tiempo empleado en lustrarlas con todo cariño.

Era el momento ideal del atardecer, cuando el sol alumbraba el suelo debajo de algún árbol ocasional y transformaba la hierba en oro pulido.

Un movimiento a su izquierda le llamó la atención. Se volvió a tiempo para ver cómo un halcón remontaba el vuelo con su cena sujeta en las garras afiladas como navajas.

—Arre, Concorde —gritó, y sujetó con fuerza las riendas.

El caballo, que parecía disfrutar con estas galopadas salvajes tanto como su ama, alargó el paso. Tenían una misma mente, y casi se diría que existían como un centauro más que como dos seres separados.

Solo cuando llegaron a la arboleda que flanqueaba a ambos lados el arroyo detuvo el galope. Maxine entró en el bosque al trote; entre sus piernas, el gran semental resoplaba con fuerza a través de los ollares.

Oyó el gorgoteo del arroyo sobre las rocas y el canto de las aves en las ramas de los árboles. Se agachó para pasar por debajo de una rama y llevó a Concorde hacia la profundidad del bosque.

Ese era su santuario, su lugar especial en la enorme finca. Las aguas límpidas del arroyo saciarían la sed del caballo, y a lo largo de la ribera había un lecho de hierba donde había dormido innumerables siestas.

Pasó una pierna por encima del lomo del Concorde y saltó a tierra. No le preocupaba que se alejase o bebiese demasiado. Estaba bien entrenado. De la alforja sacó una manta del más fino algodón egipcio. Estaba a punto de extenderla sobre la hierba cuando apareció una figura detrás de un árbol.

—Perdón, señora.

Maxine se volvió, entornando los ojos con ira por la intrusión. Reconoció al hombre. Era Raúl Jiménez, el lugarteniente de su hijastro.

—¿Cómo se atreve a venir aquí? Tendría que estar en el cuartel con el resto de los soldados.

—Prefiero la compañía de las mujeres.

Ella dio dos pasos adelante y lo abofeteó.

—Hablaré al general de su insolencia.

—¿Y qué le dirá? —La sujetó con suavidad y atrajo su cuerpo hacia él. La besó, y durante unos segundos la mujer logró resistir, pero no tardó en agarrar con una mano la cabeza del hombre mientras crecía su deseo.

Jiménez acabó por apartarse.

—Dios, cuánto te he echado de menos.

La respuesta de Maxine fue besarle de nuevo, incluso con más pasión. Ahora que estaban a solas, desapareció toda la timidez que mostraba Jiménez cuando estaba cerca de ella. Se entregaron a su deseo.

Mucho más tarde, yacían el uno al lado del otro sobre la manta que habían extendido a toda prisa. Maxine tocó con suavidad las cicatrices de las quemaduras en su rostro. Aún estaban rojas y sin duda le dolían.

—Ya no eres tan hermoso. Creo que tendré que buscarme otro amante.

—No creo que haya nadie más en el regimiento que se atreva a lo que acabamos de hacer.

—¿Me estás diciendo que no soy digna de un cortejo marcial?

—Para mí vales eso y mucho más, pero olvidas que soy el hombre más valiente del ejército —bromeó Jiménez. De repente, una sombra pasó por sus ojos.

—¿Qué pasa, cariño?

—Valiente, he dicho. —Su voz estaba cargada de amargura—. No hace falta ser muy valiente para matar a pobres aldeanos o secuestrar a mujeres norteamericanas.

—¿Secuestrar a mujeres norteamericanas? No lo entiendo.

—Eso es lo que tu marido nos envió a hacer a Estados Unidos: capturamos a una mujer que es experta en barcos chinos o algo así. No tengo ni idea del motivo, te lo aseguro, y no es para eso para lo que me uní al ejército.

—Conozco a mi marido —dijo Maxine—. Todo lo que hace responde a un plan, desde tomar el desayuno hasta mandar un regimiento. Tiene sus razones. Por eso se marchó a Buenos Aires tan pronto como tú y Jorge volvisteis.

—Nos reunimos con él en tu apartamento, en la ciudad. Tiene a algunos hombres con él: creo que son chinos.

—Pertenecen a la embajada. Philippe se ha estado viendo con ellos con mucha frecuencia en los últimos tiempos.

—Lo siento, pero sigue sin agradarme. No me interpretes

mal, adoro el ejército, y aprecio a Jorge, pero durante estos últimos meses... —Su voz se apagó.

—Tal vez no te lo creas —dijo Maxine con voz firme—, pero quiero mucho a mi marido y amo a este país. Philippe puede ser muchas cosas, pero no es temerario. Todo lo que hace es por el bien de Argentina y de su pueblo.

—No lo dirías si vieses alguna de las cosas que nos ordenó hacer.

—No quiero oírlo —manifestó ella, empecinada. La crisálida romántica que se habían construido para ellos comenzaba a descomponerse.

Jiménez apoyó una mano sobre su hombro desnudo.

—Lo siento. No quería alterarte.

—No estoy alterada —negó Maxine, pero tuvo que enjugarse una lágrima—. Philippe me cuenta muy poco, pero siempre he confiado en él. Tú también deberías hacerlo.

—De acuerdo —dijo Jiménez y quiso abrazarla.

Maxine rehuyó su abrazo.

—Ahora debo volver. Incluso con Philippe en Buenos Aires, los sirvientes hablan, ¿lo comprendes?

—Por supuesto. Mis sirvientes siempre chismorrean. —Ambos se rieron, porque él venía de una familia muy pobre.

Maxine se vistió. Montó a Concorde, que había estado cerca de ellos todo el rato.

—¿Te veré mañana? —preguntó Jiménez mientras guardaba la manta en la alforja.

—Siempre que me prometas que no hablarás de mi marido o de su trabajo.

—Seré un buen soldado y obedeceré tus órdenes.

El piloto del helicóptero agradeció que sus pasajeros le hubiesen pagado en metálico porque cuando vio el lugar de destino comprendió que cualquier cheque que le diesen sería cancelado. De todos modos, por unos momentos pensó en comunicarse con su socio y pedirle que comprobase que el dinero no fuese falso.

Estaba llevando a dos hombres desde el aeropuerto internacional de Galeão en Río de Janeiro a un barco de carga a cien millas de la costa. Desde lejos, se parecía a cualquier otro de las docenas de barcos que llegaban a Brasil todas las semanas, pero a medida que se acercaban y se veían los detalles comprobó que era una chatarra que se aguantaba con alambres y cinta adhesiva. El humo que salía de la chimenea eran tan negro que sospechó que quemaba combustible diésel y aceite lubricante a partes iguales. Las grúas parecían sostenerse a duras penas y dudaba de que fueran capaces de alzar una carga. Miró por encima del hombro al pasajero más joven como si le dijese: «¿Está seguro?».

El hombre tenía el aspecto cetrino de alguien que no ha dormido en varios días, y como si la carga que pesaba sobre sus hombros estuviese a un paso de aplastarle. No obstante, cuando vio que el piloto le miraba, el pasajero le guiñó uno de sus brillantes ojos azules y la expresión de preocupación desapareció.

—No tiene muy buen aspecto —le comentó el pasajero por el micro—, pero hace su trabajo.

—No creo que pueda aterrizar en la cubierta —dijo el piloto, en un inglés con leve acento portugués. No añadió que creía que el peso de su Bell Jet Ranger probablemente hundiría la tapa de una escotilla.

—Ningún problema. Solo acérquese a la cubierta de popa y saltaremos.

El segundo pasajero, un hombre que rondaba los sesenta, con un vendaje en la cabeza, gimió ante la perspectiva de saltar del helicóptero.

—Hecho.

El piloto volvió su atención al trabajo mientras los pasajeros recogían el equipaje, que consistía en un maletín de ordenador portátil y una vieja bolsa de lona. Todo lo demás había sido arrojado al Mississippi.

Juan Cabrillo nunca se cansaba de mirar el *Oregon*. Para él, era una obra de arte comparable a cualquiera de las pinturas colgadas en los mamparos de sus pasillos secretos. Debía admitir que regresar a casa era más dulce cuando habían completado una misión, no como ahora, con Tamara Wright en manos de un escuadrón de la muerte argentino y en paradero desconocido. El guiño jactancioso que le había hecho al piloto no era más que pura fachada. El destino de Tamara le pesaba como una piedra en el estómago.

El piloto brasileño tuvo la habilidad de mantener los patines del helicóptero a treinta centímetros de la cubierta mientras primero Max y después Juan saltaron al barco. Los dos hombres se agacharon bajo los rotores hasta que el Jet Ranger se elevó. Cuando no era más que un punto resplandeciente en el horizonte, al oeste, el timonel —Juan supuso que era Eric Stone— apagó el generador de humo que creaba la ilusión de que la nave era impulsada por viejos y mal cuidados motores diésel.

Cabrillo saludó a la bandera iraní que ondeaba en el mástil con su tradicional gesto de un solo dedo y siguió a Max hacia la superestructura.

Junto a una de las escotillas les esperaban la doctora Huxley y Linda Ross. Hux se llevó de inmediato a Max a la enfermería, mientras renegaba por el trabajo de carnicero que le habían hecho en el hospital.

—Bienvenido —saludó Linda—. Está claro que no han sido el par de días relajantes que esperabas.

—¿Cómo es aquello de que ninguna buena acción se libra de castigo? Habéis hecho un gran trabajo en la Antártida.

—Gracias. —Había una nota de amargura en la voz de Linda—. Transmitimos la información a Overholt menos de veinticuatro horas antes de que los argentinos se hiciesen con todo, así que no sirvió de mucho.

—¿Cuáles son las últimas noticias?

—No se ha podido establecer contacto con ninguna de las otras bases de la península. Creemos que los argentinos han capturado al resto de los científicos internacionales y los están utilizando como escudos humanos en la terminal petrolera.

Juan frunció el entrecejo.

—Copian el libro de reglas de Sadam.

—Está claro que el generalísimo juega sucio.

—Le pregunté a Overholt si tenían algún contacto en Argentina que pudiese descubrir dónde se llevaron a Tamara Wright. ¿Te ha llamado?

—Todavía no. Lo siento.

La expresión de Cabrillo se volvió todavía más seria.

—Esto no habría ocurrido nunca si... —No ganaría nada dando rienda suelta a sus sentimientos, así que no continuó. Hizo un gesto a Linda para que entrasen en la superestructura. El *Oregon* comenzaba a ganar velocidad y el viento aullaba sobre cubierta.

—Estaremos frente a la costa de Buenos Aires en treinta horas. Con un poco de suerte, para entonces Overholt tendrá algo para nosotros.

—Dios, eso espero. —Juan se pasó los dedos por el pelo—. Necesito quemar parte de esta energía que me angustia. Si alguien me necesita, estoy en la piscina.

Uno de los enormes tanques de lastre que la corporación utilizaba para subir o bajar el casco, según cuál fuese el disfraz del momento, estaba revestido con mármol de Carrara e iluminado con una combinación de lámparas que imitaban bastante bien la luz solar. Había sufrido algunos daños cuando el *Oregon* se enfrentó a una fragata libia, pero los artesanos encargados de la reparación habían hecho un trabajo magnífico.

Cabrillo se quitó la bata y se sujetó pesas de dos kilos en las muñecas. El agua era poco profunda, porque el barco navegaba a toda velocidad hacia Argentina, así que se sumergió muy poco y comenzó a nadar con unas brazadas que sabía por experiencia que podía mantener durante horas.

El agua siempre había sido su refugio; ahí era donde podía despejar la mente y sentirse relajado. Repetir el movimiento de sus miembros y quemar lentamente la energía que consumían sus músculos era como meditar.

A la mañana siguiente, después de un suntuoso desayuno en el comedor, Juan se dispuso a montar guardia en el centro de operaciones. Había llegado temprano para relevar a Eddie Seng, que había hecho la guardia nocturna. Eddie, agradecido, le cedió el mando en cuanto informó a Juan de los barcos avistados alrededor del *Oregon* y del estado del tiempo, que empeoraba a todas luces. La pantalla principal, de noventa y seis pulgadas, mostraba el mar como si estuviesen en el puente que había varias cubiertas por encima de ellos. En el cielo desfilaban unos oscuros nubarrones de tormenta y el mar era negro como la escoria de una fundición, excepto donde el viento cortaba las crestas de las olas y levantaba una espuma densa como las natillas.

El agua rompía en la proa formando cascadas que bajaban por los imbornales. Un tripulante estaba en el castillo de proa, asegurando una escotilla. Parecía tan pequeño como un niño y casi totalmente indefenso frente a los elementos. Juan respiró más tranquilo cuando el hombre volvió al interior de la nave.

Hali Kasim, el experto en comunicaciones, estaba en su puesto junto al mamparo a la derecha de Cabrillo y cerca de la pantalla del sistema de sónar del *Oregon*, que solo mostraba una lluvia electrónica. Con ese mar y a la velocidad que iba el barco era imposible captar señales acústicas; por lo tanto, el sónar estaba desconectado.

—Una llamada para ti, director —dijo Hali. Tenía el pelo alborotado debido a que prefería usar unos auriculares antiguos—. Es Overholt, desde la CIA.

—Ya era hora —murmuró Juan, y se puso los auriculares—. ¿Langston, qué tienes para mí?

—Buenas —gruñó Overholt. Con aquella única palabra, Cabrillo supo que las noticias serían malas—. La reunión del Consejo Nacional de Seguridad con el presidente acaba de terminar. Me han llamado no hace más de cinco minutos.

—¿Qué está pasando?

—La Junta de Jefes de Estado Mayor ha informado que se ha detectado la presencia de un submarino de ataque rápido chino frente a las costas de Chile. El rumbo y la velocidad lo situarán en las aguas alrededor de la península Antártica en un par de días.

—Es obvio que van a por todas —comentó Juan. Aquella jugada no era ninguna sorpresa.

—Desde luego. Los argentinos han confirmado que tienen a nuestros científicos de la base Palmer, además de otra docena de hombres de Rusia, Noruega, Chile y Australia. Demos gracias de que son pocos debido a las reducidas dotaciones de invierno.

—¿Cuál es nuestra respuesta oficial? ¿Qué piensa hacer el presidente?

—China ha anunciado que cualquier intento de censurar a Argentina en Naciones Unidas será vetado de inmediato. No habrá resoluciones ni sanciones.

—Caray, eso sí es un paso atrás —dijo Juan en tono sarcástico—. ¿Cómo vamos a poder detenerlos si Naciones Unidas no los mandan a la cama sin postre?

Overholt se rió pese al cansancio. Compartía la mala opinión que tenía Cabrillo del organismo internacional.

—Pero ahora vienen las malas noticias de verdad. El presidente no autorizará el uso de la fuerza. Inglaterra y Rusia se están batiendo el cobre, pero los políticos del Parlamento y la Duma no están por la labor. Los líderes de la Cámara de Representantes y el Senado han afirmado que no están dispuestos a defender el Tratado Antártico con vidas estadounidenses.

—Entonces ¿qué? —preguntó Juan, con evidente enfado—. Nos llamamos una nación moral, pero cuando se trata de luchar por un ideal los políticos entierran las cabezas en la arena.

—Hubiese preferido decir que meten las cabezas en un lugar mucho menos hospitalario; pero, sí, es lo que hay.

—Estamos abandonando nuestras obligaciones morales y legales. Lo siento, Lang, pero esta decisión es errónea.

—Le estás predicando al coro, muchacho —dijo Overholt en tono amable—. Sin embargo, estoy a las órdenes del presidente, así que no puedo hacer gran cosa. Para que conste, mi jefe cree que deberíamos expulsar a los argentinos de la Antártida, y también el jefe de la Junta de Jefes de Estado Mayor. Ven muy claro el peligroso precedente que sienta.

—¿Qué pasa ahora?

—Pues nada. Presentaremos una propuesta de resolución en Naciones Unidas que los chinos rechazarán. Eso es todo.

Ahora que tenía la Antártida, Paraguay y Uruguay serían los siguientes en la lista del generalísimo Ernesto Corazón. Cabrillo pensó que lo único que salvaba a Chile era la dificultad de llevar a un ejército a través de los Andes. En Venezuela, Chávez había armado a sus militares con los intercambios con Rusia de armas por petróleo, y había estado buscando una excusa para atacar Colombia. La débil democracia de Irak caería como un castillo de naipes si un envalentonado Irán comenzaba a mostrar su fuerza.

Juan quería decirle todo esto a Overholt, pero sabía que sería desperdiciar el aliento. Sin duda, los consejeros del presidente le habrían explicado los mismos escenarios, pero habían sido incapaces de que cambiase de opinión.

—Dame alguna buena noticia —pidió Juan con voz cansada.

—Ah, de esas también tengo. —La voz de Overholt se animó—. Tenemos un agente en Buenos Aires que dice que a tu profesora desaparecida la tienen secuestrada en la ciudad.

—Eso lo reduce a una ciudad de doce millones.

—Hombre de poca fe —le reprochó Overholt—. Está en un ático en el quinto piso de un edificio, en el barrio de Recoleta, junto a la avenida Las Heras.

—Si no recuerdo mal, el barrio de Recoleta es la parte más lujosa de la capital.

—El apartamento pertenece al general Philippe Espinoza, el comandante de la Novena Brigada.

—¿La Novena Brigada? —No era una buena noticia.

—Eso me temo. El general la interroga personalmente. Yo diría que con la ayuda de los torturadores que China pueda tener en Buenos Aires.

Cuando la imagen de Tamara Wright maniatada a una silla pasó por la mente de Cabrillo, torció el gesto.

—Envíame toda la información que tengas sobre el edificio. Estaremos frente a la costa al anochecer.

—¿Cómo vas a sacarla?

—En cuanto se me ocurra un plan, tú serás el segundo en saberlo. —Juan cortó la comunicación y se reclinó en su asiento. Se acarició la barbilla con aire ausente. No bromeaba. No tenía ni idea de cómo salvar a la profesora.

20

El mal tiempo martirizaba al *Oregon* en su travesía rumbo al sur. El barco y la tripulación sufrían el castigo con estoicismo, como si fuera una penitencia por el secuestro de Tamara. Al menos, así era como Cabrillo lo sentía. Algunas de las olas llegaban casi a la altura del puente, y, cuando la popa se levantaba, el agua salía de los tubos de impulsión en sendos chorros que alcanzaban casi treinta metros de altura.

Juan había reunido al personal de rango superior en la sala de juntas. El espacio había quedado destruido por un impacto de la fragata libia, y para la reconstrucción Juan se había decidido por una decoración de acero inoxidable y vidrio. La mesa tenía incorporada una red microscópica de cables eléctricos, que, cuando se activaba, creaba una carga estática que mantenía los papeles en su lugar por muy mala que fuese la mar. Con vientos que soplaban con fuerza siete, la red estaba en marcha, para mantener fijas las docenas de notas y fotos y evitar que cayesen al suelo. En las paredes de atrás y delante había grandes pantallas planas donde se proyectaban las fotos de la casa objetivo y su entorno.

Parecía que el hermoso edificio de apartamentos se hubiera desmontado piedra a piedra en Francia y lo hubiesen reconstruido en una ancha avenida de Sudamérica. De hecho, muchos de los viejos edificios de Buenos Aires eran de estilo Imperio francés: techos en mansarda, piedra tallada e innumerables columnas. Debido a la riqueza del barrio de Recoleta, había un gran número de parques y plazas en las que se erigían estatuas de antiguos líderes. Muchas de las calles principales se habían construido para facilitar el giro de los coches de ocho caballos cuando las carrozas eran el medio de transporte preferido de la clase alta.

Como él mismo reconocía que carecía de cualquier capacidad táctica, Max Hanley no participaba en la reunión, sino que montaba guardia en el centro de operaciones. Con Cabrillo estaban Mark Murphy, Eric Stone, Linda Ross, Eddie Seng y Franklin Lincoln, el jefe del equipo de asalto. Si bien la ropa civil era la vestimenta preferida a bordo, Eddie, Linda y Linc vestían el uniforme de operaciones negro. Mark se había puesto una camisa de franela sobre su camiseta con el logo de la cerveza St. Pauli Girl.

Juan bebió un sorbo de café y dejó la taza en un posavasos giratorio.

—Para recapitular, no llevaremos el barco hasta aguas argentinas, lo que nos obliga a infiltrarnos en sumergible, ¿verdad? —Las cabezas asintieron—. Recomiendo utilizar el Nomad 1000 con capacidad para diez personas. Es probable que no necesitemos tanto espacio, pero es mejor que sobre.

—¿Tenemos alguna idea de quiénes la vigilan? —preguntó Linc.

—De momento, ninguna. Esperamos saber algo más antes de establecer el plan. Debemos suponer que un edificio como ese tendrá un portero. Quizá sea nuestra llave de entrada. Hasta el momento no hay nada seguro.

Eddie levantó la mano a pesar de las repetidas advertencias de Juan de que podía interrumpir cuando quisiese.

—Si la retienen en el último piso, ¿no sería más sensato entrar por el tejado?

—Para empezar, es de pizarra —respondió Eric—, y puedes estar seguro de que la subestructura será sólida. El armazón y el recubrimiento para soportar una pendiente poco profunda debe ser grueso y resistente.

—Creo que podríamos encontrarnos con una madera exótica que es más dura que el acero —añadió Murphy—. El edificio es anterior al uso de vigas metálicas como estructuras de soporte, por lo tanto habrá fallos fundamentales en el diseño y la construcción. Colocar explosivos en los lugares correctos podría derribar una pared exterior.

—En ese caso prefiero la discreción —señaló Juan—, no un martillo. Debemos recordar que Argentina es un estado policial, y, como tal, habrá agentes en cada esquina con autoridad para arrestar a cualquiera en cualquier momento; además, uno de cada tres transeúntes es un chivato. No quiero facilitar que alguien nos vea. Debemos ser sutiles.

—Siempre nos quedan las alcantarillas —dijo Linda—, y si es así como lo haremos, permitidme que me presente voluntaria para quedarme en el submarino.

—Eso es lo que yo llamo darlo todo por el equipo —se burló Eddie.

—Será un sacrificio —admitió Linda con el rostro impávido—. Pero ya me conoces. Hago lo que sea por ayudar.

Se aportaron ideas, y se analizaron y desmenuzaron durante las siguientes dos horas. Los cinco habían planeado juntos innumerables misiones, y al final se quedaron con una leve variante de la propuesta presentada por Mark Murphy de utilizar explosivos. Había demasiadas variables —como el número de hombres que vigilaban a Tamara— para intentar una operación más discreta.

El espacio desde donde lanzaban cualquiera de los dos minisubmarinos que llevaban a bordo era un hervidero de actividad cuando Juan entró por la escotilla. Las compuertas en la quilla, grandes como un granero, seguían cerradas, y la piscina estaba vacía, pero el aire estaba cargado con el olor del océano.

Los técnicos se ocupaban del esbelto Nomad 1000. Parecía una versión a escala de un submarino nuclear, solo que la proa era una pieza convexa de acrílico transparente capaz de soportar la presión a una profundidad de más de trescientos metros, y estaba provisto de unos brazos mecánicos que colgaban por debajo como las garras de un enorme monstruo marino. La torre solo tenía sesenta centímetros de altura, y detrás llevaba sujeta una gran lancha neumática negra. Como el viaje hasta la costa lo harían a muy poca profundidad, ya habían hinchado la Zodiac. Todo el equipo estaba guardado en el interior del Nomad y lo transferirían a la neumática cuando llegasen cerca de la orilla.

El equipo de rescate estaría formado por Cabrillo, Linc, Linda y Mark Murphy. A Juan no le hubiese importado llevar a otro tirador, pero quería que el grupo fuese lo más reducido posible. Mike Trono pilotaría el submarino y se quedaría a bordo cuando los demás fuesen a la costa.

Kevin Nixon le llamó. El antiguo experto en efectos especiales de Hollywood dirigía lo que la tripulación llamaba el taller de magia. Era el responsable de crear cualquier disfraz que los agentes de tierra pudiesen necesitar además de proporcionarles documentación. Aunque él mismo no era un maestro falsificador, tenía en su equipo a dos que sí lo eran.

—Tendríais que pasar sin problemas —afirmó el alto y barbudo Nixon. Le dio una carpeta a Cabrillo.

Juan buscó entre los papeles. Había documentos de identidad de Argentina para los cuatro, además de permisos de trabajo y de viaje. Todo parecía auténtico y estaba envejecido. El grueso fajo de billetes era de verdad.

—Un trabajo de primera, como siempre —dijo Cabrillo—. Esperemos no tener que usar nada de esto.

—Las baterías están cargadas al máximo, los sistemas de navegación y de sónar funcionan a la perfección, y el soporte vital está en marcha —informó Trono cuando se acercó Juan—. Me gustaría poder ir todo el camino contigo.

—No sabemos en qué condiciones encontraremos a la doctora Wright. Así que necesito a Linc, por si tenemos que cargarla hasta la Zodiac.

—Lo sé, pero, bueno... ya sabes a qué me refiero.

Juan apoyó una mano en el hombro de Mike.

—Lo comprendo.

Max Hanley entró en la bodega.

—El mar no se calmará, así que ya podéis marcharos.

Cabrillo enarcó una ceja.

—¿Vienes a despedirnos?

—No, solo a asegurarme de que la traerás de vuelta. No bromeaba cuando dije que quería una cita con Tamara. Es dinamita.

—El futuro de tu vida amorosa está en manos capaces. ¿Hablabas en serio del tiempo?

—Eso me temo. Llueve a raudales y no cesará hasta mañana por la noche. ¿Quieres aplazar la operación?

Lanzar y recuperar uno de los sumergibles ya era bastante difícil con buen tiempo, pero Juan no se sintió tentado. Cada segundo contaba.

—No. Esta vez no.

—Buena suerte —dijo Max y se volvió para regresar al centro de operaciones.

Cabrillo no era supersticioso ni fatalista; no obstante, el deseo de Hanley le provocó cierta intranquilidad. Desearle buena suerte a alguien que iba a enfrentarse al peligro daba mala suerte. Salió de su ensimismamiento.

—Vamos, chicos, hora de ponerse en marcha.

Él fue el último en entrar por la escotilla del Nomad y la cerró; giró la rueda hasta que se encendió la luz verde en el indicador de la torre. Mike veía el mismo indicador en la cabina de alta tecnología. Un segundo más tarde, el técnico en el control de lanzamiento utilizó la grúa para levantar el sumergible de su soporte al mismo tiempo que abría las espitas para inundar la piscina.

Se apagaron los tubos fluorescentes y se encendieron las lámparas rojas, para ayudar a la tripulación a que se acostumbrase a la oscuridad. En cuanto se llenó la piscina, unos brazos hidráulicos abrieron las compuertas en la quilla. El agua en la piscina se movió con violencia, corrió sobre la cubierta y empapó de espuma a un técnico. El sumergible permaneció firme en su soporte.

Lo bajaron poco a poco al agua, con las olas golpeando contra la cúpula de acrílico. El movimiento del agua era demasiado fuerte para que los buceadores pudiesen entrar en la piscina, así que un tripulante saltó sobre la cubierta del submarino y desenganchó el cable mientras aún flotaba dentro del barco. Mike de inmediato soltó aire de los tanques de inmersión y el minisubmarino salió del barco con una maniobra perfecta.

El agua era negra y, a tan poca profundidad, veían el poderoso Atlántico Sur moverse por encima de ellos. Hasta que no estuvieron a unos quince metros de profundidad, el Nomad siguió moviéndose y sacudiéndose en un frenético ballet.

—¿Todos bien allí atrás? —preguntó Trono por encima del hombro después de poner rumbo al oeste.

—Tendría que haber un cartel aquí que advirtiese que yo soy demasiado baja para este viaje —dijo Linda. Se masajeó el codo que se había golpeado contra el casco de acero.

Juan cruzó la austera cabina y se sentó en el lugar del copiloto, a la derecha de Mike.

—¿Cuál es la hora estimada de llegada?

—Un segundo. —Mike acabó de marcar los números en el ordenador de navegación. De inmediato recibió la respuesta—. Tenemos cinco horas de viaje en esta lata de sardinas, siempre y cuando no nos encontremos con ningún buque de la armada o de la guardia costera.

—No nos oirán con este mar. —Juan se echó hacia atrás para ver a los demás—. Cinco horas. Más vale dormir un poco.

—Mark, puedes compartir mi banco —dijo Linc.

—Olvídalo, coloso. Siempre acabo en el suelo.

El viaje se desarrolló sin inconvenientes. No se encontraron con ningún barco que entrase o saliese de Buenos Aires ni había patrullas navales. Emergieron a una milla de la costa. Cerca de tierra las aguas estaban un poco más calmadas, pero llovía sin cesar. A través de la bruma vieron las luces de los rascacielos del centro como una aurora espectral que anunciaba la ciudad. Lo que era conocido como el París latino parecía amenazador en la tormenta. Apenas a dos kilómetros de ellos había un lugar de maldad y temor, donde la dictadura controlaba todos los aspectos de la vida de los ciudadanos. Si los capturaban se enfrentarían con la muerte.

Juan organizó la operación de cargar el equipo en las bolsas impermeables. Las ataba de una en una a la Zodiac a medida que se las pasaban desde abajo. Sospechó que llevaban demasiado peso, pero había variables incluso dentro de las variables, así que necesitaban estar preparados para cualquier contingencia.

Se puso los auriculares con el micro integrado.

—Prueba de comunicaciones, prueba de comunicaciones. ¿Cómo me copiáis?

—Cinco sobre cinco —respondió Mike desde la cabina del sumergible.

—Cuida de la tienda durante nuestra ausencia.

—Hecho, director.

Antes de soltar los cabos que la mantenían firme, Juan esperó a que los otros tres salieran por la escotilla y se acomodasen en la neumática. Mientras flotaban libremente, se fijó en otra bolsa con equipamiento que habían dejado atada a la cubierta y deseó de todo corazón que no tuviesen que utilizarla.

El motor eléctrico de la Zodiac emitía un zumbido que se perdía en la tormenta, y gracias a su perfil bajo eran casi totalmente invisibles. Juan se desvió un poco del rumbo debido a la corriente del poderoso Río de la Plata, el río que había atraído a los colonizadores españoles a fundar Buenos Aires.

Fueron hacia el puerto industrial donde solo un puñado de buques cargueros estaban amarrados porque muy pocos países mantenían relaciones comerciales con Argentina. Cabrillo vio que las naves pertenecían a naciones como Cuba, Libia, China y Venezuela. No le sorprendió.

Por lo que podían ver desde la neumática, y sin duda debido al mal tiempo, no había ninguna actividad en los muelles. Las inmensas grúas estaban inmóviles y los focos de las torres apagados. Juan les llevó hasta un muelle desierto cuyos pilones de cemento estaban cubiertos de mejillones y algas que apestaban a yodo. El agua estaba limpia de basura, gracias a la poderosa corriente del río.

Juan apagó el motor y Linc amarró la Zodiac.

—Hola, cariño, ya estoy en casa —dijo Mark. Todos llevaban ropas de lluvia, pero Murphy tenía el aspecto de una rata mojada.

Cabrillo no hizo caso de la broma. Tenía puesta su expresión de jugador.

—Bien, todos conocemos el plan. Vamos a ceñirnos a él. Llamaremos cuando hayamos localizado el edificio.

—Estaremos preparados —respondió Linc.

Juan y Linda se quitaron los trajes de lluvia. Debajo del suyo, Cabrillo llevaba un traje de mil dólares que se protegió de inmediato con una gabardina Burberry. Sus zapatos tenían la apariencia de un calzado normal pero en realidad eran zapatos de combate con suela de goma antideslizante. Linda llevaba un vestido de fiesta rojo con un corte en el muslo y el escote bajo. La gabardina era negra, y calzaba botas altas hasta los muslos. Como los zapatos de Juan, estaban diseñadas para tener la máxima libertad de movimientos y tracción. Solo otra mujer hubiese advertido que no eran de última moda. No tenían tacones.

Juan fue el primero en subir la escalerilla construida en uno de los pilones. Antes de seguirlo, Linda dirigió a sus dos camaradas una mirada que decía: «Si miráis debajo de mi vestido lo lamentaréis». Sacó un pequeño paraguas de mujer del bolsillo de la gabardina y lo abrió por encima de su cabeza. Como Juan era veinticinco centímetros más alto, no cabía debajo junto a ella, y mientras caminaban por el muelle tuvo que agacharse varias veces para evitar que alguna varilla del paraguas se le metiese en un ojo.

Tardaron quince minutos en cruzar el puerto y llegar a la reja principal. Una luz parpadeante dentro de la garita les indicó que los guardias miraban la televisión. Juan y Linda pasaron tranquilamente, y pocos minutos más tarde encontraron un taxi que recorría las calles desiertas. Cabrillo le dio una dirección, unas pocas puertas más allá del edificio del general Espinoza. Una de las leyes de la junta ordenaba que los taxistas tomasen nota de los nombres y direcciones que aparecían en los documentos de viaje de sus pasajeros. Era otra forma que tenía el gobierno de mantener controlado a su pueblo. La falta de libertad hizo que a Cabrillo se le pusiese la carne de gallina.

Cogió un periódico que alguien había dejado en el asiento y lo utilizó para cubrirse la cabeza cuando Linda y él bajaron del taxi.

Caminaron los últimos metros hasta su destino una vez que el vehículo hubo desaparecido por una esquina. La planta baja de la mayoría de los edificios estaba ocupada por locales de comercio: tiendas que atendían sobre todo a las mujeres ricas del barrio, pero también había unos pocos restaurantes que cerraban tarde. No había nadie más en la ancha acera aparte de ellos dos. Los coches aparcados a lo largo del bordillo eran todo un muestrario de los automóviles de gama alta fabricados en Alemania.

La lluvia brillaba con reflejos plateados y dorados por las luces de las ventanas de los apartamentos.

El edificio de Espinoza, que estaba en una esquina, tenía una puerta giratoria de cristal y latón que Juan y Linda cruzaron como felices amantes, riéndose de lo mojados y contentos que estaban de llegar por fin a casa.

Cabrillo se detuvo casi en el acto y se echó a reír.

—Oh. Edificio equivocado —dijo con una sonrisa de borracho. Escoltó a Linda de nuevo al exterior.

El portero apenas tuvo tiempo de salir de detrás de su mostrador antes de que la pareja elegantemente vestida hubiese desaparecido. En total, habían pasado siete segundos y una décima dentro del edificio.

Más que suficiente.

—Cuéntame —pidió Juan en cuanto estuvieron fuera.

—El portero lleva un arma en la sobaquera —dijo Linda—. Hay una cámara que enfoca la puerta principal.

Juan se detuvo en la calle, sin hacer caso de la lluvia.

—¿Es todo lo que has visto? —Su tono era burlón y desilusionado.

—¿Y qué has visto tú?

—Primero, el arma en la sobaquera era obvia. El traje tiene un corte para que destaque. Cualquiera que pase puede verla. Sirve de elemento disuasorio. Lo que se suponía que no debías ver, y no has visto, es la pistola que lleva en el tobillo. Uno de los dobladillos del pantalón se abre como si fuese acampanado para ocultarla, pero no lo consigue. El tipo lleva dos pistolas y sin duda tendrá una metralleta detrás del mostrador. Está claro que es de la Novena Brigada y no el portero habitual. Háblame de las cámaras.

—¿Cámaras? —preguntó Linda—. Hemos estado allí dos segundos. Como he dicho, solo he visto una cámara, y enfocaba la puerta principal.

Juan suspiró. No tenía ganas de darle una lección bajo la lluvia, pero sintió que para llevar a Linda al siguiente nivel no tenía otra opción.

—Veamos. Hemos estado en el vestíbulo durante siete segundos y una décima. A partir de ahora debes ser precisa. Has observado un guardia y una cámara, ¿verdad?

—Sí —murmuró finalmente Linda, aunque no quería responder.

—Había una segunda cámara en el interior, justo por encima de la puerta giratoria, que cubre el ascensor y también el mostrador donde se sienta el portero. Al parecer acaban de instalarla. Los cables están a la vista y mal colgados. Si no me equivoco la pusieron allí cuando llevaron a la profesora Wright al edificio y la controlan desde el ático.

—¿Cómo lo has visto?

—En el espejo junto al ascensor.

Linda sacudió la cabeza.

—Cuando miré el espejo, solo nos vi a nosotros. Bueno, a mí en realidad.

—Es la naturaleza humana —señaló Juan—. Lo primero que la gente ve en un espejo o en una fotografía es a sí mismo. Es pura vanidad.

—Ahora, ¿qué hacemos? ¿Investigar la puerta de servicio?

—No, allí también habrá cámaras. Esta vez nos hemos librado haciendo de pareja borracha y despistada, pero no lo conseguiremos dos veces. Si vuelven a vernos, llamarán a la policía o nos detendrán sin más.

—¿Seguimos con la idea de Mark?

—Ahora le toca al martillo.

Encontraron un vestíbulo unas puertas más allá que los protegió de la lluvia. La calle estaba tan tranquila que podían ver si se acercaba un coche de la policía mucho antes de que los descubriesen. Juan llamó a Linc por radio.

—Estamos en marcha. ¿Qué tal os va a vosotros?

—Mark está en la calle y ya le ha hecho un puente a un coche —informó Lincoln—. He encontrado lo que necesitábamos. Solo espero a que des la orden.

—En marcha. ¿Cuánto tiempo tardarás en llegar aquí?

—Siempre que los polis del puerto no me causen problemas y no tengamos que detenernos, estaremos allí en una hora.

—Te veré cuando llegues. —Juan cambió de frecuencia—. Mike, ¿estás ahí?

—Me estoy congelando con los peces.

—Ve al punto Beta. —Todas las ubicaciones habían sido planeadas de antemano.

—Voy para allá. —Hubo un leve temblor en la voz de Mike Trono. Sabía que el director tenía un mal presentimiento.

—¿Por qué cambiar de lugar el submarino? —preguntó Linda.

—Se me ha ocurrido que, con este tiempo, habrá muchísimos polis con muy poco que hacer. Una vez que suene la alarma nos perseguirán todos los agentes de Buenos Aires.

De pronto, Linda tuvo el mismo mal presentimiento que Juan.

Dieron una vuelta a la manzana y solo se movieron cuando estuvieron seguros de que nadie miraba. Tuvieron que ocultarse detrás de los contenedores que había cerca de una zona en construcción cuando un coche patrulla pasó cerca de ellos. El agente no miraba hacia las aceras. Solo estaba concentrado en conducir bajo el terrible aguacero. Un pobre hombre que paseaba un perro fue la única persona que vieron, pero ninguno de ellos saludó. El tiempo era demasiado malo para entretenerse en amabilidades.

Juan tocó el auricular.

—Adelante, Linc.

—Quiero avisarte de que las cosas van muy bien. Me he abierto paso entre los guardias sin ningún problema, pese a que mi español es lamentable y me parezco tanto a un nativo como un rinoceronte. Aquí le dices a cualquiera que necesitas algo para la Novena Brigada y nadie pregunta nada.

—Ese es el encanto de un estado policial. Nadie asoma la cabeza. Han aprendido que se la pueden cortar.

—Mark va en cabeza, y nos estamos acercando.

—Ya os veremos venir.

Quince minutos más tarde un extraño convoy apareció por una esquina lejana y comenzó a acercarse despacio. Murphy iba en cabeza, al volante de un coche indescriptible. Las luces de emergencia naranja instaladas en el techo giraban rítmicamente para anunciar la presencia del vehículo pesado que llevaba detrás. Esa era la intención. Linc ocupaba la cabina de una grúa móvil con la insignia de la Autoridad Portuaria de Buenos Aires. En realidad, el vehículo no tenía una carrocería sino una torreta, parecida a un tanque del ejército, montada en un chasis reforzado. El tamaño de los neumáticos doblaba el de los de un coche. La grúa plegable estaba recogida al máximo pero de todos modos asomaba por la parte delantera como si fuera un ariete.

Tendrían que actuar deprisa, porque una grúa gigante en medio de un elegante barrio residencial puede llamar la atención. Juan se quitó la gabardina y la chaqueta y se arrancó la camisa blanca. La corbata salió volando. Después de todo, no era más que un disfraz. Debajo llevaba una camiseta negra de manga largas y dos sobaqueras vacías. Se puso un par de guantes negros ajustados.

Linda estaba junto a la puerta del conductor del coche antes de que Mark hubiese frenado del todo. Apagó las luces de emergencia y las quitó del techo. Las ventosas utilizadas para sujetarlas en su lugar hicieron un sonido casi obsceno. Murphy corrió hacia la grúa al mismo tiempo que el director. Mark iba hacia la cabina y Juan saltó al gancho que colgaba del brazo de la grúa y trepó.

Allí se encontró con Linc, que le entregó una metralleta MP-5 además de dos pistolas automáticas FN Five-sevenN, el arma favorita de Cabrillo, porque las pequeñas balas de calibre 5,7 milímetros podían traspasar la mayoría de los blindajes a corta distancia. El silenciador extralargo en la boca de la metralleta la hacía poco manejable.

El equipo se movía como si hubiesen ensayado una coreografía. Juan colocó las pistolas en las sobaqueras al mismo tiempo que Mark se sentaba en la cabina de la grúa y Linda entraba en el coche. Montado a horcajadas en la grúa, Franklin Lincoln se sujetó con los muslos un segundo antes de que Murphy pusiera en marcha los pistones hidráulicos para extenderla hacia arriba.

Todo ocurría muy rápido.

Ese era el plan.

La grúa fue subiendo hacia el quinto piso. Mark mantuvo el ruido del motor al mínimo porque prefería sacrificar la velocidad en beneficio del sigilo, aunque a Juan la grúa le sonaba como el rugido de un animal. Linc y él subieron en el extremo de la grúa que apuntaba hacia una de las ventanas oscuras de un apartamento. Una luz se encendió en un piso por debajo del objetivo cuando un propietario se despertó por el ruido del exterior. Por fortuna, las ventanas de Espinoza continuaron oscuras.

Mark metió la punta de la grúa a través del cristal, y Linc y Cabrillo se lanzaron al interior de la habitación. Aterrizaron con la agilidad de un gato, y ambos tenían las armas preparadas cuando un hombre vestido con un uniforme de camuflaje abrió la puerta para ver qué estaba pasando. Las dos armas dispararon y el hombre se desplomó.

Linc maniató al guardia con dos bridas de plástico. Las balas que utilizaban eran de goma endurecida; no eran letales, pero impactaban con la suficiente fuerza como para incapacitar a un adulto. Era equivalente al golpe de un bate de béisbol. A veces habían pensado en utilizar dardos tranquilizadores, pero incluso con la mejor de las drogas se necesitaban unos preciosos segundos para dejar inconsciente al objetivo.

Este tenía que ser el guardia que vigilaba la pantalla de vídeo instalada en el vestíbulo, se dijo Juan cuando lanzó la pistola del prisionero debajo de una cama cuyo enorme tamaño le llevó a deducir que se encontraban en el dormitorio principal. Como el general había salido esa noche, lo más probable era que los interrogadores chinos estuviesen con él. Calculó que no debía de haber más de otros tres guardias encargados de la vigilancia de Tamara Wright. Habían tenido suerte.

Pasada la puerta del dormitorio había un pasillo con el suelo de caoba y una alfombrilla oriental a todo lo largo. Una luz salía de una puerta abierta unos pasos más allá, y por el reflejo gris Juan supo que era donde los guardias tenían el puesto de vigilancia. El techo del pasillo estaba por lo menos a cuatro metros de altura, y la moldura era la más intrincada que Cabrillo hubiese visto nunca.

Se abrió otra puerta. El hombre únicamente llevaba calzoncillos y se frotaba los ojos somnolientos. Juan le disparó dos veces a la frente; los impactos le dejarían inconsciente durante horas. Con Linc protegiéndole la espalda, Juan miró en la habitación. Había dos camas, pero solo habían dormido en una. La idea de que a la dueña de la casa sin duda no le entusiasmaba ver a unos soldados durmiendo en sus mejores sábanas pasó por su cabeza.

Entreabrió la puerta siguiente y se encontró con un baño alicatado con una bañera del tamaño de una piscina. Cuando abrió la puerta un poco más, para dejar que la luz llegase desde el pasillo, vio tres maquinillas de afeitar y tres cepillos de dientes colocados en un vaso.

Una puerta más. Era la de un armario donde había toallas y ropa blanca, y la siguiente correspondía al despacho del general. La mesa era enorme y detrás, en un mueble bajo, había un jaguar embalsamado. Por su tamaño, parecía una hembra joven. Espinoza le gustaba cada vez menos a Cabrillo.

Un arma se disparó detrás de él, una detonación que resonó en el techo alto. Linc se giró en el umbral cuando otro proyectil destrozó parte de las molduras. Juan se colgó la metralleta a la espalda y desenfundó una de las pistolas. A diferencia de las metralletas, las pistolas estaban cargadas con proyectiles de plomo. Sus zapatos mojados chapotearon, pero sospechó que el pistolero no podría oírlo por el ruido ensordecedor.

Asomó la cabeza por la esquina, bien pegado al suelo, y efectuó un disparo que salió muy alto pero que le permitió descubrir la posición del argentino. Se ocultaba detrás de una puerta al final del pasillo. La luz de la habitación estaba encendida y Juan vio el contorno del pie entre la puerta y el suelo. Apoyó la automática en la alfombra y disparó dos veces. Las vainas vacías pasaron a unos centímetros de su rostro.

El alarido fue casi tan fuerte como los disparos. La bala alcanzó el pie del pistolero y destrozó los delicados huesos. Cuando saltó sobre el otro pie Cabrillo disparó de nuevo. La bala rozó el borde inferior de la puerta pero aún tenía la fuerza suficiente para atravesar la carne. El argentino cayó al suelo, gimiendo por el dolor que subía desde su pie destrozado. Linc se movió deprisa apuntando al pistolero invisible con su pistola.

Entró en la habitación, miró en los rincones y apartó de un puntapié la pistola del hombre caído.

—La sacaremos de aquí en un segundo, señora —le dijo a Tamara Wright, que estaba amordazada y esposada a la cabecera de una cama. Llevaba el mismo vestido que a bordo del *Natchez Belle*.

Juan entró detrás de Linc. Cuando ella reconoció al director el pánico y el miedo en sus ojos desapareció. Cabrillo le quitó la mordaza y se la arrojó a Linc, que se apresuró a ponérsela en la boca al guardia herido, para acallar sus gritos de dolor.

—¿Cómo pudieron...? ¿Qué hacen...? —Tamara estaba tan abrumada que no podía formular la pregunta.

—Más tarde. —Fue todo lo que dijo Juan.

Linc llevaba unos pesados alicates en una funda a la espalda. Los sacó como un samurái que desenvaina su catana. No necesitó ni una décima parte de su fuerza para cortar la cadena que sujetaba a Tamara a la cama. Ya le quitarían las esposas a bordo del *Oregon*.

—¿Le han hecho daño? —preguntó Juan.

—No. En realidad no. Solo me han estado formulando preguntas sobre...

—Más tarde —repitió Juan. Llegar hasta ella había sido la parte sencilla de la operación. Salir de allí iba a ser lo difícil—. ¿Sabe nadar?

Ante una pregunta tan curiosa, Tamara se quedó mirándolo.

—¿Puede? —repitió Cabrillo.

—Sí, ¿por qué? No importa. Lo sé, más tarde.

Juan admiró su espíritu y no culpó en absoluto a Max por querer salir con ella. Tamara Wright tenía una fuerza interior que ni siquiera durante esos últimos días de terror habían conseguido minar.

Dio un golpecito en su auricular de comunicaciones.

—Informe de la situación.

La voz de elfo de Linda sonó en su oído.

—El portero hizo una llamada en cuanto oyó los disparos. Supongo que tenemos como máximo un minuto antes de que lleguen los polis.

Cabrillo calculaba incluso menos.

—Vamos de camino.

—Mark está preparado.

Los tres estadounidenses salieron por donde Juan y Linc habían asaltado el apartamento. El gancho colgaba justo fuera de la ventana rota. Juan levantó a Tamara por encima del cristal roto y la colocó en la plataforma metálica que rodeaba el cable de la grúa justo por encima del gancho. Aunque el balcón era perfecto para ellos, su propósito verdadero era impedir que las ratas subiesen por los cables en la milenaria lucha entre roedores y marineros.

Lincoln subió detrás de ella para escudarla con su cuerpo y sujetarla firmemente.

—No se preocupe. El tío Franklin la sujeta.

—¿No querrá decir el sobrino Franklin? —replicó ella.

En cuanto Juan se sujetó al cable con la mano enguantada, Mark los bajó hacia la acera con la suavidad de un ascensor Otis. Linda había aparcado el coche en el bordillo con las puertas abiertas. Los limpiaparabrisas funcionaban a toda velocidad contra la lluvia.

Mark saltó de la cabina de la grúa, y él y Linc colocaron a Tamara Wright entre los dos en el asiento trasero. El suelo estaba totalmente ocupado por los equipos, así que las rodillas de Linc le llegaban a la cabeza. Linda se había acomodado en el asiento del copiloto y había dejado el volante a Juan. Las sirenas sonaban a lo lejos. Cabrillo puso la marcha y se apartó del bordillo como si no tuviesen la menor preocupación.

Quizá la parte difícil había terminado, pero tuvo la prudencia de no decirlo en voz alta.

Los hados sin embargo le oyeron.

Un gran coche negro apareció en el cruce, se detuvo a un par de metros de su parachoques y obligó a Cabrillo a pisar a fondo el freno. Las puertas se abrieron y un hombre fornido y calvo con uniforme de gala salió de la puerta trasera del Cadillac. Llevaba una pistola en la mano y abrió fuego sin vacilar.

Los ocupantes del coche se agacharon cuando las balas atravesaron el parabrisas. Juan puso la marcha atrás y se incorporó para rectificar el espejo retrovisor. Una bala pasó lo bastante cerca de su muñeca como para que sintiese su calor, pero ahora podía ver atrás sin exponer la cabeza.

Retrocedieron unos quince metros antes de que, con la habilidad solo superada por un experto con una pistola, Juan pisara el freno de emergencia y girase el volante. El asfalto húmedo le ayudó a derrapar a una velocidad digna de una persecución cinematográfica.

Soltó el freno, puso la primera y aceleró. Otra bala alcanzó el coche, un disparo al aire que destrozó uno de los espejos laterales.

—¿Todo el mundo bien? —preguntó sin apartar los ojos de la calle. Era como conducir bajo una catarata.

—Sí, estamos bien —contestó Mark—. ¿Quién era ese tipo?

—El general Philippe Espinoza, cuya casa acabamos de asaltar. Con toda seguridad volvía de la cena cuando llamó el portero.

—Era el hombre que me interrogaba —dijo Tamara—, él y un siniestro chino llamado Sun. Por el acento le identifiqué como alguien de Pekín y estoy segura de que pertenecía a la seguridad del Estado.

—Está en Argentina con un pasaporte diplomático, sin duda. —Las sirenas sonaban más cerca. Juan redujo la velocidad. La única manera de salir de aquello era no llamar la atención y confiar en que perderían a Espinoza, porque seguro que el general iba detrás de ellos—. Mark, ¿tienes lista nuestra bolsa de trucos?

—Cuando tú digas, director.

Juan pensaba en la cadena de mandos. Espinoza sin duda conocía a alguien en la policía; probablemente al jefe. Pasarían quince minutos antes de que el general llamase a su amigo, que a su vez llamaría a alguien más abajo en la jerarquía policial, y así hasta que la descripción del coche llegase a las patrullas de las calles. Si podían eludir a Espinoza y no llamar la atención conseguirían cruzar la mitad de la ciudad antes de que sonase la alarma.

Miró por el espejo retrovisor justo cuando el Cadillac aparecía por una esquina una manzana por detrás de ellos. Juan conducía un Mitsubishi sobrecargado, así que no se hacía ilusiones de poder superar a un gran coche americano, con un motor de ocho cilindros, incluso si el coche estaba blindado, que era lo más probable.

Juan dio dos vueltas rápidas y redujo cuando un coche de policía con las luces de emergencia encendidas pasó a toda velocidad seguido de cerca por otro vehículo sin identificación. Su confianza se evaporó cuando vio por el espejo que los dos coches frenaban a fondo. Les llevó unos momentos dar la vuelta en la angosta calle, lo que obligó a Espinoza a detenerse del todo. Sin duda, el general conocía a alguien mucho más abajo en la cadena de mandos de lo que Cabrillo había calculado. Tendría que haber sabido que un hombre como Espinoza sin duda conocía al jefe de la comisaría del barrio.

En cuestión de segundos, los tres coches les perseguirían y la descripción del pequeño Mitsubishi se transmitiría por la radio de la policía por todo Buenos Aires. Había acertado en una cosa: sacar a Tamara del apartamento había sido la parte fácil del trabajo de la noche.

Entraron en un callejón.

—¡Ahora! —gritó Juan a Mark Murphy.

Murphy, que ya había bajado la ventanilla, comenzó a quitar las espoletas a las granadas de humo tan rápido como podía. Eran un diseño de la corporación y producían rápidamente un humo más denso que cualquiera de las utilizadas por los militares estadounidenses. Después de que la tercera estallase en la calle, Juan no veía nada detrás, tan solo una densa cortina que incluso tapaba las farolas y la iluminación de las ventanas de los segundos y terceros pisos.

—Suficiente —dijo Juan, y dio unas cuantas vueltas al azar. Notaba la garganta seca, pero sus manos permanecían relajadas en el volante y su atención no disminuía.

—Solo por curiosidad —preguntó Linc desde el asiento trasero—, ¿alguien sabe dónde estamos?

—¿Linda? —dijo Cabrillo.

Ross tenía un GPS portátil y observaba la pantalla con atención.

—Sí, tengo una muy buena idea. Vamos en dirección a los muelles, pero delante nos encontraremos con un laberinto. Tenemos que girar a la izquierda, así saldremos a una gran avenida.

El Cadillac apareció de pronto por una calle lateral. Se colocó por detrás del coche con una impecable maniobra que exigió tal esfuerzo a la suspensión y a los neumáticos que uno de los tapacubos se soltó y salió rodando por la acera como un Frisbee. El conductor conocía el barrio mucho mejor que la policía que lo vigilaba y había adivinado la intención de Cabrillo.

Se vieron fogonazos en la ventanilla del copiloto, donde un guardaespaldas se asomaba con una gran pistola en la mano. Linc retorció su enorme corpachón y descargó todo el cargador de su metralleta. Las balas de goma eran inútiles contra el Cadillac, pero el efecto psicológico de un ataque forzó al chófer a frenar a fondo y girar el volante. En su avance rozó contra una serie de coches aparcados y provocó una reacción en cadena de alarmas y luces.

Linc dejó caer la H&K y desenfundó su Beretta. Si el Cadillac estaba blindado la pistola no haría más daño que las balas de goma, pero era mejor que nada.

—¿Qué tal un poco más de humo? —propuso Mark.

La calle era demasiado ancha para tapar la visibilidad con las granadas de humo, así que Juan no dijo nada y observó por los espejos laterales. Cuando el Cadillac reanudó la persecución lo seguía un coche de la policía. Encontrarían docenas más que convergerían hacia las elegantes calles del barrio de Recoleta. Tenían que abandonar el coche y conseguir otro.

Había un solar en construcción a la izquierda. El pavimento estaba destrozado por el paso de las enormes excavadoras y por el andamiaje que cubría lo que parecía ser la fachada de un edificio con columnas. Juan miró con atención y se dio cuenta de que era una gran entrada ornamental. Supuso que había un parque detrás de las rejas cerradas y fue hacia allí, pisando el acelerador a fondo para sacar el máximo rendimiento del motor de cuatro cilindros del pequeño utilitario.

El coche mantuvo la tracción por el suelo fangoso y Juan enderezó el morro.

—¡Sujetaos!

Cruzaron los andamios, saltaron un escalón bajo y chocaron contra las rejas. Cabrillo había esperado un impacto brutal, pero debían de estar reparando las rejas, así que solo las habían dejado apoyadas al final de la jornada de trabajo. La cadena que las sujetaba permaneció en su sitio, pero las ornamentales rejas de hierro forjado cayeron al suelo y el Mitsubishi paso por encima. La colisión ni siquiera disparó los airbags.

Juan se dio cuenta del error al instante. No era un parque, pero tardó unos segundos en comprender qué era. Se encontraba en una ciudad liliputiense, con miles de hermosos edificios hechos a una escala de uno veinte.

Estaban tan adornados como cualquiera de los edificios que habían visto durante la noche, con columnas de mármol, estatuas de bronce, techos de dos aguas y todo tipo de iconografía religiosa.

No era un parque. Era un cementerio. Y no eran edificios en miniatura sino grandes mausoleos.

Después del cementerio nacional de Arlington en Washington y el Père Lachaise en París, el cementerio de la Recoleta era quizá el más famoso del mundo. Todos los grandes personajes y los millonarios, incluida Eva Perón, estaban sepultados en algunas de las más decoradas y sorprendentes criptas jamás construidas. Se había convertido en un destino turístico casi tan pronto como lo habían abierto.

También era un laberinto demasiado angosto para que pasara un coche y estaba vallado por los cuatro costados.

Juan los había llevado a un callejón sin salida.

21

No tenían más alternativa que sacar el máximo provecho del error.

—¡Mark, más humo! ¡Todo el que tengas!

Mark comenzó a lanzar las granadas de humo mientras Juan los llevaba por uno de los caminos más anchos a través de las hileras de mausoleos. El camino de adoquines castigaba terriblemente la suspensión sobrecargada del coche, y era tan angosto que un pequeño error de cálculo hizo que el Mitsubishi perdiese el último espejo lateral que le quedaba.

No habían avanzado más de quince metros cuando el camino se estrechó todavía más debido a una enorme cripta de mármol. No podían dar la vuelta. Juan miró por encima del hombro. Otro camino se cruzaba en diagonal. Puso la marcha atrás y retrocedió raspando la pintura de las puertas contra la estatua de algún político o personaje público. Afortunadamente, por fin comenzaba a disminuir la lluvia. La visibilidad continuaba siendo mala, sobre todo por el humo que flotaba sobre las tumbas, pero había mejorado. El otro consuelo era que el coche de policía y el Cadillac no podían seguirles.

Se preguntó si les perseguirían a pie y decidió que probablemente lo harían. La furia que habían visto en el rostro de Espinoza solo podía apaciguarse con sangre.

El coche rozó un busto de mármol y lo arrancó del pedestal.

La cabeza rodó por los adoquines como una pelota deformada. Juan tuvo que recurrir a sus clases de conducción defensiva para evitar que el coche se estrellase en la cripta del lado opuesto.

Vio que el camino se dividía de nuevo, y siguió marcha atrás en lo que parecía ser una ruta más ancha. Se estrelló de inmediato con un mausoleo que era la réplica de una iglesia. Puso una marcha y después de nuevo marcha atrás por el otro camino. Con tan poca luz era casi imposible seguir una línea recta, así que, una vez más, rozaron uno de los monumentos. Pidió perdón al difunto y siguió adelante.

A su izquierda apareció una calle más ancha. El giro era tan cerrado que le costó varios intentos y un montón de mármol destrozado y metal abollado para conseguirlo. Cabrillo se prometió que si de alguna manera lograban salir de allí, la corporación haría una donación anónima a los encargados del cementerio.

Un gato, por los que el cementerio era famoso, salió de su escondite delante mismo del coche, empapado hasta la médula, y quedó iluminado por el resplandor del único faro que funcionaba. Juan pisó el freno a fondo. El felino le dirigió una mirada de desprecio y siguió su marcha.

De pronto, el mundo se volvió blanco. Los ojos de Juan tardaron unos segundos en adaptarse. En lo alto, un helicóptero invisible había encendido el reflector y creaba un oasis de luz brillante en la oscuridad absoluta. Una voz amplificada les llegó desde las alturas.

Cabrillo no necesitó traducirles a los demás lo que decía. Cualquier orden desde un helicóptero de la policía era universal.

—Linc, haz algo, por favor.

Linc bajó el cristal de la ventanilla y asomó la metralleta apuntada hacia arriba. No había bastante espacio para pasar su enorme torso fuera del coche, así que disparó sin apuntar a su objetivo.

Ver los fogonazos que salían del coche fue suficiente para

convencer al piloto de que se apartase, más o menos como había hecho el chófer de Espinoza. El reflector despareció solo un momento antes de que el helicóptero volviese a situarse sobre ellos, aunque esta vez a mayor altitud.

El camino a través de las tumbas hacía una curva cerrada, pero Juan consiguió pasarla sin tener que detenerse.

Si había alguna coordinación entre las unidades de aire y tierra, el piloto estaría comunicando a los policías del coche su posición. Juan mantenía un ojo alerta y movía la cabeza a izquierda y derecha mientras circulaban a gran velocidad por los estrechos caminos. No vio nada; además, se movía tan rápido que incluso un agente que se hubiese acercado por un costado apenas podría haber hecho un disparo, que sin duda fallaría.

Entonces les sonrió la suerte. El camino se bifurcaba y se encontraron circulando por un paseo que bordeaba la pared exterior del cementerio. Después de haber tenido que luchar para moverse en tan poco espacio, este les parecía ancho como una autopista.

El segundo respiro llegó casi de inmediato. Como parte de las reformas, habían derrumbado un tramo de pared. Una barrera de madera cerraba el hueco. El ángulo dificultaba acelerar, pero Juan se lanzó de todas maneras.

—¡Sujetaos! —exclamó por segunda vez en cinco minutos.

El coche golpeó la barricada con el parachoques delantero y partió la madera, pero no consiguió abrirse paso. Las ruedas giraban furiosas en los adoquines mojados y continuaron empujando la barrera más y más hasta que llegó a un punto crítico. El pequeño coche atravesó la barrera y circuló por la acera desierta antes de que Cabrillo pudiese colocarlo sobre las cuatro ruedas.

Habían escapado del cementerio pero no del helicóptero, que sin duda estaba transmitiendo su posición.

—Linda, llévanos de nuevo a los muelles.

Ella estaba inclinada sobre el GPS y sus dedos volaban por la pantalla.

—De acuerdo, gira a la izquierda en la segunda bocacalle y después colócate en el carril de la derecha y prepárate para otra curva cerrada.

Juan hizo lo que le ordenaba pero, pese a todas las maniobras, no conseguían apartarse del círculo de luz del reflector del helicóptero. En el espejo retrovisor vio que de pronto aparecían dos coches. Avanzaban a gran velocidad con las sirenas aullando. No había manera de huir de ellos.

Linc rompió el cristal de la ventanilla trasera con la culata de la metralleta y disparó una andanada de balas de goma. Los policías continuaron avanzando. Aunque no sabían que estaban utilizando munición no letal parecía que no les importaba.

El coche en cabeza los alcanzó en un costado trasero e intentó que derrapasen. Juan replicó a la maniobra moviendo sus manos como un relámpago sobre el volante. Linc sacó la pistola y disparó dos veces a través de la ventanilla del copiloto del coche de policía. Solo iba el conductor, y su coraje falló de inmediato. Retrocedió hasta una distancia prudencial.

Cabrillo comenzaba a identificar el entorno. Se acercaban a los muelles.

—Mark, enséñale a Tamara cómo utilizar la botella.

—Ya estoy en ello —respondió Murphy.

Juan dio un par de golpecitos en la radio.

—Mike, ¿estás en posición?

—Espero tu llegada —respondió Trono tranquilamente.

—Vamos a toda pastilla.

La voz del piloto del submarino se hizo más grave al escuchar el tono del director.

—Estoy preparado.

Se oyeron disparos detrás de ellos, las rotundas detonaciones de una pistola.

El pasajero del segundo vehículo de la policía asomaba por la ventanilla y disparaba su arma reglamentaria. Un disparo afortunado atravesó el maletero, y el respaldo del asiento trasero estalló en una nube de gomaespuma. Tamara gritó. Linc y Mark

Murphy solo intercambiaron una mirada y el ex SEAL se volvió para disparar.

—La próxima a la derecha —gritó Linda por encima del rugido del viento que soplaba dentro del coche—. Aquel es el muelle.

Juan dio la vuelta tan rápido que el coche derrapó contra la garita de vigilancia con la suficiente fuerza como para destrozar el cristal de la ventana. Los hombres en el interior se arrojaron al suelo creyendo que les atacaban. Los perseguidores estaban solo a unos segundos.

—Bajad todas las ventanillas —ordenó Juan mientras llevaba el coche hacia las hileras de contenedores.

El último impacto había dañado algo vital. El coche subía y bajaba sobre las suspensiones con el bamboleo de un camello. El eje trasero había resultado dañado por la colisión y, como consecuencia de la conducción frenética de Cabrillo, se había partido. Las dos puntas rozaban el pavimento y arrojaban nubes de chispas cada vez que tocaban el asfalto o los raíles de acero de las grandes grúas del muelle. Sin embargo, la tracción delantera siguió funcionando sin problemas.

Juan palmeó el salpicadero con afecto.

—Nunca más volveré a criticar un compacto japonés.

El muelle tenía casi trescientos metros de largo y la mitad del ancho estaba cubierto por un tejado de chapas de cinc colocadas sobre una estructura de vigas a la vista. Juan llevó el coche por allí. No miró atrás cuando Linda le tocó el hombro y le entregó un objeto del tamaño de una cantimplora pero con un tubo y una boquilla en un extremo. Se puso la boquilla entre los dientes.

Con el pie pisando a fondo el acelerador les llevó hacia el borde del muelle. No había ninguna necesidad de gritar un aviso. Todos sabían lo que venía después.

El coche llegó al borde del muelle y salió disparado en la oscuridad, con el morro inclinado hacia abajo debido al peso del motor. Chocó contra el agua en una explosión de espuma blanca, aunque el impacto no fue peor que cualquiera de los otros que había soportado durante la noche. Debido a que todas las ventanillas estaban abiertas y había desaparecido la luneta trasera, el interior se llenó de inmediato de agua fría.

—Esperad —avisó Juan.

Hasta que el techo estuvo completamente debajo del agua no salió por la ventanilla. Fue hasta la puerta del pasajero sujetándose con una mano y ayudó a Tamara a salir después de que ella hubiese pasado por encima de Linc. Estaba demasiado oscuro para ver nada, pero él le dio un apretón y la profesora se lo devolvió. Vio las burbujas del regulador que pasaban por delante de su cara. La respiración era un tanto agitada, pero, dadas las circunstancias, también lo era la de Juan. Una mujer notable, pensó.

La botella contenía aire solo para unos pocos minutos, así que cuando los demás salieron del coche hundido, Juan los llevó debajo del muelle, donde les llamaba un pequeño punto de luz.

Era una linterna sujeta a un par de botellas de aire con múltiples reguladores. Las botellas estaban atadas a la cubierta del Nomad. Si las cosas hubiesen ido bien, tendrían que haber ido a bordo de la neumática hasta el sumergible fondeado a un par de millas de la costa, pero como siempre cabía la posibilidad de que un asalto no saliese como estaba planeado, Juan había pensado en una alternativa. Le había ordenado a Mike Trono que fuese al punto Beta, debajo del muelle donde había dejado la neumática.

Tan pronto como los nadadores llegaron al submarino, Juan colocó uno de los reguladores en la mano de Tamara y le indicó que dejara la botella pequeña. A la vista de la facilidad con la que se movía en el agua, dedujo que la mujer había hecho inmersiones. Había la luz suficiente para indicarle a Linda que entrase en la esclusa de aire junto con Tamara.

Mientras esperaba su turno, Juan vio las linternas que alumbraban la superficie del agua donde el aire continuaba escapando del coche. Se preguntó cuánto tardarían en llegar los buceadores, pero decidió que no tenía importancia. Para entonces se habrían ido.

Diez minutos más tarde, con el submarino alejándose con la corriente, Cabrillo abrió la escotilla inferior de la pequeña esclusa de aire y entró. Todos estaban acomodados en los bancos envueltos en mantas térmicas de aluminio. Tamara y Linda se habían secado el pelo y se las habían apañado para peinarse un poco.

—Lamento lo ocurrido —dijo Juan a la profesora—. Esperábamos que todo fuese más tranquilo. Fue mala suerte que el general apareciese cuando lo hizo.

—Señor Cabrillo...

—Juan, por favor.

—Muy bien, Juan. Para librarme de aquellos... —hizo una pausa porque el insulto que iba a utilizar no era excesivamente educado— hombres horribles no me hubiese importado tener que arrastrarme sobre un lecho de brasas.

—¿La maltrataron? —preguntó Juan.

—Le comentaba a Linda que no les di ningún motivo. Respondí a todo lo que me preguntaron. ¿Qué sentido tenía retener información de un barco de quinientos años de antigüedad?

La expresión de Juan se volvió grave.

—Es probable que no se haya enterado, pero Argentina se ha anexionado la península Antártica y China les respalda. Si consiguen encontrar el barco naufragado consolidarán todavía más sus derechos territoriales. También buscan el petróleo, y supongo que las reservas son tan grandes como para arriesgarse a esta jugada. Una vez que comiencen la extracción, podrán utilizar las ganancias para comprar votos en Naciones Unidas. Llevará algún tiempo, pero creo que dentro de un par de años su apropiación de la península se considerará legítima.

—No les dije dónde se hundió la nave —manifestó Tamara—. Porque no lo sé. Me creyeron.

—Hay otras maneras. Le garantizo que mientras hablamos están buscando.

—¿Qué vamos a hacer?

La pregunta casi no requería respuesta, la había formulado sin pensar. Era solo lo que dice una persona cuando se enfrenta a un obstáculo. Pero, para Juan, estaba llena de significado. ¿Qué iban a hacer? Había estado pensándolo desde que Overholt le había dicho que la Casa Blanca rehusaba involucrarse.

Esta no era su lucha. Como hubiese dicho Max: «A otro perro con este hueso».

Sin embargo, estaba su sentido del bien y el mal. Desde luego no se sentía responsable de intervenir, esa no era su motivación. En cambio, estaba sujeto a un código ético al cual nunca renunciaría, y este le estaba diciendo que lo correcto era comprometerse: llevar al *Oregon* a aquellas aguas gélidas y recuperar lo que había sido robado. El resto de la tripulación le miraba tan expectante como Tamara Wright. Mark enarcó una ceja como si preguntase: «¿Entonces...?».

—Supongo que nos encargaremos de que nunca encuentren esa nave.

22

—Bienvenido al Crystal Palace, comandante. Soy Luis Laretta, el director.

Jorge Espinoza descendió por la rampa trasera del gigantesco avión de carga Hércules C-130 y estrechó la mano que le tendía el hombre. Laretta iba tan abrigado que era imposible verle las facciones o calcular su estatura.

Espinoza había cometido el error de no colocarse las gafas antes de salir al aire helado y notaba cómo el frío intentaba congelarle los ojos. El dolor era como la peor migraña imaginable, así que se apresuró a colocárselas. Detrás, sus hombres estaban atentos, todos ellos vestidos con uniformes de combate en la nieve.

El vuelo desde Argentina había sido monótono, como lo son casi todos los vuelos militares, y excepto por el aterrizaje en esquís sobre una pista de hielo no había nada más que lo diferenciase de los centenares de vuelos que habían hecho.

Era la primera fuerza de seguridad que se trasladaba allí tras el anuncio de la anexión. Si Estados Unidos o cualquier otra potencia pretendía expulsar a los argentinos de la Antártida, lo intentaría pronto, y lo más probable era que utilizara tropas de asalto aerotransportadas. Un submarino chino de la clase Kilo, comprado hacía poco a Rusia, se encargaba de la vigilancia en el estrecho entre el extremo de Sudamérica y la península, por lo que la incursión aérea era la única opción viable.

Espinoza y cien miembros de la Novena Brigada habían sido enviados al sur en dos transportes para detener el ataque.

El razonamiento era sencillo. Cuando Argentina invadió las Malvinas en 1982 —las islas que los británicos llamaban Falkland—, los ingleses comunicaron su intención de recuperarlas con el envío de una flota cuyos buques tardaron meses en zarpar de sus bases en Inglaterra. Esta vez, el alto mando argentino creía que no habría ningún aviso. La represalia sería un ataque relámpago a cargo de las fuerzas especiales. Si se encontraban con una fuerza con la misma preparación que ellos, si rechazaban el primer intento de recuperar la península, con toda probabilidad sería el último.

—Debes de adorar el ejército —comentó el teniente Jiménez cuando llegó junto a Espinoza—. Hace un par de días estábamos muriéndonos de calor en la selva, y hoy nos estamos convirtiendo en pescados congelados.

—Es todo lo que quiero ser —respondió Espinoza con una broma privada entre los dos que hacía referencia a una vieja frase del ejército estadounidense.

Jiménez llamó a un sargento para que se ocupase de los hombres mientras él y el comandante Espinoza seguían a Laretta en una visita por las instalaciones.

Habían calculado el aterrizaje para el breve período en el que el sol estaba por encima del horizonte. La luz a duras penas era como la de un amanecer, pero era mejor que la oscuridad total. Las sombras que proyectaban en el hielo y la nieve eran difusas, como siluetas borrosas más que recortadas.

—¿Cuántos hombres hay aquí? —preguntó Espinoza. Laretta tenía un quitanieves esperando a un costado de la pista de aterrizaje. La tropa tendría que caminar kilómetro y medio hasta las instalaciones, pero el equipo se transportaría en trineos.

—Ahora mismo, unos cuatrocientos. Cuando pongamos en marcha la extracción de petróleo habrá más de mil aquí y en las plataformas.

—Sorprendente. Y más todavía haberlo logrado sin que nadie supiese absolutamente nada.

—Dos años de construcción en las peores condiciones imaginables, y ni siquiera el más mínimo rumor de lo que estábamos haciendo. —Había un merecido orgullo en la voz de Laretta. Había estado al mando desde el principio—. Solo perdimos a dos hombres en todo ese tiempo, ambos por culpa de accidentes que se producen en cualquier construcción grande. Nada que ver con el frío.

Laretta se quitó las gafas y se abrió el abrigo tan pronto como se acomodaron en el vehículo oruga. Tenía una abundante cabellera blanca y una larga barba que le llegaba al pecho. Su rostro estaba pálido después de tantos meses sin sol, pero las profundas arrugas alrededor de sus ojos oscuros le daban un aspecto curtido.

—Por supuesto, el problema de construir aquí era el combustible, pero dado que estábamos sacando gas natural casi desde el principio, hemos tenido un abastecimiento constante. Al principio la Autoridad Antártica nos interrogó acerca del barco que utilizábamos, pero les dijimos que era para la obtención de muestras. Nunca más volvieron a molestarnos. —Se rió—. Olvidaron preguntarnos por qué no nos hemos movido del lugar en más de dos años.

Solo tardaron unos minutos en llegar a la base, casi el mismo tiempo que emplearon Espinoza y Jiménez en comprender la escala de lo que habían conseguido sus compatriotas. Todo estaba camuflado y dispuesto con tanta habilidad que ni siquiera el más astuto observador hubiese podido descubrirlo hasta tenerlo delante de las narices. La única cosa fuera de lugar era el buque anclado en la mitad de la bahía. Había un leve resplandor en el puente, pero, por lo demás, el crucero estaba a oscuras.

—Debajo de aquellas tres grandes colinas en el borde de la bahía se encuentran los tanques de almacenamiento, con capacidad suficiente para suministrar combustible a todos los coches de Argentina durante una semana.

—¿Cómo es que no hay hielo en la bahía cuando el verano solo acaba de empezar? —preguntó Espinoza.

—Ah, mi querido comandante, este es mi mayor orgullo y alegría. Hay partes que nunca se congelan. Hemos colocado tuberías por todo el fondo. Por cierto, que es poco profundo. Bombeamos aire caliente por las tuberías y lo dejamos escapar en millones de diminutas burbujas. Las burbujas no solo calientan el agua, sino que cuando llegan a la superficie rompen cualquier capa de hielo que se esté formando. No pueden verlo porque está muy oscuro, pero la entrada de la bahía es lo bastante angosta como para permitirnos enviar una cortina de aire caliente constante que impide que el agua se mezcle con el resto del mar de Bellinghausen.

—Increíble —susurró Espinoza.

—Como he dicho, con una cantidad ilimitada de combustible cualquier cosa es posible aquí abajo. ¿Ve donde están dispuestos los edificios? Parece hielo, ¿verdad? No lo es. Toda la instalación está colocada sobre una plancha de un polímero con el mismo espectro de refracción que el hielo; por lo tanto, desde los satélites parece como si la playa estuviese helada. Es un producto petroquímico que fabricamos aquí mismo. Después de que la planta de procesamiento de gas natural se pusiera en marcha, fue nuestra primera prioridad. Todos los edificios están hechos del mismo material, salvo la gran tienda geodésica que protege nuestros vehículos. Está hecha de Kevlar. Necesitábamos que soportase los vientos.

—Tengo la sensación de estar mirando una base lunar —comentó Jiménez.

Laretta asintió.

—Lo es a todos los fines y propósitos. Hemos creado un entorno de trabajo en el lugar menos hospitalario del planeta.

—Hábleme de las defensas —pidió Espinoza.

—Dispongo de una fuerza de seguridad de ocho hombres. Bueno, siete. Uno se mató en un accidente con una de las motos de nieve. Son todos ex policías. Vigilan el perímetro del campo, e intervienen en las peleas de los trabajadores... ese tipo de cosas. También está el *Almirante Guillermo Brown* en la bahía. Cuenta con misiles barco-barco y antiaéreos, además de dos cañones de veinte milímetros. También disponemos de cuatro baterías de misiles antiaéreos en la playa. Y ahora los tenemos a todos ustedes. El capitán del *Brown* está al mando, al menos de su barco y de nuestros misiles. No sé muy bien...

—Nosotros recibimos órdenes directamente de Buenos Aires. El capitán lo sabe.

—Lo siento —dijo Laretta—, no sé mucho sobre mandos militares. Cuando era niño y los demás jugaban a los soldaditos, yo me quedaba en mi habitación y leía historias sobre la ingeniería romana.

Espinoza no le escuchaba. Estaba pensando en el crucero fondeado en la bahía. Era un objetivo en peligro. Si él fuese el comandante enemigo, lo primero que haría, después de que sus fuerzas especiales tomaran contacto, sería atacar el navío de guerra con un misil de crucero lanzado desde un submarino y luego eliminaría las baterías de tierra con misiles lanzados desde un avión. Pero el avión no partiría desde un portaaviones. Enviar un portaaviones delataría sus intenciones. No, despegaría en McMurdo y lo reabastecería en el aire. Después, si fuese necesario, los comandos de ataque recibirían el apoyo de las tropas transportadas en un Hércules como el que lo había llevado hasta allí.

Tenía que hablar de esto con su padre y que se lo transmitiera al capitán del crucero. En cuanto comenzasen los disparos, la nave debía salir a mar abierto y los radares de las baterías de tierra tendrían que funcionar solo de forma intermitente.

Todo dependía de si las potencias occidentales optaban por una respuesta militar a la anexión, algo que ahora mismo no podía darse por seguro. A su juicio esa era precisamente la jugada maestra de lo que habían hecho. Con China respaldándoles había muchas posibilidades de que nadie enviase al sur una fuerza para expulsarlos y su país habría obtenido una de las mayores reservas de petróleo del mundo, con la misma facilidad con la que se le roba una piruleta a un niño. La doble amenaza del submarino clase Kilo y el desastre ecológico si atacaban la base con bombas y misiles y se derramaba el petróleo, era un fuerte elemento disuasorio que les aseguraba que nadie les molestaría.

Espinoza estaba entre dos aguas. Por un lado, quería que atacasen, ya que deseaba ponerse a prueba a sí mismo y a sus hombres contra los mejores en el mundo. Por el otro, quería ver cómo la atrevida estrategia de su país había intimidado tanto a Occidente que este no se atrevía a actuar. Mientras el director Laretta parloteaba acerca de las instalaciones, comprendió que no tenía derecho a dudar. Era un guerrero, y como tal deseaba que los estadounidenses enviasen sus mejores tropas. No solo quería rechazarlas. Quería humillarlas. Quería que el hielo se tiñese de rojo con su sangre.

—Dígame, Luis —interrumpió, solo para que el director dejase de hablar de las instalaciones—, ¿han llegado nuestros huéspedes?

—¿Se refiere a los científicos extranjeros de las otras bases? Sí, mi pequeña fuerza de seguridad los mantiene vigilados en el edificio de mantenimiento.

—No. Me refería a nuestros amigos de China.

—Oh, ellos. Sí, llegaron ayer con todo su equipo. Les he dado una embarcación. Se están preparando. ¿Es verdad que hay un viejo barco chino hundido en algún lugar de estas aguas?

—Si lo hay —contestó Espinoza—, podemos olvidarnos de cualquier represalia. Nuestra reclamación de la península quedará refrendada por la historia. Me gustaría reunirme con ellos.

—Por supuesto.

Laretta maniobró el quitanieves para alejarse de la cumbre de la colina que miraba a la base y bajó por una pista abierta en el hielo. Cuando llegaron a las instalaciones, Espinoza se sorprendió por la intensa actividad. Los hombres, con prendas árticas, trabajaban en edificios con extrañas formas, e innumerables motos de nieve iban y venían, la mayoría arrastrando trineos cargados con lo que supuso eran herramientas para taladrar. Donde el viento había barrido la nieve, se veían las placas artificiales que simulaban ser de hielo, encajadas como las pistas de aterrizaje que él había visto en la selva. Podían soportar perfectamente el peso del gran vehículo.

Había embarcaciones amarradas en un muelle lo bastante grande como para dar cabida al *Almirante Brown*. Las barcas tenían doce metros de eslora, el casco era de acero con grandes espacios abiertos en la popa y las timoneras se situaban en la proa. Estaban pintadas de blanco, aunque gran parte del espacio de carga estaba tan raspado por el material que transportaban que la madera quedaba a la vista. En todas las explotaciones petrolíferas del mundo se encontraban este tipo de embarcaciones.

Laretta aparcó junto a una de las barcas. Los hombres, abrigados contra el frío, trabajaban en un aparato con forma de torpedo colocado en un soporte debajo de una grúa montada en la popa. Nadie apartó la mirada del trabajo cuando los tres hombres se acercaron. Uno de ellos por fin les miró, porque el peso de los recién llegados hizo que la embarcación se moviese. Se separó del grupo para ir hacia los visitantes.

—Señor Laretta, ¿a qué debemos el placer? —El hombre iba tapado de pies a cabeza, y su voz sonaba ahogada por los pañuelos que le envolvían la cara. Hablaba un inglés con mucho acento.

—Fong, le presento al comandante Espinoza. Es el jefe de la fuerza de seguridad. Comandante, el señor Lee Fong. Es el jefe de los técnicos enviados para encontrar al *Mar del Silencio*.

Los dos hombres se estrecharon la mano, tan abrigadas que parecía que estrujaban una toalla.

—¿Es la unidad de sónar? —preguntó Espinoza.

—Es un escáner lateral —respondió Fong—. Lo arrastraremos detrás de la embarcación y nos dará perfiles del fondo del mar en tramos de cien metros.

—¿Tienen ustedes una idea aproximada de dónde tuvo lugar el naufragio?

—Por lo que sé, tenemos que darles las gracias a usted.

Espinoza no estaba seguro de que le gustase que los chinos conociesen sus hazañas, pero entonces comprendió que su padre debía de haber estado vanagloriándose de su hijo delante de sus nuevos aliados; el orgullo se impuso a su inquietud.

—Tuvimos suerte —señaló.

—Esperemos que la suerte decida seguir acompañándonos. Los naufragios son algo extraño. A veces, he tenido coordenadas de GPS, lecturas de LORAN y testigos presenciales, y sin embargo no los he encontrado. En cambio, en otras ocasiones, he dado con ellos a la primera sin más información que saber que un barco se había hundido más o menos en una zona.

—¿El frío afectará a su equipo?

—Ese es otro factor. Nunca he explorado en aguas como estas. No sabemos cómo funcionará el sónar hasta que lo sumerjamos y lo probemos en la bahía. Esperábamos hacerlo hoy, pero como ya no hay luz, tendremos que aplazarlo a mañana.

—Por lo que sé de la situación creo que disponemos de bastante tiempo —señaló Espinoza—. Los estadounidenses aún no se han repuesto de nuestro anuncio, y tienen miedo de las represalias de su país si lanzan un contraataque.

—La fortuna favorece a los osados —dijo Fong.

—Esa frase se atribuye a Virgilio —precisó Luis Laretta—. Es una expresión latina, *Audentes fortuna juvat*. Hay otra, de Julio César, también muy adecuada: *Jacta alea est.* Lo dijo durante su marcha sobre Roma, cuando cruzó el Rubicón.

Para sorpresa de todos, Raúl Jiménez dijo la traducción:

—La suerte está echada.

23

Sin una masa de tierra que interrumpiese su ciclo, los vientos circulaban en las bajas latitudes en interminables vueltas cada vez más fuertes. Debajo del paralelo 40 los llamaban los 40 Rugientes. Después venían los 50 Furiosos y a continuación los 60 Aulladores. Un viento constante de ciento treinta kilómetros por hora era lo habitual y las ráfagas de ciento sesenta eran una constante diaria. El efecto que esto tenía en el mar era terrible. Las olas alcanzaban alturas entre trece y quince metros, formando unas enormes masas de agua que barrían todo lo que encontraban en su camino. Incluso los grandes icebergs desprendidos de los glaciares no eran rivales para el océano cuando soplaba el viento. Solo los icebergs gigantes, grandes como ciudades y algunas veces como pequeños países, eran inmunes.

A través de este infierno Cabrillo conducía su nave y su tripulación. Todo lo que se podía sujetar se había sujetado, y se habían suspendido todas las actividades excepto los servicios esenciales. Aunque el barco había cruzado hacia el sur hacía tan solo una semana, el tiempo entonces había sido tranquilo comparado con el que les castigaba ahora.

Cualquier otro barco hubiese dado la vuelta, para no correr el riesgo de terminar destrozado por las olas. Pero Juan había creado un diseño tan perfecto para su amado *Oregon* que en realidad no corría peligro. El casco podía soportar cualquier embite, y no había ni una sola soldadura que el viento pudiese debilitar para arrancar las planchas de metal. Los pescantes que sujetaban los dos botes salvavidas no los arrancaría ni siquiera un huracán de fuerza cinco. Aunque, ahora mismo, solo llevaba uno. El otro lo habían lanzado a la deriva con un localizador activado para recuperarlo más tarde.

Pero había un peligro real. No del océano, sino del submarino de ataque rápido chino. Estaba en algún lugar entre la punta de Sudamérica y la península Antártica. Era un punto de estrangulación muy parecido a la brecha GIUK que la OTAN había utilizado para encajonar a los submarinos soviéticos en el punto álgido de la Guerra Fría. Habían colocado submarinos, como si fuesen barcas de pesca, entre Groenlandia, Islandia y Reino Unido, y esperado a que sus capturas fuesen hacia ellos.

Juan había establecido un rumbo hacia la Antártida que los mantenía cerca de la costa sudamericana, como si el *Oregon* fuese hacia el estrecho de Drake alrededor del cabo de Hornos, y después rumbo al sur por el mar de Bellinghausen, la zona donde los argentinos y los chinos habían prohibido la navegación.

Ahora tenía que centrarse en qué haría el comandante del submarino chino. Como vigilaba una extensión de doscientas millas, Juan tenía que adivinar dónde estaría. La respuesta evidente era en mitad del estrecho entre Sudamérica y la Antártida. Esto le daría el máximo de cobertura. Pero cualquier otro barco que fuese hacia el sur llegaría a esta misma conclusión y evitaría precisamente esa zona. Por lo tanto, navegarían cerca de la península o pasarían por el lado oeste. El submarino no podía estar en dos lugares a la vez. Aunque un error los pondría directamente en la mira del sumergible de la clase Kilo.

Cabrillo recordó un viejo dicho del patio del colegio: «Nunca te hagas el valiente con un extraño». Significaba que si no conocías a tu oponente no podías controlar el resultado.

Juan estaba en su sillón de mando en medio del centro de operaciones; su cuerpo se movía con los cabeceos del barco. El personal de servicio ocupaba sus sillones con unos cinturones de seguridad que les sujetaban los hombros y la cintura. Juan no se había afeitado esa mañana —el agua se salía de la pila—, así que cuando se pasó una mano por el mentón le raspó la barba. «Este u oeste —pensó—. Este u oeste.»

—Contacto de radar —avisó Linda Ross.

—¿Qué tienes?

—Un avión que vuela rumbo sur a casi ocho mil metros. Velocidad tres-ocho-cinco. Alcance veinte millas.

Juan la miró con viveza.

—Ha debido de salir de entre las nubes.

Tenía que ser un gran avión Hércules que llevara más material para los argentinos, dedujo Cabrillo.

—Timonel, muéstrame la cámara de popa.

Eric Stone tecleó una orden en su ordenador y la pantalla principal pasó a transmitir la imagen que enviaba la cámara colocada justo por debajo del mástil en la popa del barco. Incluso con esta mala mar, la estela del *Oregon* era un tajo blanco en el agua gris oscuro que iba en línea recta hasta el barco. No delatarían su presencia con mayor claridad aunque llevaran encendidas todas las luces y transmitieran por todas las frecuencias. La decisión de este u oeste era inútil. Sabía que el avión comunicaría su presencia a los argentinos, que a su vez pasarían la información al submarino chino. El Kilo iría a por ellos como los sabuesos del infierno.

—¿Podemos interferir sus frecuencias? —preguntó.

—Mientras esté al alcance sí —respondió Hali Kasim, su especialista en comunicaciones—. Pero en cuanto se aleje podrá transmitir nuestra posición.

—Podemos abatirlo —propuso Mark Murphy desde el puesto de armamento junto al control del timón—. Puedo tener un SAM en posición en quince segundos y abatirlo diez segundos más tarde.

—Negativo. —Por tentador que fuese, Juan no podía tomarlo en cuenta. Siempre había sido un firme partidario de permitir que el otro lanzase el primer golpe. Pulsó una tecla del micrófono para comunicarse por el sistema de megafonía del barco—. Aquí el director. Existen muchas probabilidades de que nos hayan visto, lo que significa que el submarino sabe dónde nos encontramos. Ya estamos en posición de combate pero quiero que todo el personal esté alerta.

—¿Qué significa esto, Juan? —preguntó Tamara Wright.

Juan se había olvidado de la profesora, que estaba sentada en uno de los sillones de la mesa de control de daños.

Se giró en la silla para mirarla a los ojos.

—Significa que tendré que fiarme de mi instinto y que deberé obligarla a dejar el barco cuando tenga una oportunidad.

Ella alzó la barbilla y entornó los ojos.

—Para ello tendrá que dejarme inconsciente y atarme.

—Lo sé, y lo haré si es necesario.

—¿Me abandonará en aquel pequeño bote salvavidas en estas condiciones? De ninguna manera —afirmó Tamara—. Además, hay muchas cosas que no sabe de mí, y una de ellas es que nunca huyo de una pelea.

—Puede que esto no sea una pelea sino una cacería. Ese submarino lo tiene todo de su parte.

—Entonces, si mi destino es morir con todos ustedes, estoy dispuesta a aceptarlo.

—Esto me suena a fatalismo oriental.

—Crecí en Taiwán, no lo olvide. —Sacó el colgante del ying y el yang de debajo de la blusa que le habían prestado en el taller de magia—. Soy taoísta. No creo en el fatalismo, solo en el destino.

—Es tan empecinada como Max. Ahora comprendo por qué se siente atraído por usted. —Por detrás de su hombro, Juan oyó cómo Max Hanley gemía en voz alta y se daba una palmada en la frente. Se volvió para mirar a su segundo—. Lo siento, Max, ¿era un secreto?

El rubor de Max comenzó en la base de la garganta y no se detuvo hasta que la coronilla quedó roja como un tomate. Las risitas resonaron en el centro de operaciones. A Juan le dolía burlarse de Hanley de aquel modo, pero necesitaba algo para aliviar la tensión.

—Señor Hanley, no tenía ni idea. —La sonrisa de Tamara era sincera—. Ahora que lo pienso, usted fue quien interrumpió mi crucero por el Mississippi. Creo que es justo que, cuando todo esto acabe, encuentre la manera de compensarme.

Casado y divorciado tres veces, Max siempre se había sentido cómodo con las mujeres, sobre todo con aquellas que encontraba atractivas, pero por primera vez, desde que Cabrillo podía recordar, su amigo se quedó mudo.

—Timonel —dijo Juan para apartar sus pensamientos de aquel juego—. ¿Cuál es nuestra velocidad actual?

—Veintiún nudos. Es lo máximo que podemos conseguir con este mar.

—Le daré una ración de ron adicional si logra unos pocos nudos más. Cambie el rumbo a uno-cero-cinco durante los próximos diez minutos, y después a ocho-cero-cinco. El viejo zigzag les funcionó a los convoyes aliados, así que esperemos que también a nosotros nos sirva.

Los dos tubos lanzatorpedos del *Oregon* estaban inundados, pero las puertas exteriores seguían cerradas. Linda Ross estaba utilizando la batería de sensores, que hacían todo lo posible para confundir al submarino chino. No tenían otra alternativa que esperar y confiar en que consiguieran pasar.

Juan no sabía cómo se las apañaba, pero el flemático jefe de camareros del barco apareció de pronto a su lado con un gran termo de café y vasos de plástico.

—¿Qué, Maurice, hoy no hay porcelana? —Cabrillo bromeó, a sabiendas de que nunca conseguiría arrancarle una sonrisa al septuagenario inglés.

—A la vista de las circunstancias creí que una alternativa menos delicada sería la más correcta. Si lo desea, puedo volver a la despensa a buscar un servicio de porcelana.

—Este irá bien. Gracias. Sé que podría ir a buscar una taza.

Maurice consiguió servir y repartir todos los vasos sin que una sola gota manchase su delantal blanco. Cómo conseguía mantener sus zapatos impolutos era un misterio que intentaría resolver otro día.

—Deduzco por su anuncio, capitán, que la primera guardia estará usted aquí todo el tiempo. —Maurice era un miembro retirado de la marina real y era incapaz de llamar a Cabrillo de otra forma que no fuese capitán. Era accionista de la corporación como todos los demás, pero aquello era un barco y a su comandante había que llamarle capitán, y no había discusión alguna.

—Eso parece.

—Me ocuparé de servirle la cena a las seis. Una vez más, a la vista del mal tiempo, creo que lo mejor será prepararle algo para lo que no necesite cubiertos. ¿Quizá burritos? —dijo la última palabra con un disgusto mal disimulado.

Juan sonrió.

—Lo que considere mejor.

—Muy bien, señor. —Dicho esto, se alejó tan silencioso como un gato.

Pasaron las horas. Apenas hubo conversación; solo alguna palabra susurrada, una orden rápida y después otra vez silencio. Los únicos sonidos reales eran el silbido del viento a través de las rejillas del aire acondicionado y los ruidos del barco en su lucha contra el mar. El casco crujía. Las olas golpeaban. Y el agua pasaba por los tubos impulsores del barco con la fuerza suficiente para hacerlo navegar a más de veinticinco nudos.

Juan había esperado todo lo posible para ir al servicio. El más cercano estaba junto a la puerta trasera del centro de operaciones, pero no quería marcharse ni siquiera un minuto.

Acababa de desabrocharse el cinturón de seguridad de los hombros y tendía la mano hacia la hebilla del cinturón cuando Linda avisó:

—¡Contacto! Sónar. Rumbo dos-siete-uno. Alcance, cuatro mil quinientos metros.

A Cabrillo le costaba creer que hubiese podido captar a un

submarino a aquella distancia y en esas condiciones, pero Linda Ross conocía su trabajo.

Juan se olvidó de su vejiga.

—¿Tienes la profundidad y el rumbo?

Linda tenía una mano apoyada en los auriculares mientras la otra bailaba sobre el teclado. Por encima de ella se veía el barrido electrónico verde de la imagen del agua.

—Estoy trabajando en ello, pero capto con claridad el ruido de hélices. Bien. Un momento. Te tengo. Está a treinta y siete metros. Todavía con rumbo dos-siete-uno.

Si no había ningún cambio en su rumbo significaba que iban en línea recta hacia el *Oregon*.

—Timonel, parada de emergencia. Luego vire con los impulsores hasta noventa y un grados —ordenó Cabrillo. Esto les apartaría del submarino y reduciría el tiempo que estaría expuesto el flanco. El chino no sabría cómo interpretar un contacto que podía realizar tal maniobra. Se preguntó si el avión argentino les habría visto lo suficientemente bien como para saber que su objetivo era un mercante y no un buque de combate.

Los motores magnetohidrodinámicos aullaron cuando Stone los puso a toda potencia e invirtió los impulsores de geometría variable en los tubos. A medida que reducían la velocidad la marejada atacó al *Oregon* como si le enfureciese que desafiaran su poder. El barco casi escoró cuarenta grados cuando ofreció la banda a las olas, y el agua barrió las cubiertas de proa a popa.

Con la ayuda de los impulsores de proa y de popa giraron. En cuanto estuvieron en el rumbo correcto, Eric cambió de nuevo los impulsores y mantuvo los motores en marcha.

—¿Distancia? —preguntó Cabrillo.

—Tres mil setecientos metros.

El submarino se había acercado casi una milla mientras giraban. Juan hizo un cálculo rápido.

—Señor Stone —dijo—, como ya sabrá, el Kilo viene hacia nosotros a veintitrés nudos.

En respuesta, Eric puso en marcha la potencia de emergencia.

El arranque fue brutal, como estar montado en un potro sin domar. El barco se sacudía de tal manera que Juan tuvo miedo de que se le soltasen los empastes; cada subida a una ola era un viaje vertiginoso superado solo por el brusco descenso. Cabrillo nunca había exigido tanto a su barco.

—¿Distancia?

—Tres mil setecientos cincuenta metros.

Sonaron aclamaciones. A pesar de todo, se estaban alejando del submarino. Juan palmeó el apoyabrazos con afecto.

—Contacto —gritó Linda—. Sónar. Nuevo objeto en el agua. Velocidad, setenta nudos. ¡Han disparado! Contacto. Sónar. Segundo torpedo en el agua.

—Contramedidas —ordenó Cabrillo.

Mark obró su magia en el teclado y lanzó un generador de sonido desde una vaina debajo de la quilla, aunque permanecía ligado al barco por un cable. El artefacto emitía sonidos similares a los del *Oregon* y estaba diseñado para atraer al torpedo y alejarlo de la nave.

—El primer torpedo se acerca con fuerza. El segundo ha reducido la velocidad. Permanecerá a la espera. —El capitán chino estaba manteniendo uno de sus torpedos en reserva por si el primero fallaba. Era una buena táctica naval—. La distancia es de mil ochocientos metros.

En combate, el tiempo tiene una elasticidad que desafía a la física. Los minutos y los segundos parecen intercambiables. Los incrementos más pequeños pueden durar eternamente mientras que los más largos pueden desaparecer en un instante. Al torpedo le llevó poco más de dos minutos reducir la distancia a la mitad, pero a los hombres y mujeres del centro de operaciones les pareció que habían pasado horas.

—Si van por el señuelo, ocurrirá en unos sesenta segundos —anunció Linda.

Juan se sorprendió tensando los músculos y se forzó a relajarse.

—Está bien, señor Stone, corte la potencia y silencio absoluto.

Los motores se pararon y el barco comenzó a aminorar. Recorrería por lo menos una milla antes de detenerse del todo, pero ese no era el objetivo. Querían que el torpedo se centrase únicamente en el señuelo que arrastraban.

—Treinta segundos.

—Vamos, muerde el cebo, chico, muerde el cebo de una vez —dijo Murphy.

Juan se inclinó hacia delante. En la gran pantalla, el mar detrás del *Oregon* se veía tan negro y amenazador como siempre. De repente, un géiser, una imponente columna de agua, estalló en la superficie y subió casi quince metros antes de que la gravedad superase los efectos de la explosión y la columna comenzase a caer sobre sí misma.

—Borrado señuelo uno —anunció Mark.

—Eric —ordenó Juan con calma—, vira con un diez por ciento de potencia en los impulsores. La acústica se mezclará durante unos instantes, pero mantén el silencio. Armamento, abre las puertas exteriores.

Mark Murphy abrió las puertas de los dos tubos lanzatorpedos mientras viraban y apuntó la proa hacia el submarino.

—Linda, ¿qué está haciendo?

—Ha disminuido la velocidad para poder escuchar, pero mantiene la profundidad. El segundo torpedo está ahí fuera en alguna parte.

—Querrá oír cómo nos hundimos —supuso Juan—, en lugar de salir a la superficie. Mark, oblígale.

—Recibido. —Mark tecleó una orden y comenzó a sonar una banda electrónica. Los altavoces sujetos al casco comenzaron a emitir los sonidos de un barco que se hunde.

—Se me acaba de ocurrir una idea —dijo Cabrillo—. Tendríamos que sujetar los altavoces a un cable, así podríamos bajarlos desde el casco. El efecto sería más real. —Miró a Hanley—. Max, tendrías que haberlo pensado.

—¿Por qué no lo pensaste tú?

—Acabo de hacerlo.

—Un poco tarde para que ahora nos ayude.

—Ya sabes lo que dicen.

—Mejor tarde que nunca.

—No. Dicen: Armamento, dispara los dos tubos.

Mark no se había dejado distraer por la charla, y disparó los torpedos en el instante en el que recibió la orden.

Chorros de aire comprimido lanzaron las armas de dos toneladas desde los tubos mientras los motores eléctricos se ponían en marcha. En solo unos segundos se dirigían hacia el objetivo a una velocidad superior a los sesenta nudos. Cabrillo utilizó el teclado de su sillón para ver en la pantalla las imágenes de la cámara de proa. Los torpedos dejaban dos estelas de agua blanca que se alejaban del barco.

—El segundo torpedo vendrá a por nosotros en unos tres segundos —añadió Juan—. Mark, abre el emplazamiento de proa de la Gatling y ponla en posición.

Se abrió una escotilla muy bien oculta en la proa y apareció el morro de la Gatling. Los cañones múltiples comenzaron a girar hasta convertirse en un relámpago. Capaz de disparar cuatro mil balas de tungsteno de calibre 20 por minuto, los proyectiles podían atravesar el agua hasta la profundidad donde se encontraba el torpedo que se aproximaba al barco. Habían detenido un ataque similar en el golfo Pérsico cuando les había disparado un submarino iraní.

—Contacto. Sónar. Su torpedo está activo. ¡Oh, no!

—¿Qué?

—Está a cien metros.

Juan comprendió las consecuencias de inmediato. A diferencia de su anterior combate con un sumergible de la clase Kilo, en el que el agua era poco profunda, aquí el capitán chino tenía el espacio suficiente para enviar su torpedo a las profundidades y dirigirlo de subida hacia donde el barco era más vulnerable: la quilla. Un buque moderno podía sobrevivir a una enorme explosión en la banda —bastaba recordar el crucero *Cole*—, pero un estallido debajo del casco le rompería la columna, con el resultado de que se partiría en dos y se hundiría en minutos.

—¿Quién ganará la carrera? —preguntó Cabrillo.

—Su torpedo sobrepasa al nuestro en ciento treinta y siete metros y se acerca cuatro nudos más rápido. Nos alcanzará un minuto antes de que el nuestro haga impacto.

Juan consideró y rechazó las diversas opciones. No había tiempo para ninguna maniobra, y el oleaje era demasiado violento para que la velocidad del *Oregon* fuese un factor a tener en cuenta.

—Armas, alarma de colisión. Eric, transfiero el timón a mi puesto.

Por encima del ruido electrónico de la alarma se oyó otro sonido.

Max, que conocía el barco mejor que nadie, fue el primero en advertir que Juan había abierto las compuertas de la piscina. De inmediato comprendió la intención del director.

—¿Estás loco?

—¿Se te ocurre una idea mejor? Siempre y cuando el torpedo utilice un detonador de contacto y no una señal de proximidad, tenemos una posibilidad.

—¿Qué pasa si detona justo debajo de la quilla?

—Tener las puertas abiertas o cerradas no cambiaría nada. —Cabrillo se volvió hacia Linda—. Tú eres mis ojos. Ponme en posición.

—¿Qué quieres que haga? —Ella seguía sin entenderlo.

—Enhebrar la aguja con ese torpedo. Quiero que aparezca directamente debajo de la piscina. Con un poco, no, con mucha suerte, pasará limpio cuando entre. Eso tendría que bastar para cortarle los cables. En cuanto ocurra, no será más que un gran pisapapeles.

—Estás loco —dijo Ross, y miró a Max—. Lo está.

—Sí, pero quizá funcione.

Linda volvió a su pantalla.

—La profundidad es todavía de cien metros. Distancia, novecientos metros.

El torpedo mantenía el rumbo, siempre por abajo, en su carrera hacia el *Oregon*. Debido a los cables conectados al submarino, los chinos no podían realizar maniobras evasivas contra los dos torpedos que iban hacia ellos. Juan tenía que reconocer el mérito del capitán rival. De haber intercambiado los papeles, él se hubiese marchado de allí en cuanto oyó que le atacaban.

—Distancia, trescientos sesenta y cinco metros. Profundidad, la misma. Tiempo para el impacto, cuarenta segundos.

El comandante chino no cambiaría la profundidad del torpedo hasta que estuviese debajo mismo del barco; entonces lo enviaría hacia arriba con su carga destructiva.

—Distancia, noventa metros. Profundidad, la misma. Juan, está a unos seis metros del eje por la banda de estribor.

Cabrillo puso en marcha los impulsores para empujar el *Oregon* lateralmente. Con un mar tan violento, iba a necesitar mucha más suerte de la que había pensado. Era como enhebrar una aguja, solo que la mano que la sujetaba temblaba.

—Ya está. Bien, comienza a subir. Profundidad, setenta y seis metros. Distancia, dieciocho metros.

La cúpula del sónar colocada en la quilla estaba a diez metros de la proa. Cabrillo debía tenerlo en cuenta. El torpedo estaba a dieciocho metros del sónar pero a nueve del barco. La piscina estaba en el centro mismo de los ciento setenta metros de eslora.

—Profundidad, cincuenta y cinco metros. Distancia horizontal de la proa cuatro metros cincuenta. —Un segundo más tarde, corrigió—. Profundidad, cuarenta y cinco metros. Distancia, dos metros setenta.

Juan repasó los vectores en su mente, calculó la pendiente del torpedo mientras se acercaba a ellos, la velocidad y la posición del barco y cómo lo afectaban las olas. Tenía una sola oportunidad o morirían todos. No había margen para el error. Ni tampoco titubeo. Dio plena potencia durante dos segundos y después invirtió los impulsores. El barco se movió hacia delante, soportó el impacto de una ola enorme y redujo de nuevo la velocidad.

—Profundidad, quince metros. Distancia cero.

Eric puso en marcha la cámara con un objetivo ojo de pez sujeto en lo alto de un mamparo que daba a la piscina. El agua entraba por el agujero hasta el interior del barco en una enorme montaña negra que se derramaba por el suelo de rejilla y caía en la sentina.

—Profundidad cero —dijo Linda en un tono carente de emoción.

Como un gigante que se eleva de las profundidades, la nariz bulbosa del torpedo chino asomó en la superficie de la piscina. Al no encontrar resistencia, el motor impulsó el arma fuera del agua. La rápida aceleración en el último momento fue suficiente para cortar los dos cables que lo unían al submarino. Volvió a caer en el agua, resonando como una campana cuando golpeó el borde de la piscina. Después se hundió. Sin ninguna información del barco nodriza, el ordenador de a bordo desactivó el arma.

Se oyó un grito de victoria en el centro de operaciones y resonó por todo el barco, donde el resto de la tripulación había estado mirando las pantallas. Max palmeó a Cabrillo en la espalda con tanta fuerza que le dejó una marca roja. Tamara abrazó a Juan un momento y después a Max durante mucho rato.

Cabrillo se dirigió hacia la salida.

—Director —le llamó Linda para detenerle—. ¿Qué pasa con el submarino? Nuestros torpedos le alcanzarán en cuarenta y cinco segundos.

—Estaré en el servicio si me necesitáis.

Estaba en el lavabo, suspirando satisfecho, cuando oyó más aclamaciones. Los torpedos habían hecho su trabajo. La ruta a la Antártida quedaba abierta.

24

Un suave toque en el hombro despertó a Jorge Espinoza. Como cualquier buen soldado, abrió los ojos al instante. Su asistente, el cabo De Rosas, estaba a su lado con una taza que él deseaba que fuese de café.

—Lamento despertarle, señor, pero un gran barco ha aparecido en la boca de la bahía.

—¿Un barco de guerra?

—No, señor, un carguero. Está embarrancado.

Espinoza apartó la pila de mantas, pero lo lamentó de inmediato. Aunque el director, Luis Laretta, había presumido de que el combustible no sería un problema para las instalaciones, en el edificio que utilizaban como alojamiento el aire estaba siempre helado y se colaba por todas partes. Espinoza se puso un par de calzoncillos largos antes de enfundarse los pantalones de combate. En los pies llevaba tres pares de calcetines.

—¿Alguien de a bordo ha intentado comunicarse?

El asistente abrió las persianas metálicas para permitir que entrase la luz del sol en ese profundo frío. En la habitación apenas había espacio para una cama y una cómoda. Las paredes eran de contrachapado pintado. La única ventana daba a la parte de atrás de otro edificio que se encontraba a un metro de distancia.

—No, señor. El barco parece abandonado. Falta uno de los

botes salvavidas de uno de los pescantes, y, a juzgar por el mal estado en el que está, parece abandonado desde hace tiempo. El sargento Lugones lo examinó con un visor termal. Nada. El barco está frío como el hielo.

Espinoza bebió un trago del café muy cargado. No le sentó bien, por el mal sabor que tenía en la boca, e hizo una mueca.

—¿Qué hora es?

—Las nueve de la mañana.

Tres horas de sueño. Había sobrevivido con menos. Él, Jiménez y un par de sargentos habían estado fuera la mayor parte de la noche recorriendo las colinas detrás de la base en busca de lugares donde se pudiera tender una emboscada. El terreno escabroso era una fortificación natural, con centenares de lugares donde colocar equipos de tiradores. El único problema era mantenerlos calientes. Hoy lo dedicarían a comprobar cuánto tiempo podían los hombres permanecer en posición y mantener la eficacia de combate. Los sargentos calculaban unas cuatro horas. Su estimación se acercaba más a las tres.

Acabó de vestirse y se bebió el resto del café. Su estómago protestó, pero él decidió ir a investigar el barco misterioso antes del desayuno.

—Despierte al teniente Jiménez.

Tardaron quince minutos en cruzar la bahía en una de las embarcaciones. El efecto del calentador de agua era espectacular. No solo mantenía la bahía libre de hielo, sino que la temperatura del aire en la superficie se acercaba a los diez grados centígrados, mientras que en la base estaban a doce grados bajo cero. Más allá de la bahía, una capa de hielo subía y bajaba con las olas en la primera señal del verano que intentaba fundirla. Había un claro sendero hasta mar abierto, donde un rompehielos iba y venía para mantener expedito un cordón umbilical con la patria.

La embarcación se acercó lo suficiente a una de las plataformas petrolíferas para dejar a la vista las delgadas planchas remachadas con las que imitaban un iceberg. A más de cincuenta metros, la única manera de saber que no eran reales eran las enormes columnas de acero de soporte que asomaban por debajo del faldón blanco.

En la angosta entrada de la bahía, pasaron por una zona de aguas agitadas; era la cortina de aire caliente que salía de los tubos instalados en el lecho marino y que impedían que el hielo entrase en la bahía. Durante los pocos segundos que tardaron en cruzarla, Espinoza se sintió caliente por primera vez desde su llegada a la Antártida.

Volvió su atención al barco. No había duda de que era muy viejo; le dio la sensación de encontrarse ante una nave fantasma, incluso aunque no hubiera sabido que estaba abandonada. El casco era un batiburrillo de manchas y rayas de pintura, como si lo hubiesen pintado unos niños. La superestructura era en su mayor parte blanca y la chimenea de un rojo desteñido. Tenía cinco grúas, tres delante y dos atrás, lo que lo convertía en lo que los marineros llamaban un «barco de palos». Desde que los contenedores se habían hecho con el comercio marítimo, estos barcos se consideraban antiguos, y la mayoría de ellos habían acabado en el desguace.

—Menudo cascajo —comentó el teniente Jiménez—. Hasta las ratas deben de haberlo abandonado.

A medida que se acercaban, vieron que no se trataba de un barco pequeño. Espinoza calculó que la eslora era de casi ciento cincuenta metros. Resultaba difícil ver el nombre, porque la pintura se había desconchado y estaba cubierta de óxido, pero acabó leyéndolo: *Norego*. Seis metros de la proa estaban encajados en la playa de guijarros. Había otra embarcación junto a la enorme proa, y un grupo de hombres a su alrededor. Uno de ellos estaba levantando una escalera de aluminio extensible que parecía lo bastante alta para llegar, al menos, a la borda.

La embarcación de Espinoza se detuvo junto a la primera, y un tripulante le arrojó un cabo a uno de los soldados. Acercó la barca todo lo posible mientras otro tripulante colocaba una pasarela que no era más que una tabla de tres metros y medio de largo.

El sargento Lugones saludó tan pronto como las botas reforzadas del comandante tocaron la playa rocosa. Por una vez, el cielo estaba despejado, y la temperatura rondaba los diez grados bajo cero.

—Menuda visión, ¿verdad, sargento?

—Sí, señor. La cosa más extraña que he visto nunca. Lo divisamos con la primera luz del alba y vinimos a investigar. Con el permiso del comandante, creí mejor que permaneciese en la cama y gozase de un sueño reparador.

Para cualquier otro, esa hubiera sido una clara insubordinación, pero el barbudo sargento se había ganado con creces el derecho de burlarse de su comandante de vez en cuando.

—Pues tú necesitarías estar treinta años en coma para mejorar esa jeta —replicó Espinoza. Los hombres que le oyeron soltaron una carcajada.

—Todo preparado, sargento —avisó el soldado que había colocado la escalera.

Espinoza fue el primero en subir mientras dos hombres sujetaban la base para protegerla de una posible ráfaga de viento. Había modificado los guantes de forma que dejaran libre el dedo índice, así, cuando desenfundaba la pistola, podía pasar el dedo por la guarda del gatillo. Miró por encima de la borda. En la cubierta se amontonaban todo tipo de desechos, bidones de combustible y trozos de equipos náuticos. No vio ningún movimiento, así que pasó por encima de la borda e indicó al siguiente hombre que se uniese a él.

El viento soplaba entre los cables de la grúa, emitiendo un gorjeo agudo que le provocó escalofríos. Sonaba como una letanía fúnebre. Miró hacia las ventanillas del puente, pero no vio nada excepto el reflejo del cielo.

Raúl apareció a su lado un momento más tarde, seguido por Lugones. El sargento empuñaba una metralleta con una linterna sujeta debajo del cañón corto. Cruzaron la cubierta con mucho cuidado y con uno de ellos siempre cubriendo el avance de los demás. No había escotillas en la superestructura de proa, debajo del puente, así que pasaron a la banda de estribor y fueron a popa. Ahí encontraron una entrada a un par de metros de distancia. Por encima de ellos se curvaban los brazos esqueléticos de un pescante vacío. Un cable de acero colgaba de cada uno de ellos.

Jiménez quitó los cerrojos, miró a Espinoza, que asintió, y luego abrió la puerta. El sargento Lugones tenía el arma preparada.

El pasillo interior estaba en penumbra, así que encendió la linterna. La pintura del interior se veía tan descascarillada como la del exterior. El suelo de linóleo mostraba grandes roturas y parecía que nunca lo hubiesen limpiado.

Sus alientos formaban nubes alrededor de sus cabezas.

—Al parecer no hay nadie en casa.

—Una notable observación, teniente. Subamos al puente. Si hay alguna respuesta a este misterio, allí la encontraremos.

Los hombres subieron varias cubiertas e inspeccionaron las habitaciones por las que pasaban. A juzgar por la manera como el mobiliario había sido volcado, era obvio que el viejo cascajo había pasado por una terrible tormenta. Las camas estaban tumbadas y gran parte de los muebles de madera se veían destrozados. No encontraron ninguna prueba de la presencia de la tripulación, viva o muerta.

El puente se veía grande y lóbrego debido a la pátina de sal en las ventanas. Una vez más, no encontraron a nadie, pero en la mesa de cartas detrás del timón había un papel guardado en una funda de plástico y pegado con cinta adhesiva.

Lugones utilizó un cuchillo para cortar el papel y dárselo a su superior.

Espinoza leyó en voz alta:

—«A cualquiera que encuentre esto: Nos hemos visto forzados a abandonar el *Norego* cuando las bombas de achique han fallado y el mar ha entrado por una brecha en el casco producida por una ola. El jefe de máquinas Scott ha hecho todo lo que estaba en su mano, pero ha sido imposible poner en marcha los motores. La decisión no ha sido fácil. Estas aguas son traicioneras y estamos muy lejos de cualquier costa. Pero un bote salvavidas es mejor que un barco que se hunde. Si no lo conseguimos, por favor, dígale a mi esposa que la quiero, a ella y a nuestros hijos. Esto, desde luego, también vale para todos los hombres de mi tripulación y sus familias.»

»Está firmado por el capitán John Darling de la Proxy Freight Line, y, escuchen esto, tiene fecha de enero del año pasado. Este barco lleva a la deriva veinte meses.

—¿Cree que rescataron a la tripulación? —preguntó Lugones.

Espinoza sacudió la cabeza.

—No tengo ni idea. Me pregunto por qué no se hundió. Para que un capitán abandone su barco tendría que estar muy seguro. Quiero ver la sala de máquinas.

Tardaron algún tiempo y se perdieron varias veces hasta que encontraron la entrada de una escalera que les llevó a las entrañas del barco. Jiménez no había acabado de abrir la escotilla cuando una ola de agua helada les mojó las botas. Lugones apuntó con la linterna hacia el pozo de la escalera. Estaba completamente inundado. La luz se reflejó en el aceite que flotaba en la superficie del agua.

—Ahí está la respuesta —manifestó el sargento—. Está inundado.

—Me pregunto cuál sería la carga —musitó Jiménez—. Si no recuerdo mal, según las leyes de salvamento marítimo, aquel que lo encuentra se queda no solo con el barco sino con la carga.

—¿Cuándo estudiaste leyes de salvamento marítimo? —preguntó Espinoza en tono sarcástico.

—De acuerdo. Lo vi en la tele.

—Mete tus largas manos en los bolsillos. Somos soldados, no vendedores de chatarra. Lo más probable es que este viejo trasto vuelva a la deriva con la próxima marea alta o cuando se desate otra tormenta.

—¿Cree que deberíamos hacerle unos cuantos agujeros más para asegurarnos de que esta vez se hunde de verdad? —preguntó el sargento.

Espinoza consideró la pregunta de Lugones.

—No. Dejaremos que vague por ahí. Si ha sobrevivido hasta ahora, que siga a la deriva.

Una cubierta por debajo de donde estaban los tres hombres, Juan Cabrillo se relajó en su butaca. Nunca se le hubiese ocurrido que el comandante argentino, cuyo rostro había comenzado a ver en sueños, tuviese un lado romántico. Esta había sido una de sus principales preocupaciones: que utilizasen el *Oregon* para sus prácticas de tiro. Sin duda, cuando eran niños, a estos soldados les había divertido volar cosas. La única diferencia era que ahora disponían de explosivos plásticos en lugar de petardos. La tripulación había vencido al sensor termal al cerrar la calefacción en las zonas «públicas» del barco, bajarla al mínimo en el resto y dejar que los tanques de lastre inundados les protegiesen del escaneo. Para realizar el truco de la escalerilla inundada había bastado con cerrar la escotilla inferior y bombear agua de la sentina.

Cabrillo miró a Max, que sacudía la cabeza.

—¿Lo ves? Te dije que podía esconder el barco debajo de sus narices.

—Esto no cuenta —protestó Max.

—Cuanto más descarada es la mentira, más fácilmente se acepta. Con toda lógica, tendrían que haber sospechado, y en cambio mírales. Han abandonado la búsqueda al cabo de diez minutos, y nuestro buen comandante casi se echa a llorar.

—Lo reconozco, Juan. Eres un cabronazo astuto. Pero ¿ahora qué? Nos has traído hasta aquí. ¿Cuál es tu plan?

—Si quieres saber la verdad, no he pensado mucho más allá de este punto. ¿Has visto la carga debajo de la lona de la segunda embarcación?

Las cámaras exteriores habían estado vigilando a los soldados desde que el primer grupo había aparecido con el alba.

—Al parecer, tiene el tamaño y la forma de un sónar lateral.

—Eso significa que tienen la intención de buscar el barco chino naufragado.

—Supongo que llegaremos antes que ellos, ¿verdad?

—Lo ves, el plan se revela a sí mismo —dijo Cabrillo con la sonrisa satisfecha de un chico que acaba de ganarle una a su padre. En realidad, no había pensado mucho más, aparte de situar el *Oregon* en posición.

Max señaló la imagen de los soldados que se movían alrededor de la proa.

—Tendremos que esperar a que esos se larguen antes de vaciar el lastre suficiente para abrir las puertas de la piscina.

Juan asintió.

—Sospecho que comenzarán la busca hoy mismo, así que tan pronto como embarquen y se marchen, nos ocuparemos de lo nuestro. Cuando Tamara despierte, pregúntale si quiere venir con nosotros. Lo menos que podemos hacer es mostrarle el fabuloso barco del tesoro antes de que lo destruyamos.

Hanley no sabía nada de ese propósito, y miró al director un momento antes de entender la lógica de su decisión.

—Será una pena, pero tienes razón; no se puede evitar.

—Lo sé. No podemos permitirnos dar a los chinos ni siquiera la menor oportunidad para reclamar este lugar.

Una hora más tarde, Juan quitó los cierres que sujetaban el Discovery 1000 de diez metros de eslora. El sumergible para tres tripulantes no disponía de una escotilla de escape como su hermano mayor, pero nadie tenía el menor deseo de nadar en el agua, que solo estaba unas décimas por encima del punto de congelación.

Cabrillo ocupaba el asiento reclinado del piloto con Tamara a su derecha. Linda Ross había sacado el número de la suerte para acompañarles, aunque, con una temperatura tan baja como para que todos viesen las nubes de su aliento en la cabina, no tenía muy claro si agradecer la buena fortuna.

—¿No podemos subir un poco la temperatura? —preguntó. Se sopló las puntas de los dedos entumecidos.

—Lo siento, pero la bahía que identificamos en las fotos del satélite está a nuestro alcance. Necesitamos la resistencia más que la comodidad.

—¿Los chinos no estarán allí? —preguntó Tamara. Además del abrigo, se había envuelto las piernas con otro.

—No. Han ido por el rumbo equivocado. Por aquí hay dos bahías con la misma forma. Una al norte y otra al sur. Gracias al cadáver que Linda y su equipo encontraron en la base Wilson-George, sabemos que el naufragio fue en esta dirección. Estos tipos se pasarán toda la semana próxima o más buscando a cincuenta millas de donde deberían.

Durante las siguientes tres horas, navegaron a una profundidad de seis metros. Como consecuencia del débil sol polar, casi estaban a oscuras a tan poca profundidad. Para seguir el rumbo, Juan confiaba en el sónar y en el sistema de radar del submarino. Al menos el mar estaba en calma. De haber tenido mal tiempo, navegar tan cerca de la superficie hubiese sido como viajar en el interior de la secadora de la ropa.

Linda y Juan mantuvieron a Tamara entretenida contándole algunas de las aventuras de la corporación, y en cada historia siempre procuraron dar a Max un lugar destacado. Si ella sospechaba que estaban intentando venderle a su amigo, no lo demostró. Bebieron té azucarado y comieron bocadillos preparados en la excelente cocina del *Oregon*.

—El ordenador de la nave dice que estamos saliendo de la bahía —informó Cabrillo a sus pasajeras—. La profundidad aquí es de mil quinientos metros, pero el fondo asciende bruscamente.

Juan había estado pensando en qué lugar de la bahía que parecía un fiordo se habría hundido el barco chino. Dio por sentado que estarían lo más cerca posible de la costa, y en las fotos del satélite había visto lo que creía que era la mejor zona. Había algo parecido a una playa, o al menos un área donde las imponentes montañas y los glaciares eran mucho más bajos.

Llevó el sumergible a la boca de la bahía y trazó el rumbo

hasta el lugar. Mantuvo un ojo puesto en el sónar lateral. Tal como había dicho, el fondo subía en una pendiente del sesenta por ciento, aunque seguía siendo una roca lisa sin ni tan siquiera un saliente. De haber estado por encima del agua, hubiese sido casi imposible escalarla.

—No puedo creer que estemos haciendo esto —comentó Tamara por tercera o cuarta vez—. Hace apenas unos días, estaba casi segura de que el almirante Tsai Song y el *Mar del Silencio* solo eran una leyenda, y ahora estoy a punto de verlo por mí misma.

—Si tenemos suerte —advirtió Juan—. Pueden haber pasado muchas cosas en los últimos quinientos años. Podría ser que el hielo lo haya convertido en astillas.

—Oh. No lo había pensado. ¿Cree que habrá ocurrido?

—En realidad, no. Eric y Mark, los que conoció en el puente...

—¿Los dos que no parecían tener edad suficiente para afeitarse?

—Los mismos. Son unos investigadores extraordinarios. Buscaron en los archivos del Año Geofísico Internacional 1957-58; fue la última vez que alguien tomó medidas de esta zona. Las montañas alrededor de la bahía nunca recibieron un nombre, pero un equipo de investigación estuvo en los glaciares y descubrió que eran los que se movían más lentamente en el continente. Si la nave está a una profundidad suficiente, no tendría que haber resultado afectada ni siquiera cuando la superficie se congeló.

Cabrillo se frotó las manos para intentar activar un poco la circulación. Verificó el nivel de las baterías y decidió que tenían potencia más que suficiente, pero no por eso subió la calefacción. Prefería pasar más tiempo recorriendo el fondo en este viaje que tener que repetirlo al día siguiente.

Vieron la primera señal de vida cuando una foca leopardo pasó muy cerca de la ventanilla acrílica de babor. Hizo una pirueta delante de ellos, dejando una estela de burbujas, y luego se esfumó con la misma rapidez con la que había aparecido.

—Qué simpática —comentó Linda.

—No, si eres un pingüino.

Juan miró el perfil del fondo. La pendiente por la que estaban subiendo en paralelo se nivelaba cerca de la orilla, que aún estaba a una distancia de tres millas.

—¡Eh! —gritó Linda.

—¿Qué tienes?

—Acabo de captar una señal fuerte en el magnetómetro por la banda de estribor.

Cabrillo movió la palanca, similar a la de los aviones, y el sumergible se desvió a la derecha, aunque no con la elegancia de la foca; sin embargo, respondió mucho mejor que el Nomad, que era bastante más grande.

—Atención al sónar —dijo.

Delante de ellos había algo que para los aparatos electrónicos parecía una pared sólida de ciento quince metros de largo y doce de alto. Estaba a una distancia de doscientos setenta y cinco metros; todavía demasiado lejos para tan poca luz. Los motores funcionaban como una seda mientras se acercaban. Cuando estaban a quince metros, Juan encendió los focos montados sobre el casco presurizado.

Tamara se llevó las manos a la boca para ahogar una exclamación. En cuestión de segundos, las lágrimas caían por sus tersas mejillas.

Aunque no había dedicado toda una vida a estudiar aquel tema, Juan no pudo menos que emocionarse cuando miró, a través del tiempo y la distancia, el enorme junco chino que yacía en el fondo del mar de Bellinghausen.

Los mástiles habían desaparecido hacía mucho, probablemente destrozados por el paso de un iceberg, y había un enorme hueco en el casco por debajo de donde la quilla había sido revestida con cobre. Aparte de eso, parecía estar en perfectas condiciones para navegar. La baja salinidad y las bajas temperaturas hacían que hubiera poca vida en estas aguas que pudiera atacar la madera. No hubiese estado mejor conservado de haberlo abandonado en un desierto sin viento.

Justo por encima de la línea de flotación había docenas de aberturas. Juan preguntó qué eran, porque dudaba que fuesen ventanas.

—Son las troneras de los remos —respondió Tamara—. Una nave de este tamaño, con toda probabilidad, tenía veinte por banda, y en cada uno debía de haber al menos dos remeros, y en ocasiones hasta tres. También tendría seis o siete mástiles con velas cuadradas, que era lo habitual en todos los juncos.

Cuando estuvieron más cerca, vieron la larga superestructura que ocupaba casi toda la eslora del barco pintada de un color amarillo pálido con los perfiles rojos y con los detalles arquitectónicos de una pagoda.

—El emperador debió de insistir en que todas sus naves estuviesen lo más decoradas posible —continuó Tamara—, para mostrar la riqueza y el refinamiento de su reino. Solo los mejores artistas y artesanos debieron de trabajar en ellas.

—¿Dijo que transportaba un tesoro? —preguntó Linda.

—Ustedes me mostraron aquel trozo de oro que recuperaron y todos aquellos fragmentos de jade.

—El tripulante que sobrevivió al hundimiento y murió cerca de la base Wilson-George tuvo que haberlo cogido de las bodegas —comentó Juan mientras el sumergible pasaba por encima de la enorme nave—. Es posible que los priones no se hubiesen extendido demasiado y aún tuviese el cerebro en condiciones.

La doctora Huxley había confirmado la presencia de los priones en la momia china y en Andy Gangle.

En la proa había dos grandes cañones con forma de dragón. Eran versiones a gran escala de la pistola que habían encontrado junto al cadáver de Gangle. Apenas estaban cubiertos por una delgada capa de sedimento, así que Juan vio los dientes alrededor del agujero de la mecha y las alas talladas en los costados.

La cubierta de popa estaba tres pisos más arriba que la principal; allí había una casa cuadrada en el centro con un techo a dos aguas muy elegante. Tamara la señaló.

—Aquello debía de ser para el uso del capitán.

—¿Su camarote?

—Yo diría que un despacho administrativo.

Juan descendió de nuevo y elevó el morro del sumergible hasta donde el almirante Tsai había colocado la carga explosiva que había hundido el buque y matado a la tripulación. Los focos de xenón destacaron con un agudo relieve lo poco que podía verse del interior. Las cubiertas y las paredes eran de madera. La habitación era demasiado ancha para que pudiesen ver el lado más lejano, pero se distinguía un auténtico bosque de columnas. En realidad eran demasiadas. Finalmente, Tamara identificó lo que estaban viendo.

—Este es uno de los alojamientos de la tripulación. Colgaban las hamacas en las columnas.

—Todavía lo hacían de esa manera en los barcos del siglo XX, al menos en los buques de guerra —añadió Juan.

—Esto es sorprendente —susurró Tamara. Tenía los ojos muy abiertos por el asombro.

—Ahora la mala noticia —dijo Juan. Ella le miró con viveza—. Tenemos que destruirlo. La he traído con nosotros para que pudiese verlo con sus propios ojos, pero no podemos permitir que los chinos lo encuentren.

—Pero...

—Nada de peros. Lo siento. Convencimos a los argentinos de que, en su propio interés, debían abandonar sus planes en este continente, y ahora no podemos dejar una ventana abierta para que Pekín se cuele. Los chinos cabalgaban sobre los hombros de los argentinos porque no tenían ninguna prueba para hacer una reclamación. Esto les daría una. Una muy grande: descubrieron la Antártida trescientos ochenta años antes de que el primer europeo viese el continente.

—Yo... —Tamara frunció el entrecejo—. Detesto la política. Este es uno de los hallazgos arqueológicos más importantes de la historia y tiene que ser sacrificado para que unos hombres hambrientos de poder no se hagan con un yacimiento de petróleo.

—Un resumen perfecto —asintió Juan con toda la amabilidad que pudo—. Hay demasiado en juego para plantearse otra opción. Nuestro gobierno ha decidido que no quiere interpretar el papel de policía del mundo, pero debemos mostrar a la gente que todavía hay consecuencias por quebrantar la ley internacional. Una de las maneras es destruir este barco naufragado.

Ella no le miró, ni siquiera habló, pero después de un segundo asintió.

Juan apoyó una mano en su hombro un momento, y luego se ocupó de nuevo de los controles. Soltó un poco de agua de los tanques de lastre y, a medida que el sumergible subía hacia la superficie, la luz comenzó a aumentar poco a poco.

Cuando emergieron, Juan dejó su asiento y pasó por encima de Linda para llegar a la escotilla superior.

—Vuelvo en un segundo.

Se hizo a un lado mientras giraba la rueda de la escotilla, para evitar el chorro de agua fría que caería sobre la cubierta. Trepó por la escalerilla integrada, aunque se le adormecieron las manos por el frío del acero, y asomó la cabeza por el hueco. El frío le quitó el aliento. Unas agujas le pincharon los senos nasales y tuvo la sensación de que le quemaban los ojos. Juan no hizo caso y se concentró en el entorno. Había una lengua de hielo en la brecha entre dos montañas negras que se elevaban por lo menos seiscientos metros en el cielo. El hielo formaba una pared vertical entre ellas que corría recta hasta el agua. La parte inferior se veía erosionada en parte por las olas y las mareas, pero el resto parecía macizo.

—Servirás —dijo en voz alta. El viento arrancó las palabras de su boca. Después, volvió a meterse en el relativo calor del sumergible.

Lo primero que hizo cuando volvió a ocupar su asiento fue subir el calefactor al máximo y despreocuparse de las reservas de energía.

25

Incluso antes de que Juan, Linda y Tamara regresasen al *Oregon*, un equipo dirigido por Mike Trono ya iba hacia la bahía donde el *Mar del Silencio* yacía en el fondo. Juan había transmitido por radio las instrucciones para que llevasen el Nomad al norte y pusiesen manos a la obra para destruir el barco naufragado. Mike llevaba a cinco compañeros con él y casi una tonelada de equipo metida en el sumergible.

Les esperaba una noche larga y fría.

Después de darse la ducha caliente más larga de su vida y de enterarse de que la embarcación de exploración argentina no había pasado más de una hora en la ubicación errónea antes de regresar a la base, Cabrillo se reunió con los jefes de departamento para repasar la siguiente fase de la operación. La reunión fue rápida. En las horas de espera, mientras volvían del lugar del naufragio, Cabrillo había desarrollado un plan que necesitaba muy pocos retoques. Estaba otra vez en la piscina cuando aún no habían pasado dos horas de su regreso.

Para evitar perder el tiempo que tardarían en recargar las baterías del Discovery, los técnicos las habían reemplazado por otras, cambiado los filtros de dióxido de carbono y llenado los tanques de aire. Para esta misión, Juan escogió a Franklin Lincoln como acompañante. No esperaba ningún tiroteo, pero el ex SEAL sabía moverse como un espectro a pesar de su tamaño y había participado en más misiones encubiertas que casi todo el resto de la tripulación junta.

Cuando ya estaban preparados para marcharse, Kevin Nixon apareció con las prendas árticas que su personal había modificado para que se pareciesen a las prendas que vestían los argentinos. Una vez que se pusieran las chaquetas, los pantalones, las capuchas, los pañuelos y las gafas, serían completamente anónimos.

Les llevó diez minutos entrar en el estrecho. Incluso sumergidos, veían el resplandor de las luces de la lejana costa. Con el estruendo de la maquinaria en las plataformas petrolíferas, las aguas sonaban como un taller de desguace. El estrépito enmascaraba por completo el sonido de los motores, por lo tanto, no había ninguna necesidad de moverse con sigilo cuando comenzaron el viaje.

—¿Qué es ese ruido? —preguntó Linc mientras navegaban a una profundidad de nueve metros.

—¿Las plataformas petrolíferas?

—No. Es como un gorgoteo de baja frecuencia. Era muy fuerte cuando entramos en la bahía, y después ha bajado un poco, pero aún lo oigo.

Juan se concentró y él también oyó los extraños tonos. Se arriesgó a encender uno de los focos de baja potencia. Desde la superficie parecería un reflejo de la luna en el agua. En el resplandor, vio cortinas de pequeñas burbujas que subían del fondo marino. A medida que sus ojos se acomodaban, Linc y él vieron la red de tubos tendidos sobre el fondo, de donde procedían las burbujas.

Apagó la luz y los dos hombres intercambiaron una mirada.

—¿Alguna idea? —acabó preguntando Linc.

—Es así como mantienen la bahía libre de hielo. —Miró uno de los indicadores del ordenador—. Sí. Eso es. La temperatura del agua es casi de quince grados centígrados. Deben de utilizar los gases de escape de las plataformas para calentar el aire y pasarlo por estos tubos. Si lo piensas, es muy ingenioso.

Unos momentos más tarde pasaron a noventa metros del enorme crucero fondeado.

—¿Se sabe qué vamos a hacer con él?

Juan casi podía notar su oscura presencia en las aguas como un gigantesco tiburón. Un combate entre el *Oregon* y el crucero sería breve y brutal, y lo más probable era que acabase con las dos naves en el fondo.

—Con un poco de suerte, la inspiración llegará esta noche.

A menos de veinte metros de los muelles, Cabrillo puso en marcha el periscopio del Discovery. El objetivo no era mayor que un paquete de cigarrillos, y las imágenes que tomaba la cámara de baja luminosidad aparecían en una pantalla de alta definición en el submarino y también en otra a bordo del *Oregon.* Durante los siguientes minutos, una docena de pares de ojos observaron los muelles mientras Juan movía la cámara en un recorrido panorámico. Aparte de las balleneras amarradas, no había nada más que ver salvo los pilones de cemento. Hacía demasiado frío para que los hombres montasen guardia durante un período prolongado.

Cabrillo también sospechaba que, por ahora, los argentinos estaban satisfechos con sus logros y no creían que corriesen peligro. Más tarde, quizá habría una respuesta armada, pero durante los siguientes días el mundo continuaría asombrándose de su audaz jugada.

Guió el submarino hasta debajo del muelle y, poco a poco, lo llevó a la superficie. Menos de veinte centímetros del casco sobresalían por encima del agua, y la escotilla solo sumaba otros doce centímetros. Con el casco pintado de azul oscuro, el sumergible era casi invisible. Aparte de esto, un observador a bordo de la embarcación tendría que estar de rodillas para mirar debajo del muelle; las probabilidades de que les viesen eran prácticamente nulas.

Los dos hombres se sintieron como una pareja de contorsionistas cuando se pusieron los chaquetones, pero unos momentos más tarde Linc abrió la escotilla y salió a cubierta. Había muy poco espacio, así que tuvo dificultades para moverse agachado mientras amarraba el sumergible para que no se moviese con el cambio de la marea. Cabrillo salió del submarino y pasó por la banda de babor de una de las embarcaciones para acceder al muelle. Linc le siguió y, despreocupadamente, caminaron por el muelle hacia la base argentina.

Esta era la primera oportunidad que tenía Juan de ver bien las instalaciones, y se sorprendió por su tamaño y alcance. Sabía, por las fotos de Linda, que en la bahía había espacio suficiente para triplicar su tamaño. Si les daban rienda suelta no tardarían en construir toda una ciudad.

La primera tarea sería encontrar dónde tenían los argentinos a los científicos internacionales que habían secuestrado y que utilizaban como escudos humanos. Eran las ocho de la noche y, como sospechaban, prácticamente no había nadie por la zona. De vez en cuando veían una sombra que se movía entre los edificios, pero la mayoría de la gente estaba dentro de las casas. Cuando espiaban por alguna ventana iluminada, veían hombres sentados en los sofás mirando la televisión o jugando a las cartas en las salas de descanso, o encerrados en sus dormitorios leyendo o escribiendo cartas a casa. La primera zona que comprobaron parecía albergar los dormitorios de los trabajadores de las plataformas, un lugar poco probable para los prisioneros.

Entraron en varios de los almacenes, convencidos de que los científicos podrían estar encerrados en una habitación trasera, pero tan solo encontraron equipos mecánicos y centenares de bidones de un lubricante especial para brocas llamado lodo bentonítico.

Cuando salieron de los edificios, una silueta oscura les esperaba junto a la puerta.

—¿Qué estaban haciendo ahí dentro? —preguntó. La voz quedaba ahogada por el pañuelo, pero el tono acusador era inconfundible.

—Estamos intentando conocer la disposición del lugar —respondió Juan en español. El desconocido vestía de paisano, así que continuó con la ofensiva—. Si tenemos que defenderles, necesito conocer hasta el último palmo de este lugar. Si no le importa, seguiremos con lo nuestro.

—¿Ah, sí? —El hombre aún recelaba—. Entonces, ¿por qué hacerlo de noche?

Juan hizo un gesto a Linc como diciendo: «Menuda pregunta».

—Porque dudo mucho que los estadounidenses sean tan deportivos como para atacar durante el día —respondió—, y lo que parece un buen lugar cuando hay luz puede que no lo sea durante la noche.

Dicho esto, Juan golpeó con el hombro al tipo al pasar y Linc y él se alejaron sin volver la cabeza. Cuando se perdieron de vista detrás de la esquina de un dormitorio, Juan miró atrás y vio que el interrogador se había esfumado.

—Mi español estará oxidado —dijo Linc con una risita—, pero desde luego ha sonado como la mayor de las mentiras que he oído nunca.

—Como dice Max, cuanto más descarada es la mentira, más fácil es que se la crean.

Como las instalaciones estaban diseñadas para que quedaran camufladas de las cámaras de los satélites, no estaban dispuestas en una cuadrícula. Hasta que llegaron al extremo sur de la base, cerca del lugar donde Linc había descubierto la batería de misiles antiaéreos oculta, no vieron un solitario edificio sobre pilotes con la forma de un iglú. La luz salía por la ventana delantera, pero el resto estaba oscuro.

Subieron los escalones. Juan abrió la puerta exterior y entraron a un vestíbulo donde había percheros en la pared para los abrigos y bancos para las botas. Ninguno de los dos se sacó las prendas, y con toda naturalidad abrieron la puerta que daba al interior. Dos soldados estaban de pie con la pistola en la mano. Habían oído que se abría la puerta exterior y estaban alerta. Cuando vieron que eran dos soldados vestidos con el uniforme argentino se relajaron. La habitación tenía el encanto y el ambiente de una caravana en ruinas.

—¿Qué estáis haciendo aquí? Estamos de guardia hasta medianoche.

—Lo siento. No venimos de relevo —respondió Juan—. Nos han enviado a buscar al comandante. ¿Ha estado por aquí?

—Espinoza estuvo aquí para visitar a los prisioneros hará unas dos horas. —El guardia señaló una puerta cerrada detrás de él—. Pero no lo he visto desde entonces.

Ahora Juan tenía un nombre que acompañaba al rostro.

—De acuerdo, gracias. —Se volvieron para irse.

—Un momento. ¿Quién está debajo de toda esa ropa, Ramón?

—No, Juan Cabrillo —respondió tranquilamente.

—¿Quién?

—Juan Rodríguez Cabrillo. Acabo de ser transferido a la Novena Brigada desde la IM. —Significaba inteligencia militar, y también: «Puede que sea un oficial y más te vale no preguntar».

—Sí, señor —respondió el soldado, asustado—. Si veo al comandante Espinoza, le diré que le está buscando.

Era difícil sonar amenazador estando tan abrigado, pero Juan lo consiguió.

—Esta conversación nunca ha tenido lugar, soldado, ¿entendido?

—Señor. Sí, señor.

Linc y Cabrillo volvieron al terrible frío nocturno, donde las estrellas brillaban con tanta fuerza que el hielo resplandecía.

—Bingo —dijo Linc.

—Desde luego. Ahora solo tenemos que rescatar a los huéspedes, acabar con este lugar y dejar fuera de combate un crucero de ocho mil toneladas sin que los argentinos se enteren de que hemos estado aquí.

Los dos hombres continuaron el reconocimiento durante otras tres horas, moviéndose con toda libertad por la base. Al parecer no había nada de acceso restringido, excepto la cárcel improvisada. A Juan le interesaron particularmente las plantas procesadoras de petróleo y gas. Estaban ubicadas en unos enormes edificios que parecían hangares y cubiertos con material aislante y luego nieve y hielo. En el interior de cada uno de ellos había una complicada red de tuberías y conductos que se unían y separaban en un sistema que solo un ingeniero podía entender. Una de las plantas estaba bastante lejos de la playa. Una parte de la otra se adentraba en la bahía, soportada por pilotes clavados en el fondo marino. Descubrieron que en este lugar no solo se procesaba el gas natural, sino que también había un inmenso horno que calentaba el aire a temperaturas extremas y que después se enviaba por las tuberías que recorrían el fondo de la bahía. Todo parecía estar automatizado, pero daban tanta importancia a este sistema clave que había un trabajador de guardia en una oficina acristalada un poco más allá. Hizo un gesto cuando vio a Linc y a Cabrillo. Ellos respondieron al saludo y el trabajador volvió a sumergirse en su revista de anatomía.

Eran más de las once cuando volvieron al muelle. Estaban agotados y helados hasta la médula. Saltaron a la embarcación; Juan estaba a punto de meterse debajo del muelle para subir a bordo del sumergible cuando un centinela gritó:

—¡Alto! ¿Qué estáis haciendo después del toque de queda?

Juan se irguió.

—Esta tarde olvidé el iPod cuando acompañé a los peritos chinos.

—No me importa lo que olvidaste. Nadie puede andar por ahí después del toque de queda. Sal ahora mismo. Te vienes conmigo.

Levantó la metralleta.

—Tranquilo, amigo —dijo Juan con toda calma. Era mala suerte haberse encontrado con el soldado más escrupuloso del ejército argentino—. No queremos causarte ningún problema.

—Entonces tendrías que haberte quedado en tu cama. ¡Muévete!

Linc fue el primero en subir al muelle. El guardia retrocedió un paso en un gesto instintivo al ver la corpulencia de uno de sus prisioneros. Linc, que le sacaba casi una cabeza, parecía un oso polar debajo de las gruesas prendas árticas.

Juan subió detrás de él y, antes de que el centinela pudiese dar otra orden, se abalanzó hacia él y empujó la metralleta para evitar que el argentino pudiese apretar el gatillo; al mismo tiempo, descargó un puñetazo con la derecha en el rostro del hombre. Su puño golpeó en las gafas del centinela; al aplastarle la nariz, sus ojos derramaron lágrimas y sangre a partes iguales.

Linc entró en acción. Le arrebató el arma y le dio un fuerte puntapié en la rodilla. El centinela se desplomó y Cabrillo, sin perder ni un segundo, se sentó sobre el pecho para apagar sus gritos. Juan no titubeó. Había demasiado en juego. Puso la mano sobre la boca y la nariz del argentino y la mantuvo allí mientras su víctima luchaba por librarse. El forcejeo duró menos de un minuto.

—Maldita sea. No quería tener que hacer esto —se lamentó Juan, con la respiración entrecortada. Se puso de pie. Tenía las manos ensangrentadas.

—¿Qué hacemos con él?

—Si nos lo llevamos, podría despertar sospechas. Este no es un lugar del que puedas desertar.

Juan apartó la capucha del abrigo del cadáver y le quitó el pasamontañas de lana. Luego manchó con la sangre del hombre un bolardo cercano y colocó el cuerpo de forma que pareciera que al tropezar se había golpeado contra el acero, se había quedado inconsciente y había perdido la protección de la cabeza. Diez minutos en esta posición, expuesto a los elementos, era todo lo que tardaría el frío en matarle.

—Problema resuelto. Volvamos a casa.

A la mañana siguiente, Cabrillo se despertó con el sonido del teléfono. La montaña de mantas sobre su cama pesaba una tonelada y había dormido vestido con un chándal. Sin embargo, sentía frío. Le recordaba aquellas gélidas mañanas de Kazak, cuando se infiltró en la base espacial de Baikonur en sus tiempos de la CIA. Sacó una mano de debajo de las mantas y cogió los auriculares de la mesita de noche.

—Hola.

Eran las ocho y cuarto. Se había quedado dormido.

—¿Dónde estás?

Era Overhol desde Langley.

—Ahora mismo, en la cama.

—¿Estás en algún lugar cercano a la Antártida?

El tono era agudo, acusador. La presión que estaba soportando Langston se la estaba haciendo sentir también a Juan.

—A mitad de camino de Ciudad del Cabo, para la visita del emir de Kuwait —respondió Cabrillo con tanta naturalidad que casi se lo creyó.

—¿Estás seguro?

—Lang, he invertido en el *Oregon* un par de millones de dólares en equipos de navegación. Creo que sé muy bien dónde estamos. ¿Te importaría decirme qué te tiene tan preocupado?

—¿Sabes aquel submarino que los chinos enviaron para proteger a los argentinos?

—Recuerdo que mencionaste que navegaban con ese rumbo.

—La marina del Ejército de Liberación Popular ha perdido contacto con el submarino después de transmitirle la orden de investigar la presencia de un barco que recorría la zona de exclusión. Eso fue hace treinta y seis horas.

—Juro que estábamos al este de las Malvinas para entonces, a mitad de camino de la isla de Santa Elena.

—Gracias a Dios.

Juan nunca había oído a su amigo tan desconsolado.

—¿Qué está pasando?

—Desde que perdieron el submarino, los chinos han montado un follón terrible. Afirman que nosotros lo hundimos, pero no tienen pruebas. Dicen que cualquier otra acción encubierta contra los argentinos, no importa quién la haga, será considerada un ataque por parte de Estados Unidos. Si algo ocurre allá abajo, reclamarán toda la deuda estadounidense. Son tres cuartos de un millón de billones de dólares. Nos arruinaríamos por completo, porque todos los que tengan bonos del tesoro y deuda pública también querrían cobrarlos. Volveríamos a ver las carreras al banco del principio de la Gran Depresión.

»A través de los canales diplomáticos les hemos comunicado que si reclaman la deuda les pondremos tantos gravámenes que nadie podrá comprar sus productos en este país. En esencia, nos están desafiando. No les importa si su gente se queda sin trabajo y muere de hambre. En cuestión de problemas económicos, pueden enterrarnos. Nuestra deuda con ellos es tal que nos tienen en un puño, y ahora tendremos que pagar por ello.

—¿Dijeron «acciones abiertas»?

—Abiertas. Encubiertas. Qué más da. Nos tienen en un puño. Final de la historia. El presidente ha ordenado que cualquier buque de guerra en el Atlántico permanezca por encima del ecuador y ha llamado a todos nuestros submarinos de ataque rápido para demostrar a los chinos que no interferiremos en lo que ellos y los argentinos han hecho. En este momento, Estados Unidos ha cedido su posición de superpotencia a los chinos.

Dolía mucho oír esas palabras en boca de un hombre que había tenido un papel tan importante en acabar con la pretensión de la Unión Soviética de controlar el mundo. Juan no sabía qué decir, y en ese mismo momento no tenía muy claro qué iba a hacer.

Lo correcto era seguir con su plan y allá con las consecuencias. No obstante, debía considerar lo que podía ocurrirle a la gente de su país. El panorama que le había pintado Overholt haría que la Gran Depresión pareciese un tiempo de abundancia y esplendor; un sesenta o un setenta por ciento de desempleo, el hambre y la violencia que generaría, el derrumbamiento del imperio de la ley. En esencia, sería el final de Estados Unidos.

Por fin recuperó la voz.

—Bien, no tendrás que preocuparte por nosotros. Como te he dicho, vamos camino a Sudáfrica.

—Supongo que me alegra saberlo —dijo Langston con voz cansada—. Sabes, Juan, quizá no podamos salir de este embrollo con tanta facilidad.

—¿A qué te refieres?

—Podemos aplacar a los chinos, pero Corea del Norte está reclamando que retiremos las tropas apostadas en el sur o nos arriesgaremos a una confrontación militar. Anoche estalló una bomba de poca potencia cerca del Palacio Presidencial en Caracas. Los venezolanos afirman que fue un intento de asesinato cometido por las fuerzas especiales colombianas. Han prometido vengarse, y las fotos de satélite muestran que están moviendo tropas hacia la frontera. Lo interesante es que comenzaron hace un par de días.

—Lo que significa que ellos mismos la hicieron estallar, para tener un pretexto.

—Así es como lo interpreto, pero no importa. Los chinos están invirtiendo mucho en Venezuela, así que puedes imaginarte nuestra reacción si invaden Colombia.

—¿Girar los pulgares?

—Puede que incluso lo consideren demasiado provocativo —dijo Overholt con un humor patibulario—. Lo más probable es que nos sentemos sobre las manos. Escucha, esta mañana tengo la agenda cargada de reuniones. Te llamaré más tarde si hay alguna novedad. Saluda de mi parte al emir kuwaití si no hablamos antes de que llegues allí.

—Así lo haré —contestó Juan.

Colgó el teléfono y apartó las mantas. El suelo estaba frío y resbaladizo como una pista de hockey sobre hielo, a pesar de los calcetines de lana. No estaba seguro de quién estaba jugando mejor esta partida. Él mintiendo a Overholt o Langston intentando manipularle. El veterano agente de la CIA creía que el *Oregon* iba a Ciudad del Cabo, pero le había hablado de Corea del Norte y Venezuela para hacerle volver.

«Haz lo correcto —decía a menudo el padre de Juan—. Es más fácil enfrentarse a las consecuencias, no importa lo que creas.»

Se vistió deprisa y fue al centro de operaciones, donde se sirvió una taza de café de una cafetera de plata colocada en una de las mesas del fondo. Con el barco varado, Maurice había sacado su mejor porcelana Royal Doulton. Era la sutil manera del jefe de camareros de responder a su broma anterior. Si Juan recordaba bien, la taza que tenía en la mano valía setenta y cinco dólares.

—¿Qué tal les ha ido a Mike y a su equipo? —preguntó. Murphy y Stone estaban en sus asientos habituales en la parte delantera de la sala.

—Regresaron sobre las cuatro de la mañana —respondió Eric Stone—. Dejó dicho que todo había ido bien, y que necesitaría por lo menos una noche más. Pero hay un problema.

—¿No lo hay siempre?

—La embarcación de los chinos con el equipo de sónar ha partido esta mañana con rumbo sur.

Juan maldijo. Si él había podido encontrar el barco naufragado con el submarino a la primera, era fácil suponer que también lo harían los chinos.

—Estoy seguro de que la otra bahía está helada, por eso ahora buscan en la derecha.

—¿Qué quieres que hagamos? —preguntó Mark.

—No lo tengo muy claro —respondió Juan—. No podemos alcanzarlos con ninguno de los dos sumergibles, y si vamos a por ellos en una neumática podrían comunicar a la base que se acerca una embarcación desconocida.

Hali Kasim estaba sentado en su puesto.

—¿Qué más da si lo encuentran hoy? —preguntó—. Todo lo que podrán hacer será sacar unas fotos borrosas. No demostrarán nada, y a esta hora, mañana, el barco estará destruido.

—Solo por hacer de abogado del diablo —intervino Eric—, si encuentran el barco, ¿quién dice que no se quedarán toda la noche? Estropearía nuestro plan.

Juan comenzó a sentir dolor de cabeza y se frotó las sienes distraído. Era un problema que no sabía cómo afrontar. Había comentado su idea con Kevin Nixon, pero el artista de los efectos especiales le había respondido que cualquier falsificación que pudiese hacer se descubriría al instante. Esta vez era la verdad o nada. Para que su plan funcionase y los argentinos nunca sospechasen nada, Cabrillo necesitaba encontrar dieciocho esqueletos humanos.

El dolor de cabeza se estaba transformando en migraña.

26

—¿A quién queréis más que a mí? —preguntó Linda Ross cuando entró en el centro de operaciones quince minutos más tarde. Sonreía y llevaba en la mano una carpeta.

—Megan Fox —respondió Mark de inmediato.

—Beyoncé —dijo el técnico de guardia en el centro de control de daños.

—Katie Holmes —contestó Hali.

—Yo siempre he sentido algo por Julia Roberts —afirmó Eric.

—Director, ¿tú también quieres ser un cerdo machista? —preguntó Linda.

—A la única mujer que quiero más que a ti es a mi mamá.

Los otros hombres se burlaron de él por lo bajo.

Linda sonrió.

—*Touché*.

—Recuérdame de nuevo por qué te quiero tanto.

—Porque he encontrado que a menos de cien millas al sur de aquí hay una estación ballenera que se abandonó en los años treinta.

—No necesitamos huesos de ballena.

—Ha sido clasificada como Patrimonio de la Humanidad porque, y ahora presta atención, tiene una capilla con un cementerio en el que descansan veintisiete balleneros que murieron en aquellas aguas. Me pediste que encontrara unos huesos, y yo te los doy.

Cabrillo se levantó de un salto y estuvo a su lado en dos zancadas. Tuvo que agacharse para darle un beso en las sedosas mejillas. La migraña desapareció en el acto, y el sudario que se había empezado a formar sobre él se disipó. Lo que le había tenido tan deprimido era que si no encontraba un montón de esqueletos, no tendría más alternativa que abandonar a los rehenes a su suerte. Dudaba que fuesen una prioridad para los argentinos una vez que las cosas comenzasen a calentarse, así que abandonarles allí significaba dejarles morir.

—Director, estoy captando una transmisión de la embarcación china —avisó Hali desde sus ordenadores.

—¡Interferencia!

Kasim escribió en su teclado durante un par de segundos.

—He aislado la frecuencia. Están muertos. El ordenador les seguirá automáticamente mientras buscan una señal por todo el espectro.

—De acuerdo. Perfecto. Si tienen alguna noticia que comunicar, tendrán que volver a la base. Hemos eliminado dos problemas en un minuto. Felicitaciones.

Max y Tamara entraron en el centro de operaciones con las manos tan cerca la una de la otra que Juan sospechó que las habían tenido unidas hasta hacía unos segundos. «El sapo y la princesa», pensó, pero se sintió feliz por ambos.

—En el momento preciso, amigo mío.

Hanley le miró como un comprador mira a un vendedor de coches usados.

—No sé por qué, pero tengo un mal presentimiento.

Cabrillo sonrió de oreja a oreja.

—Haces bien. Necesito que hagas de Igor y robes en el cementerio de una iglesia.

Tamara le miró, atónita.

—Quiere que haga ¿qué?

—Ya sabes —dijo Max, sacudiendo la cabeza de un lado a

otro—. Debo admitir que esperaba que esta parte de la operación no fuese necesaria.

—Vamos —se burló Juan—, aire puro, cielos despejados, noruegos putrefactos. ¡Será fantástico!

—¿De qué están hablando ustedes dos? ¿Quiénes se están pudriendo?

Max se volvió hacia Tamara.

—Para rescatar a los rehenes sin que los argentinos se den cuenta de que han desaparecido, tenemos que dejar algo en su lugar que les engañe.

—Pero...

—Una vez que les saquemos del edificio —explicó Juan—, le pegaremos fuego. Lo único que encontrarán serán dieciocho esqueletos chamuscados. Solo un forense podría determinar que no son los rehenes actuales. Debemos dar gracias por que las dotaciones de invierno sean tan reducidas, de lo contrario necesitaríamos encontrar otra alternativa.

—¿Como cuál? —preguntó ella, asombrada.

—Quizá una pequeña bomba atómica.

Por lo que Tamara había visto hasta entonces de la corporación, no estaba segura de si Cabrillo bromeaba. No le habría sorprendido que no lo hiciese.

Él le dedicó una sonrisa de lobo que solo le confirmó que estaba rodeada por un puñado de adolescentes aventureros. Miró a Max en busca de ayuda. Él se encogió de hombros.

—Supongo que es una suerte que pretendiera utilizar una bomba pequeña —opinó la profesora.

Linda se movió a su lado, como si fuera un ancla en aquella locura.

—No se preocupe. Sabemos lo que estamos haciendo.

—Me alegra de que sea así, porque desde luego yo no.

Hanley se marchó veinte minutos más tarde en una LNFR con una neumática enganchada. Él y su tripulación de cuatro hombres navegaron por mar abierto durante unas cinco millas antes de virar al sur, donde no había ninguna posibilidad de que les viesen desde tierra. Max llevaba una bomba de alta presión propulsada por un motor de gasolina que pensaba utilizar para desenterrar los huesos. El chorro de agua caliente podía llegar a una presión de cuatro mil psi, más que suficiente para fundir el permafrost que cubría los cadáveres. Como dijo cuando se marcharon: «Nada de picos y palas para el hijo favorito de la señora Hanley».

Ese día Juan tenía una tarea mucho más difícil. Con los chinos explorando la bahía donde estaba ubicado el barco naufragado, MikeTrono y su equipo no podían reanudar el trabajo. Por lo tanto, el sumergible Nomad con su esclusa de aire, quedaba libre. El anochecer perpetuo era lo bastante oscuro para darles un camuflaje visual, y las plataformas petrolíferas y la cortina de aire caliente de los argentinos ocultarían los ruidos de su trabajo.

En la sala de operaciones submarinas, Cabrillo se vistió para la inmersión. Debajo del traje de neopreno Viking llevaba una prenda tejida con más de treinta metros de tubo. El agua caliente suministrada por una manguera conectada a una válvula del submarino circularía por el tubo. Sabía que los argentinos calentaban la bahía, pero no podía arriesgarse a encontrar bolsas de agua helada durante el trayecto. La manguera también llevaba acoplado el sistema de comunicaciones y le proporcionaba aire, así que no necesitaba las pesadas botellas.

El casco integral estaba equipado con unos focos demasiado potentes, así que los oscureció un poco cubriendo la mitad de las lentes con pintura. Le haría mucho más difícil el trabajo, pero también dificultaría que le viesen desde la superficie. Necesitaba recordar en todo momento no mirar arriba, para que los focos no apuntasen hacia la superficie.

Linda pilotaría el minisubmarino y Eddie Seng dirigiría la inmersión de Juan.

Tan pronto como los botaron, Linda los llevó hacia la popa del *Oregon.* Justo debajo del mástil de la bandera habían abierto una escotilla que dejaba a la vista un enorme tambor de cable de arrastre. En lugar de acero, estaba hecho con fibra de carbono tejida, con un cuarto del peso y cinco veces la fuerza de un cable tradicional. Además, tenía flotación neutra. Linda cogió el extremo con el poderoso brazo mecánico del Nomad y lo metió en un enganche del cual no se soltaría.

Luego emprendieron el trayecto hacia la base argentina. Arrastrar el cabo no representaba un problema al principio, pero los tres sabían que cuando hubiesen arrastrado todo el que necesitaba, el submarino tendría dificultades. Habían calculado la botadura de forma que el Nomad entrase en la bahía con la marea.

No tardarían más de una hora en llegar a los pilones que soportaban la planta de procesamiento de gas que Juan y Linc habían dedicado tanto tiempo a observar la noche anterior. Como la bahía se mantenía caliente, la vida marina prosperaba alrededor de los gruesos muelles de hormigón. Unos cangrejos marrones opacos se movían en el fondo y los peces nadaban entre las columnas, que estaban cubiertas de lapas y mejillones.

El Nomad tenía una eslora de dieciocho metros, pero con los múltiples propulsores colocados estratégicamente en el casco, era muy maniobrable. Mordiéndose el labio inferior con sus dientes blancos, Linda los llevaba por debajo del complejo y alrededor de una de las columnas. Allí los depositó en el fondo.

Volvió a ocuparse del brazo mecánico. El cable de fibra de carbono era fuerte, pero vulnerable al roce, y el contacto con la áspera superficie del muelle lo debilitaría. Para protegerlo, primero quitó los mejillones utilizando el brazo. Los pequeños bivalvos cerraron sus conchas violentamente cuando se vieron desalojados y se movieron en la penumbra.

Luego giró la mano mecánica para sacar unos trozos de tubo de PVC de uno de los cofres. Era del mismo material utilizado en las instalaciones domésticas y un artículo común en cualquier parte de la base. Su presencia, en la posibilidad remota de que los encontrasen, no despertaría sospechas. Solo sería un montón de desechos que habían caído al mar. Los tubos estaban pegados para formar un semicírculo que calzaba en la parte de atrás del muelle. De este modo, el cable rozaría la suave superficie del tubo y no el cemento.

Colocó la funda protectora en su lugar y movió el sumergible al otro lado de la columna.

—Buen trabajo —dijo Juan mientras retrocedían a poca velocidad. El cabo de arrastre negro pasaba suavemente sobre los tubos de PVC—. Solo nos falta una parada más.

Linda viró el Nomad e inició el trayecto de vuelta a través de la bahía. El peso del cabo y el esfuerzo de luchar contra la marea, que aún tenía que bajar, exprimió al máximo el motor del sumergible. Las baterías se gastaban casi al doble de la velocidad normal y se movían con la lentitud de un caracol, pero a pesar de ello avanzaban.

Veinte minutos más tarde, estaban debajo del *Almirante Guillermo Brown.* El ancla descansaba de lado en el fondo rocoso, con la cadena subiendo hacia la superficie. Menos de seis metros de agua separaban la quilla del fondo.

—*Brown*, un nombre extraño para un barco argentino —comentó Eric mientras le daba a Juan el casco.

—Su nombre verdadero era William Brown, nació en Irlanda y después emigró a Argentina. Se le atribuye el mérito de crear la fuerza naval que a principios de 1800 luchó contra los españoles.

—¿Cómo es posible que sepas eso? —preguntó Linda desde la cabina.

—Lo busqué en internet la primera vez que vimos el crucero. A mí también me llamó la atención el nombre.

Juan entró en la pequeña esclusa de aire, cargado con un cinturón en el que colgaban las herramientas. Sujetos a la espalda llevaba dos cilindros como un lanzallamas de la Segunda Guerra Mundial. Una vez dentro y con la escotilla cerrada, conectó la manguera a una válvula y comprobó las conexiones, se aseguró de que el agua caliente pasaba por el traje, que la circulación de aire fuera buena y que estableciera una correcta comunicación con el submarino. Solo cuando Eddie se dio por satisfecho abrió la válvula que inundaba el compartimiento del tamaño de un armario.

El agua burbujeó con un siseo mientras subía por su cuerpo y apretaba el traje de neopreno contra sus piernas a medida que aumentaba la presión. La temperatura era agradable, pero no descartaba encontrarse con bolsas heladas una vez en el exterior. Vio que Eddie le observaba a través de la pequeña mirilla en la puerta de la esclusa de aire. Juan hizo la señal de los buceadores para indicarle que estaba todo en orden. Eddie se la devolvió.

Momentos más tarde, el agua llegó hasta el techo. Juan levantó la mano para abrir la escotilla exterior. Unas pocas burbujas escaparon al abrirse. Salió del submarino, se aseguró de tener la cabeza gacha y las luces apuntando lejos de la superficie. Estaba bastante seguro de que los argentinos no tendrían vigías apostados con unas temperaturas tan bajas, pero no olvidaba que Linc y él, la noche anterior, se habían topado con un centinela.

La suave vibración que notaba en el agua provenía de los motores secundarios del crucero, que generaban la energía suficiente para el funcionamiento de los sistemas de la nave y mantenía a los hombres calientes. Los motores principales estaban apagados. Él ya lo sabía, porque había visto que de la única chimenea del buque de guerra solo salía una cantidad de humo muy pequeña.

Se apartó de un salto del submarino y flotó hacia el fondo en un grácil arco. Sus botas levantaron un poco de sedimento que se dispersó con suavidad. A su izquierda vio uno de los conductos de quince centímetros de diámetro por donde escapaban las burbujas de aire caliente. El aire salía a todo lo largo en finos torrentes de plata.

Juan volvió su atención al ancla del *Almirante Brown*. Parecía medir unos dos metros y medio de longitud y tener un peso aproximado de unas cuatro toneladas; más que suficiente para mantener el buque estable contra las mareas. Una pequeña parte de cadena sobrante se acumulaba junto a ella formando una montaña color óxido.

—¿Qué tal ahí fuera?

—De momento ningún problema. Ahora estoy mirando el ancla.

—¿Y?

—Podré desengancharla de la cadena. El pasador está sujeto con pernos.

Cabrillo se inclinó sobre el ancla y sacó una llave inglesa del cinturón. La colocó en el primer perno y utilizó el pulgar para ajustarla hasta que encajó, aunque se resistió. Pequeños trozos de pintura se desprendieron de la cabeza del perno cuando lo movió un poco, pero luego no quiso girar más. Juan comenzó a tirar hasta que finalmente tuvo que apoyar las piernas en el ancla; creyó que se iba a desmayar. El perno giró otro poco. Con tremendos esfuerzos, tardó diez minutos en quitar el primer perno y acabó bañado en sudor.

—Cierra el traje caliente, Eddie, me estoy asando aquí fuera.

—Ya está.

El siguiente perno cedió con tanta facilidad una vez que empezó a girar, que podía haberlo sacado con los dedos. El tercero y el cuarto no fueron fáciles, pero de ninguna manera tan difíciles como el primero. Sujetó la llave inglesa de nuevo en el cinto y cogió un mazo de goma. Utilizaba el de goma para evitar hacer cualquier ruido.

Descargó un golpe contra el pasador, con la dificultad añadida de la resistencia del agua, que entorpecía el movimiento, pero el golpe fue lo bastante fuerte para desplazarlo dos centímetros y medio de la alineación. Otros tres golpes y ya casi quedaría libre del ancla. Aún aguantaría al barco en posición contra el flujo normal del agua que entraba y salía de la bahía, pero cualquier subida fuerte haría que el pasador se soltase y el *Almirante Brown* quedase a merced de los caprichos del mar.

—Ya está. ¡Diablos!

—¿Qué?

—Acaba de pasar una bolsa de agua helada. Maldita sea, ha sido brutal.

—¿Quieres que vuelva a conectar el traje caliente?

—No. Ya se ha alejado.

Juan comenzó a caminar por el fondo hacia el minisubmarino; iba recogiendo la manguera a medida que caminaba, para que no se enredase.

Desenganchó el cabo de fibra de carbono de la hendidura y lo arrastró hasta el ancla. Añadió un poco de aire al chaleco de flotación para hacer el ascenso más fácil y, mano sobre mano, subió por la cadena. De momento, dejó el cable en el fondo.

Hizo una pausa cuando llegó a la quilla del buque de ciento veinte metros de eslora. El fondo estaba pintado con pintura roja y se veía libre de vida marina. Su siguiente tarea era soldar ocho ojetes metálicos en la proa. Para ello necesitaba las dos botellas que llevaba. Eran dos baterías de gran capacidad para un soldador de arco. Este equipo se utilizaba para hacer reparaciones rápidas en el *Oregon*.

Volvió a ajustar la flotabilidad y se colocó las gafas protectoras sobre el casco, para poder trabajar con comodidad junto a una chispa eléctrica más brillante que el sol. La curvatura del casco del crucero le ocultaba de las miradas desde la cubierta; en veinte minutos ya había soldado los ocho ojetes. Eran muchos, por si acaso saltaban una o más de las soldaduras. Juan sabía perfectamente que no era un soldador experto. Diez minutos más tarde había pasado el cable de arrastre a través de todos ellos. En la punta del cabo colocó una caja de acero del tamaño de un libro. La caja servía como tope para el cabo, pero en el interior llevaba una carga explosiva. Una señal del *Oregon* haría detonar la pequeña cantidad de explosivo plástico y la caja se desintegraría, con lo cual el cable se soltaría y podrían recogerlo con la polea del *Oregon*. La única prueba que quedaría serían los ocho ojetes, pero lo más probable era que no sobreviviesen a lo que Juan tenía planeado.

En cuanto regresó al submarino y cerró la escotilla, Linda lo puso en marcha e iniciaron el trayecto de vuelta.

—La operación Trallazo está en marcha —dijo cuando Eddie le ayudó a quitarse el casco.

—¿Algún problema?

—Suave como la seda.

—Más buenas noticias —anunció Linda—. Eric rastrea una tormenta que viene hacia aquí. Llegará mañana a la hora que en esta zona corresponde con el alba.

—Llama a Eric y dile que aparte un poco el barco de la playa. También que vacíen los tanques de lastre de estribor pero que dejen inundados los de babor. Eso tendría que darle al barco una escora convincente. —Los ojos de Juan ya brillaban anticipando lo que sucedería—. Espero que los argentinos hayan disfrutado del tiempo que han podido gobernar esta parte del mundo, porque está a punto de acabarse.

A las cinco de la tarde, la embarcación china pasaba junto al *Oregon*, que se había apartado un poco de la playa. Pero aún estaba lo bastante cerca como para que alguna de las grandes olas hiciese que la proa reforzada golpease contra el fondo. No había duda de que informarían que el *Norego* se había soltado y comenzaba su vagabundeo una vez más. Una hora más tarde, agotado y muerto de frío, Max Hanley volvió con su equipo y la siniestra carga.

—Ha sido horrible —afirmó Hanley cuando izaban la LNFR hasta las puertas del garaje de embarcaciones en una de las bandas del barco—. Allí fuera no solo hace un frío del demonio, sino que el cementerio asustaría al mismo Stephen King. Las lápidas son de huesos de ballena tallados y hay una cerca alrededor hecha de costillas tan altas como yo. La entrada en arco está hecha de cráneos del tamaño de un Volkswagen.

—¿Algún problema con desenterrar los restos?

—¿Además de la condena eterna por profanar suelo sagrado?

—No.

—En ese caso, todo ha ido bien. Las tumbas solo tenían unos

treinta centímetros de profundidad y los hombres estaban sepultados en bolsas hechas de lona de vela. Me sorprendió encontrar que la mayoría de ellos se habían descompuesto.

—La tierra debía de estar demasiado helada para poder enterrarlos en invierno, y la primavera es lo bastante cálida como para que las bacterias hagan su trabajo.

—Y ahora ¿qué?

—Ve a calentarte. Mike Trono y su equipo acaban de ir de nuevo al barco naufragado. Cuando regresen y tengamos preparado de nuevo el Nomad, comenzará el espectáculo.

—¿Viene mal tiempo?

—Eric dice que será tremendo cuando llegue el alba.

—Entonces no será precisamente coser y cantar.

—Como dicen: Aún no has visto nada.

27

El comandante Espinoza dejó el informe meteorológico sobre la mesa de Luis Laretta. En el pequeño despacho, con la obligada foto del generalísimo Ernesto Corazón en una pared y un cartel de una muchacha en bañador en la otra, el aire estaba denso del humo de los puros.

—Esta tormenta sería la ocasión perfecta para un ataque de las fuerzas especiales estadounidenses. Supondrán que estaremos sentados aquí bien abrigados en nuestros cuarteles, mientras ellos van de un lado a otro colocando explosivos por todas las instalaciones. —Se quedó pensativo por un momento—. Voy a aumentar el perímetro de las patrullas otros tres kilómetros. Si están aquí, habrán saltado en paracaídas lejos de la costa y tendrán que acercarse por tierra.

—Supongo que no creerá que van a atacarnos —dijo Laretta, que acompañó sus palabras con un gesto del Cohiba.

Espinoza le miró con una expresión neutra.

—Me pagan para que estemos preparados, por si lo hacen. No puedo permitirme el lujo de opinar.

—Cada uno tiene su trabajo —respondió el director de las instalaciones, que estaba de acuerdo en que fuesen los soldados los que pasasen frío y no su gente.

Llamaron a la puerta.

—Adelante —gritó Laretta.

Entró Lee Fong, el jefe del equipo de busca chino. Sonreía de oreja a oreja.

—Fong, ¿cómo está usted? —saludó Luis.

—Muy contento. Hemos encontrado el *Mar del Silencio*.

El director casi saltó de la silla.

—¿Tan pronto? Es fantástico. Tenga, le invito a uno de mis puros. —Cuando se sentó de nuevo, cogió una botella de brandy y vasos de papel del cajón.

—Por lo general no fumo —dijo el ingeniero de voz suave—, pero dadas las circunstancias...

—¿Está seguro del hallazgo?

Lee sacó su PDA y buscó una foto. Le entregó el aparato a Espinoza.

—Después de recibir un eco firme en el sónar, bajé una cámara. Admito que la resolución es pobre, pero está mirando la popa de uno de los mayores buques jamás construido.

Para Jorge, la fotografía no era más que una mancha oscura.

—Tendré que aceptar su palabra.

—Confíe en mí. Es el *Mar del Silencio*. Mañana bajaremos hasta el barco y recuperaremos pruebas irrefutables. Intenté comunicarlo cuando estábamos allí, para que enviase una embarcación con buceadores de inmediato, pero no pudimos transmitir. —Aceptó la bebida que le ofrecía Laretta.

—Estoy de servicio —se disculpó Espinoza, cuando Laretta fue a servirle.

—Usted se lo pierde. —El director le saludó con el vaso y después brindó con Lee Fong—. Felicidades. A partir de este momento no hay ninguna duda de nuestros derechos sobre esta tierra y las riquezas frente a sus costas. Debo ser sincero con ustedes. Desde que comenzamos la construcción, siempre he tenido miedo de que descubriesen nuestras operaciones y nos expulsasen. Pero eso se acabó. Estamos aquí para quedarnos.

—¿Se ha puesto en contacto con sus superiores? —preguntó Espinoza a Lee.

—Sí, ahora mismo. Están muy complacidos —manifestó

Fong, orgulloso—. Mi jefe inmediato dice que me concederán una medalla y que nuestra compañía recibirá contratos del gobierno durante años.

—Reclame un buen aumento —le recomendó Laretta, y se sirvió más brandy—. Hágales saber lo que vale.

—Podría hacerlo. Oh, casi lo olvidaba. El barco de la playa.

—¿Qué ocurre? —preguntó Espinoza en tono tajante. Siempre había sospechado del barco, e incluso, pese a haber visto con sus propios ojos que era una ruina, su preocupación no había disminuido.

—Se ha apartado de la playa y comienza a alejarse.

—¿Ha visto humo de las máquinas?

—Oh, no. Se escora mucho. Creo que no tardará en hundirse.

Espinoza lamentó su instante de caridad. Tendría que haber dejado que el sargento Lugones colocara algunas cargas y lo volara en pedazos. Aún no era demasiado tarde. Podía pedirle al capitán del *Guillermo Brown* que hundiese el viejo cascajo con un misil, pero no se le ocurría ninguna razón válida para que la marina desperdiciase una munición tan cara debido a su paranoia. Con un poco de suerte, la tormenta lo hundiría o se lo llevaría tan lejos que no tendría que seguir preocupándose de su presencia.

—Señor Laretta, ¿podría tomar un poco más de su brandy? —preguntó Fong.

—Será un placer. —Luis sirvió un poco más en el vaso de papel de Lee.

El comandante se levantó bruscamente. Algo no iba bien. No era el instinto sino el frío cosquilleo de la premonición lo que le ponía los nervios de punta. Los estadounidenses llegarían. Esa noche o al día siguiente, cuando estallase la tormenta, y destrozarían todo aquello que tanto orgullo despertaba en estos dos hombres.

—Caballeros, no necesito recordarles que hasta que el mundo reconozca formalmente que la península Antártica es territorio soberano argentino, estamos en peligro.

—Vamos, mi querido comandante. —Laretta no tenía aguante para el alcohol. Empezaban a trabársele las palabras—. No hay ningún mal en celebrar nuestro triunfo.

—Puede que no, pero creo que está siendo un poco prematuro. Comunique a sus trabajadores que el toque de queda entra en vigor dentro de una hora, y no habrá excepciones. Mis hombres saldrán de patrulla con la orden de disparar. ¿Entendido?

Laretta recuperó la sobriedad de inmediato.

—Toque de queda dentro de una hora. Sí, comandante.

Espinoza dio media vuelta y salió del despacho. Había exigido mucho a sus soldados desde su llegada, pero esa noche les exigiría todavía más. Para cuando Raúl y él les tuviesen desplegados, no habría un centímetro de espacio sin proteger alrededor de la terminal petrolera y, conociendo la tendencia de los estadounidenses de ir al rescate de otros, doblaría la guardia de los rehenes.

Juan apartó la navaja de su cuello y la limpió en la pila de cobre. La aguda inclinación del *Oregon* le obligaba a sujetarse con la otra mano. Se dio una pasada más, limpió la hoja y la secó con mucho cuidado en la toalla. Su abuelo había sido barbero y le había enseñado que el secreto de mantener una navaja afilada era guardarla siempre bien seca.

Quitó el tapón para vaciar el lavabo y se lavó la cara. Se miró en el espejo sobre el tocador. No estaba seguro de lo que veía. Se sentía orgulloso de la decisión que había tomado, y sin embargo aún pensaba que deberían haber dado la vuelta para ir a Sudáfrica, donde tenía garantizados cinco millones de dólares a la semana, durante las tres siguientes semanas, por limitarse a proteger a un jefe de Estado que no tenía enemigos.

Se secó la cara con una toalla y se puso una camiseta. Habían subido un poco la calefacción, pero tenía la piel de gallina en los brazos y el pecho.

Fue dando saltos sobre una pierna hasta el armario para elegir una de las cinco prótesis para la misión de ese día. Estaban alineadas en el suelo como las botas de un vaquero, pero solo del pie izquierdo. Unos pocos minutos más tarde, acabó de vestirse y salió del camarote para ir a la piscina. Sabía que debía comer algo, pero su estómago estaba cerrado.

El centro de operaciones submarinas era una colmena, con equipos de técnicos que trabajaban en el Nomad 1000 que acababa de regresar con Trono y su grupo. Mike informó que habían colocado las cargas y estaban listas para detonarlas. Su equipo había estado perforando en la parte inferior del glaciar que colgaba sobre la bahía y había rellenado los agujeros con suficientes explosivos para cortar cien mil toneladas de hielo.

Juan puso en marcha algunas de las cámaras exteriores. Estas mostraron un mundo que parecía haberse vuelto loco. La nieve azotaba el barco desde todas las direcciones mientras el viento cambiaba una y otra vez. Las olas eran tan altas que pasaban sobre la cubierta, y cuando golpeaban en la playa tenían la suficiente potencia para mover piedras de cincuenta kilos adelante y atrás como si fuesen guijarros. Miró la estación meteorológica. La temperatura era de doce grados bajo cero, pero el viento hacía que la sensación térmica fuese de treinta bajo cero.

Eddie Seng y Linc se presentaron unos minutos más tarde. Debido al número de pasajeros que confiaban en traer de regreso al barco, el grupo de asalto debía ser el mínimo posible. El Nomad estaba diseñado para diez personas, pero de alguna manera tendrían que meter veintiuna.

Como antes, llevaban las prendas árticas que imitaban las de los soldados argentinos, y también abrigos suficientes para los científicos capturados, guardados en una bolsa impermeable sujeta al submarino. Había otra bolsa similar con los huesos de los noruegos muertos hacía años. Juan seguía sin saber cómo compensaría haber perturbado su sueño eterno.

Maurice apareció junto a Cabrillo con una bandeja. Eran las tres de la mañana, pero se le veía tan despierto e impecablemente vestido como siempre.

—Sé que pocas veces come antes de una misión, capitán, pero tiene que hacerlo. En estas condiciones, el cuerpo quema calorías demasiado rápido. No sé si alguna vez lo había mencionado, pero estuve aquí con la marina real la última vez que los argentinos se mostraron activos en el Atlántico Sur. Los chicos que recuperaron las islas Sándwich del Sur volvieron tiesos como arenques.

Quitó la tapa y le ofreció a Juan una tortilla de jamón y setas. El aroma pareció abrir su estómago. También le recordó algo que había olvidado, así que envió a Maurice de vuelta a la cocina para que lo buscase.

El lanzamiento fue perfecto y muy pronto estuvieron de camino. La primera sospecha de que algo había cambiado ocurrió cuando el minisubmarino pasó cerca del *Almirante Guillermo Brown*. Juan oyó por encima de los demás ruidos que habían puesto en marcha los motores principales. El sonido y la vibración se transmitían a través del agua y resonaban dentro del casco de acero presurizado.

No alterarían sus planes, pero Juan lo interpretó como una mala señal.

A diferencia de la vez anterior, cuando habían amarrado cerca de las embarcaciones, en esta ocasión emergieron en el extremo más alejado del muelle, cerca de donde retenían a los prisioneros. La furia de la tormenta tapó el ruido que hizo el Nomad al salir a la superficie debajo del muelle.

Linc abrió la escotilla un momento después. Salió para mirar, mientras Juan se ponía el abrigo y las gafas. El gigantesco ex SEAL volvió un momento más tarde.

—Tenemos problemas.

—¿Qué ocurre?

—Acabo de observar el muelle con los infrarrojos y he contado tres guardias.

—¿En una noche como esta? —preguntó Eddie.

—Precisamente en una noche como esta —asintió Juan—. Si yo estuviese en el lugar de Espinoza, pensaría que alguien podía aprovechar la tormenta para disimular un asalto, así que desplegaría mis tropas en previsión.

Juan cogió los prismáticos de visión nocturna de Linc y realizó él mismo una exploración, tumbado en el muelle. Vio a los centinelas que había descubierto Linc y, mientras miraba el resto de la base, distinguió más imágenes fantasmales que se movían. En un minuto, contó nada menos que diez hombres de servicio.

—Cambio de planes.

Desde el principio habían tenido la intención de liberar a los prisioneros y llevarles a bordo del sumergible antes de encargarse del buque argentino. Pero con tantos hombres patrullando las instalaciones, las posibilidades de que los descubrieran eran muchas. Ahora tendrían que utilizar el crucero como distracción. Explicó a sus hombres lo que quería que hiciesen y se aseguró de que Max en el *Oregon* le oyese.

—No me gusta —dijo Hanley cuando Juan acabó.

—No tenemos otra alternativa. De lo contrario no podríamos acercarnos ni a tres metros de los científicos.

—Está bien. Avísame cuando estés preparado.

—Acercaos todo lo posible a la cárcel —dijo Cabrillo a los otros dos hombres que le acompañaban—, y esperad mi señal.

Salieron juntos del sumergible; Linc y Eddie cargaban con las bolsas impermeables. Tenían que arrastrarse sobre el vientre y moverse unos centímetros cada vez, para no llamar la atención. Les llevaría veinte minutos llegar hasta la prisión improvisada.

Juan fue en la dirección opuesta. El viento tiraba de sus prendas y convertía cada paso en una lucha. Le venía de cara y después cambiaba de dirección y le empujaba desde atrás. Se le cayó el pañuelo de la cara, y fue como si le hubiesen rociado la piel con lejía.

Tenía que coordinar sus movimientos para aprovechar cuando los argentinos le daban la espalda, aunque el viento le ayudaba. La mayoría de los soldados se movían con la espalda al viento, y daban a Cabrillo la oportunidad de recorrer más terreno cuando las ráfagas eran constantes.

Como la visibilidad seguía siendo escasa, casi tropezó con un soldado que se refugiaba a sotavento de un bulldozer. Se quedó quieto, a no más de dos metros del centinela. El hombre estaba de perfil. Cabrillo se encontraba lo bastante cerca para ver cómo el forro de piel de la capucha se sacudía violentamente. Juan retrocedió un paso, y luego otro, pero se detuvo de nuevo cuando se acercó un segundo centinela.

—Jaguar —llamó el primer guardia cuando vio a su camarada.

—Capibara —respondió el segundo.

Era el santo y seña. Juan sonrió. Era una buena elección. Cuando se apartó del dúo, transmitió la información a Eddie y a Linc por si acaso les daban el alto.

A partir de ese momento, Juan se movió con rapidez, aunque cuando se acercó a un guardia este se volvió en el acto, con el arma si no preparada, sí levantada de manera agresiva.

—Jaguar.

—Capibara —respondió Cabrillo muy tranquilo. El otro hombre bajó la metralleta.

—La única cosa que consuela —comentó el centinela—, es saber que el comandante está aquí con nosotros y no dentro bien abrigado.

—Nunca nos ha pedido hacer algo que él no hiciese. —Juan no tenía ni idea de si eso era verdad, pero había observado lo suficiente a Espinoza para saber que era de esos oficiales que mandan desde la última fila.

—Supongo. Abrígate. —El centinela se alejó para continuar con su ronda.

Juan reanudó la marcha. Diez minutos más tarde, y después de cruzarse con otros tres helados y aburridos centinelas, llegó al edificio de la planta de procesamiento de gas.

—Ya he llegado —comunicó a sus hombres—. ¿Dónde estáis vosotros?

—Aún estamos lejos del objetivo —respondió Linc—. Esto es como Río de Janeiro en carnaval, hay muchísima gente.

—Max, ¿estás preparado?

—Hemos vaciado los tanques de lastre y los motores están en marcha.

—Bien. Permanece a la espera.

Juan abrió la puerta del personal junto a la enorme entrada y se encontró en el vestíbulo. El guardia le dio el alto de inmediato.

—Caimán.

Cabrillo tragó saliva. Tenían otro santo y seña para entrar en el edificio. Maldijo mentalmente la previsión de Jorge Espinoza, mientras repasaba lo más rápido posible todos los nombres de los animales nativos sudamericanos que podía recordar: llama, boa, anaconda, guanaco. A partir de ahí, nada más.

Pasó medio segundo, y el centinela estaba a punto de empezar a sospechar. ¿Capibara es al jaguar como qué al caimán? Predador y presa. Los caimanes comen peces. Es un pez. ¿Cuál? Dijo el único que recordaba.

—Piraña.

El soldado bajó el arma, y Cabrillo tuvo que apelar a toda su capacidad de control para no mostrar su alivio.

—Se supone que no deberías estar aquí.

—Solo es un segundo. Necesito calentarme.

—Lo siento. Ya sabes cuáles son las órdenes del comandante.

—Vamos, hombre. Él no está por aquí ahora.

El soldado pensó unos segundos; luego, una expresión compasiva pasó por su rostro.

—De acuerdo, entra. Pero solo cinco minutos, y si Espinoza o Jiménez aparecen les diré que debías de estar oculto aquí dentro desde antes de que entrara de servicio.

—Cinco minutos. Prometido.

Juan pasó junto al guardia y entró en la instalación, donde la temperatura era la de una selva tropical. Tuvo que quitarse la capucha y desabrocharse el abrigo. Se escuchaba el zumbido de las máquinas que procesaban el gas natural que llegaba por las tuberías desde los pozos en el mar, mientras al otro lado del enorme espacio los hornos trabajaban de firme para mantener la bahía libre de hielo. Cabrillo de nuevo se sorprendió por el tamaño y la complejidad de la instalación argentina.

—Max, estoy dentro. A por ellos.

Juan encontró una de las tuberías de entrada. Sacó un pequeño explosivo y puso en marcha el sensor de movimiento que lo haría detonar. No era extremadamente sensible, pero bastaría.

Se volvió para marcharse justo en el momento en el que cuatro hombres entraban en el vestíbulo. Se habían quitado los chaquetones árticos y, de inmediato, Cabrillo identificó al comandante Espinoza. Le acompañaban el sargento que había estado a bordo del *Oregon* y otros dos suboficiales. Juan se ocultó detrás de una máquina antes de que le viesen.

—¡Le hemos visto! —gritó Espinoza por encima del estrépito—. No complique más las cosas. Salga ahora mismo y no le acusaré de deserción.

Cabrillo echó un vistazo al explosivo; luego a los dos hoscos centinelas apostados junto a la puerta mientras Espinoza y el sargento Lugones se desplegaban para buscarlo.

—Max —susurró con urgencia—, puede que acabe destrozado, pero no te detengas. ¿Me copias? Saldré de aquí de algún modo.

—Recibido —dijo Max con voz firme, del todo consciente de que el director estaba mintiendo sobre la última parte.

Hanley miró ante sí durante un momento y después se obligó a actuar.

—Señor Stone, cinco por ciento de potencia y tense el cable, por favor.

—A la orden. —Eric puso en marcha los inigualables motores del *Oregon* y lo movió hacia delante a un cuarto de nudo.

Un técnico apostado en popa, donde estaba el tambor del cable, comunicó que el cabo comenzaba a tensarse.

Incluso con el viento y las olas golpeando el barco, Eric no necesitó que le dijesen que tirara del cable. Sabía cómo respondía el *Oregon* en casi todas las circunstancias.

—Tensión en marcha, señor Hanley —informó con la habitual formalidad del centro de operaciones cuando había una misión en marcha.

—Bien, aceleración constante. Treinta metros por minuto. No tire bruscamente, muchacho.

—Sí, señor.

Una milla a popa de ellos, el cabo pasaba alrededor del pilón del muelle para ir a la proa del *Almirante Guillermo Brown*. El cabo se tensó como una faja de acero cuando los motores magnetohidrodinámicos encontraron el peso muerto del crucero. Las fuerzas en juego eran enormes. Al principio, el gran buque de combate empezó a moverse casi de manera imperceptible, pero no tanto como para que la tripulación lo atribuyese a algo más que a la acción del viento contra la popa.

Treinta centímetros se convirtieron en sesenta, luego en tres metros. Entonces comenzó a tirar con fuerza del ancla.

Eric continuó dando más potencia y la popa del *Oregon* comenzó a hundirse mientras el agua salía por los tubos impulsores. Pero el resistente pasador que Juan había saboteado con tanto esmero se negaba a ceder los últimos centímetros.

Uno de los ojetes se desprendió de la soldadura, lo que aumentó la tensión en los restantes. El *Oregon* tiró con más fuerza, y un segundo ojete se desprendió del casco; solo quedaban seis. El metal rozó contra el metal mientras el empecinado pasador luchaba por hacer su trabajo.

Se soltó, y la energía acumulada en la fibra de carbono durante el frenético tensado se descargó de pronto. El *Almirante Guillermo Brown* pasó de estar casi inmóvil a moverse a una velocidad de seis nudos; un cambio brusco que hizo caer de rodillas a más de un tripulante.

El capitán, que se encontraba en el puente pese a lo temprano que era, apartó la vista del informe que estaba revisando. Comprendió en el acto qué había sucedido. En cambio, los marineros que le acompañaban en el puente, menos experimentados, parecían desconcertados.

—Dios santo, se ha soltado la cadena del ancla. Timonel, deme potencia. Atrás un tercio.

—Atrás un tercio, señor.

Con un par de turbinas a gas capaces de suministrar una potencia de veinte mil caballos, el capitán estaba seguro de que podría contrarrestar cualquier viento. Pero cuando observó el medidor de la velocidad sobre el fondo, vio que no disminuía, sino que aceleraba.

—Timonel, atrás a media potencia. ¡Rápido! —El muelle estaba tan solo a ochocientos metros y parecía que iban hacia una de las plantas procesadoras. En cuestión de segundos, comprendió que aquel viento era el más potente que jamás había visto—. ¡A toda potencia!

El *Oregon* podía superar los veinte mil caballos del crucero sin el menor esfuerzo. Eric había aumentado la potencia al ochenta por ciento y observó con satisfacción que ahora arrastraban al *Almirante Brown* a una velocidad de dieciséis nudos. Por encima de la distancia y la tormenta, oyó la sirena que comenzaba a avisar de un riesgo de colisión.

Mientras iba en línea recta hacia la planta de gas, el crucero estaba tan indefenso como un velero sin mástiles. El capitán no encontraba ninguna explicación. Ordenó todo a babor para apartarlos de una colisión directa, y el buque respondió moviéndose de lado en el viento. El destino o el azar iba a estrellarlo donde él quería, y le pareció que los deseos humanos no contaban para nada. Un momento antes del impacto miró de nuevo la velocidad sobre el fondo y se quedó atónito al ver que el viento empujaba su navío a casi veinte nudos.

Cabrillo no tenía tiempo para sutilezas. Lo que ocurriese en ese edificio y las pruebas que dejaran atrás, quedarían incineradas cuando el *Almirante Guillermo Brown* entrase como una tromba por la pared frontal. Colocó un silenciador en su FN Five-seveN y esperó a que Espinoza y el sargento desapareciesen de la vista.

Utilizó las tuberías como cubierta y se acercó a la puerta. Los dos guardias apostados allí mantenían una vigilancia constante; sus ojos no dejaban de buscar, pero el enorme espacio del tamaño de un hangar estaba mal iluminado, así que Juan estaba a cubierto. Continuó mirando atrás para asegurarse de que los otros no le habían rodeado. Apuntaba con su arma cuando una válvula de presión a su espalda soltó un chorro de vapor. Los guardias miraron en su dirección. Uno de ellos tuvo que verle, porque levantó el arma y disparó una ráfaga de tres tiros.

Fue un milagro que los proyectiles no alcanzasen una válvula crítica y los hiciese volar a todos.

Se agachó, pero volvió a erguirse en el acto y abatió a uno de los soldados con dos disparos en el pecho. El centinela que había dejado entrar a Cabrillo cruzó la puerta, con el arma levantada y apoyada contra el hombro. El segundo guardia se había refugiado detrás de unos bidones de doscientos litros.

Cabrillo disparó dos veces, y el centinela cayó. Las puertas se cerraron detrás del cadáver.

A lo lejos oyó las órdenes de Espinoza.

El guardia espió por detrás de los bidones, pero Juan disparó a cinco centímetros de sus ojos para mantenerle inmóvil y después se lanzó al ataque. La distancia era de apenas seis metros. Llegó a los bidones y saltó con facilidad por encima de uno de ellos. El guardia todavía estaba tumbado boca abajo; no había oído el asalto ni lo esperaba.

El error de Juan fue creer que como el líquido escapaba por el orificio abierto por la bala de alta velocidad, todos los demás estarían llenos. No lo estaban.

Apoyó el pie en la tapa de uno, pero el impulso lo tumbó

junto con los otros tres siguientes. Juan cayó en medio de los bidones y por un momento no supo qué había pasado. El guardia se recuperó en una fracción de segundo. Se puso de rodillas y dirigió la metralleta hacia Cabrillo. Como un novato, Juan había soltado la pistola al caer, así que descargó un puntapié para empujar uno de los bidones contra el hombre y desviar su disparo. La ráfaga de tres balas rebotó en una de las vigas del techo.

Cabrillo sujetó el bidón vacío contra su pecho y se abalanzó sobre el guardia. Cuando chocaron, el soldado cayó, y Juan aprovechó el impulso para llevar todo su peso, sumado al del bidón, sobre el pecho del hombre. Las costillas se partieron como ramas secas. El hombre estaba caído pero no muerto. Juan buscó frenéticamente su automática. Se estaba agachando para recogerla de entre dos bidones cuando la pared a su lado quedó perforada por una serie de agujeros de nueve milímetros.

Espinoza le reconoció en el acto. Sus ojos se abrieron como platos; después los entornó con satisfacción, cuando comprendió que el hombre que le había causado tantos problemas y tanta vergüenza estaba a seis metros de él y desarmado.

—Sé que está solo —dijo Espinoza. El sargento Lugones apareció a su lado—. Sargento, si mueve un músculo, mátelo.

Espinoza dejó su metralleta sobre la carcasa de un transformador eléctrico y desenfundó la pistola para dejarla junto a la otra arma. Se acercó a Juan con una mirada petulante, la expresión de un matón que ha arrinconado al más débil de los chicos del barrio. Ni siquiera se detuvo cuando una sirena marina dio la alarma en el exterior.

—No sé quién es usted ni de dónde ha venido, pero le aseguro que voy a disfrutar mucho con su muerte.

Juan soltó un rapidísimo puñetazo que alcanzó a Espinoza en la nariz y le hizo retroceder un paso.

—Habla demasiado.

El argentino cargó con una furia ciega. Cabrillo le dejó acercarse, pero cuando estaban a punto de chocar pecho contra pecho, se hizo a un lado y empujó a Espinoza en la espalda cuando pasó. Se estrelló contra una pared con la suficiente fuerza para que sonase el metal.

—Pelea como una chica —le provocó Juan.

—Lugones, dispárele en el pie.

El sargento no vaciló. El único disparo retumbó en la instalación y Juan cayó con fuerza, sujetándose el miembro herido y gritando de dolor.

—Muy bien, ahora veremos cómo pelea —se burló Espinoza—. De pie, o el próximo disparo le destrozará la rodilla.

Juan intentó dos veces levantarse, pero las dos cayó sobre el suelo de cemento.

—Ahora no es tan duro, ¿verdad, sargento?

—No, señor.

Espinoza se movió a un lado de Juan y lo levantó con un tirón salvaje. Cabrillo se tambaleó como un borracho y luchó por no gritar. Espinoza mantuvo una mano en el brazo de Juan y le descargó dos tremendos puñetazos en el vientre. Juan se tambaleó y a punto estuvo de arrastrar al argentino en la caída.

—Patético —dijo Espinoza.

Se agachó para repetir la operación. Juan esperó dócilmente hasta que la cabeza de Espinoza estuvo a treinta centímetros. Entonces levantó las dos manos, apoyó una en la barbilla del hombre y la otra en la parte de atrás del cráneo. Desde esta posición de desventaja en el suelo, consiguió reunir la bastante fuerza para retorcer la cabeza de Espinoza y partirle la columna vertebral.

El cuerpo se desplomó como un saco de patatas y casi le impidió coger su pistola. La levantó y disparó antes de que el cerebro del sargento Lugones pudiese procesar lo que acababa de ocurrir. La primera bala le atravesó el estómago y salió por el otro lado; la segunda le alcanzó en la frente.

La sirena sonó de nuevo en un largo y continuado bramido que indicaba que no podía estar a más de quince metros de donde se encontraba Juan. Consiguió ponerse de pie; la bala no había causado ningún daño en la pierna ortopédica. Estaba corriendo hacia la puerta cuando un choque titánico pareció sacudir los cimientos del edificio y la proa afilada del crucero de guerra *Almirante Guillermo Brown* atravesó la pared de la planta procesadora.

Seis segundos más tarde, las ondas de choque generadas por el acero y el cemento que caían fueron suficientes para detonar la bomba.

El edificio comenzó a estallar como el *Hindenburg* sobre Lakehurst.

28

Linc y Eddie estaban en posición debajo de la cárcel cuando comenzó a sonar la sirena del barco. El viento hacía que la triste bocina pareciese el aullido de agonía de un animal. Esperaron un segundo; entonces, uno de los guardias asomó la cabeza por la puerta para intentar descubrir la causa del ruido. Por supuesto, no podía ver más allá de cuatro metros, así que se apresuró a cerrar.

Franklin utilizó un pequeño taladro a batería para hacer un agujero de apenas medio centímetro de diámetro por encima de su cabeza. Gracias a su anterior reconocimiento, había calculado más o menos dónde estaban los muebles, de modo que taladró justo debajo de un viejo sofá, para que los guardias no viesen el agujero. Por ahí, Eddie insertó la cánula de un recipiente de gas. El gas era un fuerte anestésico que dejaba inconsciente a una persona normal en unos cinco minutos y el efecto duraba alrededor de una hora, según la concentración. Antes habían desconectado el sistema de ventilación del edificio, desenchufando la unidad exterior.

Muy pronto las voces ahogadas de los guardias que charlaban se fueron apagando hasta que se oyó el ruido de los cuerpos que caían al suelo; después, silencio.

Los dos hombres de la corporación salieron de debajo de la estructura y entraron por el vestíbulo. Eddie llevaba los abrigos en una bolsa cerrada al vacío, para reducir su tamaño, mientras Linc cargaba la bolsa con los huesos del cementerio. No llevaban los dieciocho esqueletos completos, pero sí los suficientes para convencer a los argentinos. La bolsa pesaba unos cien kilos, pero le costaba mucho menos cargarla que a Eddie sus treinta kilos de abrigos.

Una vez que se pusieron las máscaras antigás, se apresuraron a cruzar la puerta que daba acceso a la zona de los guardias, para que no escapara el gas. Había cuatro hombres. Dos tumbados en el sofá, uno en el suelo y el otro sentado a la mesa con la cabeza apoyada en la superficie como si echase una siesta. Eddie soltó un poco más de gas debajo de la nariz de cada hombre para que durmiesen más tiempo, y luego Linc y él corrieron hacia atrás asegurándose de que la puerta no quedara bloqueada.

La sección trasera del edificio constaba de seis habitaciones separadas por un pasillo central. Había sido el alojamiento de la pequeña fuerza de vigilancia antes de que secuestrasen a los científicos de sus bases de investigación. Linc permaneció de guardia cerca de la puerta para poder oír si alguno de los soldados se movía.

Eddie abrió la primera puerta a su derecha y encendió la luz. Desde el suelo, tres mujeres alzaron los ojos. Los días de cautiverio las habían dejado aturdidas, así que le miraron desconcertadas. Se tranquilizó al ver que los carceleros no les habían quitado los zapatos. Se levantó la máscara antigás, y cuando vieron que era asiático su interés aumentó.

—Me llamo Eddie Seng, y he venido a sacarlas de aquí. —En vista de que ninguna dijo nada, preguntó—: ¿Alguna de ustedes habla inglés?

—Sí —respondió una mujer robusta con el pelo color paja—. Todas. Somos australianas. ¿Quién es usted?

—Hemos venido a rescatarlas. —Sacó una navaja y cortó el plástico de la bolsa cerrada al vacío para mantener los abrigos planos. La bolsa aumentó tres veces su tamaño original.

—Parece americano. ¿Pertenece al ejército?

—No. Pero eso ahora no importa. ¿Alguna de ustedes está herida?

—Nos han tratado bien. No creo que hayan herido a nadie.

—Bien. Ayúdenme a liberar a los demás.

Minutos más tarde, habían abierto las seis celdas y los dieciocho científicos estaban libres. Bombardearon a Eddie con preguntas sobre por qué los habían capturado, y él intentó responder lo mejor que pudo. Sin embargo, las preguntas se detuvieron en seco cuando abrió la segunda bolsa y sacó un cráneo humano.

—Necesitamos que los argentinos crean que todos ustedes han muerto en un incendio —explicó Eddie antes de que nadie pudiese preguntar—. Habría graves repercusiones diplomáticas si sospechan que han escapado.

La sirena del *Almirante Guillermo Brown* comenzó a tocar una única y prolongada nota. Eddie se dio prisa. Repartió el número correcto de restos en cada habitación mientras Linc les daba a los guardias una última dosis de gas. Luego comenzaron a embadurnar las paredes y el suelo con gel de gasolina púrpura. No llevaban tanto como hubiesen deseado, pero Eddie era un experto incendiario y conocía la mejor forma de distribuirlo para que el edificio ardiese hasta los cimientos.

—Contengan el aliento cuando pasen por la siguiente habitación —avisó—. Una vez fuera, manténgase en un grupo compacto y síganme.

Una terrible explosión sacudió la noche.

Cuando el navío de guerra chocó contra la planta procesadora y detonó la bomba, el estallido destrozó la tubería de gas sumergida que llegaba desde las plataformas. La súbita bajada de presión se registró en el acto, y las válvulas de control de las plataformas se cerraron para prevenir un peligroso retroceso. El impacto del *Almirante Guillermo Brown* había dañado las válvulas de la costa, así que cuando el enorme buque fue arrastrado todavía más adentro, no había ningún sistema para contener el gas de las tuberías. Una espectacular bola de fuego con el aspecto de un hongo se elevó por encima de las instalaciones, al mismo tiempo que las llamas inflamaban el gas en las tuberías.

La bahía estalló.

Kilómetros de tuberías de gas se encendieron en un estallido propio de un cataclismo que levantó masas de agua en la noche, mientras la luz de la brutal detonación encendía el cielo de un extremo a otro del horizonte. Tres de las plataformas camufladas acabaron arrancadas de las columnas de soporte.

Las explosiones secundarias y terciarias destrozaron las paredes exteriores de la planta de gas hasta derrumbarlas del todo y enviaron una lluvia de restos incendiados por toda la bahía y por encima de los edificios de la base.

A bordo del *Almirante Guillermo Brown*, el blindaje protegió a toda la tripulación excepto a los hombres del puente. Podrían haberse salvado con solo tirarse al suelo, pero todos permanecieron de pie, atónitos, mientras el crucero se incrustaba en la planta. Acabaron cercenados cuando todas las ventanas estallaron y barrieron el puente con una lluvia de cristales.

Inadvertida en la furia de la tempestad de fuego, otra pequeña carga estalló debajo de la proa del crucero. Era el artefacto que había colocado Juan en el cabo de arrastre para soltarlo. Cuando estalló, el cabo de fibra de carbono se soltó de los restantes ojetes y el *Oregon* dejó de arrastrarlo.

Tan pronto como estalló la planta, Mark Murphy detonó los explosivos que Mike Trono y su equipo habían colocado en el glaciar que daba sobre el lugar donde el almirante Tsai Song había ordenado hundir hacía ya cinco siglos el *Mar del Silencio*. Habían perforado en el hielo y rellenado los agujeros con agua que, al congelarse, contendría el estallido. Las múltiples explosiones, calculadas con gran precisión, formaron una resonancia armónica que fue lo bastante poderosa para cortar una enorme placa de hielo como un cuchillo. El nuevo iceberg era del tamaño de una torre de oficinas de Manhattan. Las doscientas cincuenta mil toneladas de hielo cayeron a la bahía y se partieron cuando chocaron contra el fondo. La ola que creó abarcaba toda la columna de agua y fue de costa a costa. Su potencia era tal que cualquier cosa que encontraba en su camino se veía arrastrada como hojas a una alcantarilla. El magnífico barco del tesoro, que se había mantenido intacto durante tanto tiempo en su reino helado, no fue una excepción. La ola lo tumbó sobre el fondo marino y lo arrastró por la larga pendiente que llevaba a las profundidades de la llanura abisal. Cuando las aguas por fin se calmaron, no quedó ni rastro de que alguna vez hubiese existido.

Eric Stone sintió que el segundo barco estaba libre y cortó la potencia de los tubos impulsores.

—Ya está —anunció con la mirada puesta en la gran pantalla en la pared frontal del centro de operaciones.

La cámara montada en el morro de un avión dirigido por control remoto mostraba el infierno en la tierra: las llamaradas se elevaban más de treinta metros sobre la planta de procesamiento y las bolsas de gas pasaban por encima de la bahía todavía en llamas. Parecía como si incluso el mar estuviese ardiendo. Gómez Adams, que controlaba el pequeño avión, utilizaba un joystick para pilotarlo sobre las instalaciones. Mantener al poco estable aparato volando a través de la tormenta probaba su capacidad como piloto. Pequeños incendios salpicaban el paisaje allí donde los restos que salían despedidos de la planta de gas continuaban ardiendo. Pero otro fuego llamó su atención: de otro edificio, muy apartado del estallido, asomaban llamas por el techo.

—Al parecer, Eddie y Linc están haciendo su parte —comentó.

Un segundo más tarde, el jadeo de Eddie sonó en la sala desde los altavoces instalados en el techo.

—Los dieciocho estamos sanos y salvos.

Pero Max Hanley tenía otra preocupación.

—¿Habéis oído o visto al director?

—Negativo. Lo último que sé de él es que estaba en la planta. ¿No se ha comunicado contigo?

—¡No, maldita sea! Lo único que dijo fue que encontraría la manera de salir.

—¿Qué quieres que hagamos?

Por mucho que Max desease evitarlo, sabía que Eddie y su grupo de científicos rescatados acabarían por llamar la atención.

—Vuelve al sumergible lo más rápido posible. Quizá Juan ya va de camino. Puede que se le haya averiado la radio.

—Vamos hacia allá.

Hanley intentó llamar a Cabrillo en todas las frecuencias que sus radios podían coger. No obtuvo respuesta. Supuso que Juan no había conseguido salir cuando estalló la planta de procesamiento. No había tenido tiempo. Se había sacrificado por el éxito del plan.

La situación en tierra no podía ser más caótica. El teniente Jiménez no conseguía encontrar al comandante, y la disciplina que habían inculcado a sus hombres parecía haberse evaporado. Aquello era el comienzo del ataque estadounidense y, sin embargo, muchas de sus tropas abandonaban las posiciones para mirar el incendio. Les gritó que volviesen a sus puestos y se preparasen para el ataque. Los suboficiales se sumaron a los gritos y, poco a poco, consiguieron que los soldados atendieran a sus obligaciones.

Los trabajadores civiles no hicieron caso del toque de queda y salieron de sus dormitorios para ver el espectáculo dantesco. Cuando Jiménez les gritó que volviesen a entrar en las casas, no obtuvo la menor respuesta. A los pocos minutos de comenzar el incendio, había más de un centenar de hombres en el exterior.

Un cabo se acercó a Jiménez y saludó.

—Teniente, no son los estadounidenses.

—¿Qué? ¿Qué ha dicho?

—No son los estadounidenses, señor. El crucero se soltó de las amarras y fue a la deriva hasta chocar con la planta. Eso fue lo que causó la explosión.

—¿Está seguro?

—Yo mismo lo vi. Prácticamente una cuarta parte del barco está incrustada en el edificio.

Jiménez no se lo podía creer. ¿Un accidente había causado todo esto?

—¿Ha visto al comandante Espinoza?

—No, señor. Lo siento.

—Si le ve, dígale que estoy investigando la planta.

—Señor. Sí, señor.

Jiménez estaba a punto de cruzar el complejo cuando oyó el inconfundible tableteo de un arma automática. Esto no era ningún accidente. Echó a correr hacia donde sonaban los disparos.

En el mismo momento en el que las explosiones iluminaron el cielo desgarrado por la tormenta, Linc comenzó a llevarse a los prisioneros a través del vestíbulo, mientras Eddie utilizaba un mechero para prender el gel de gasolina. Se encendió mejor de lo que esperaba. Los paneles de madera eran de ínfima calidad, hechos de serrín y cola, dos productos muy inflamables. En cuestión de segundos, una densa nube de humo empezó a desprenderse de la capa superior.

Se aseguró de ser la última persona en salir. Corrió a través de la habitación donde los guardias continuaban inconscientes. Dejó la puerta abierta, para que el aire fresco les reanimase, aunque el verdadero motivo era avivar el fuego y no ofrecer a aquellos hombres ninguna misericordia.

Tal como Cabrillo había previsto, los argentinos habían perdido momentáneamente el control de la situación. Los soldados habían abandonado sus sectores de vigilancia y los civiles se mezclaban con las tropas.

A menos de un kilómetro de distancia, el incendio en la planta de gas ardía con un color naranja y amarillo a través de la cortina de nieve arrastrada por el viento. Eddie no necesitó verlo para saber que el edificio había quedado completamente en ruinas. Sin aquella instalación, los hombres no tendrían manera de proporcionar energía a la base. En un momento, la corporación había conseguido que los argentinos, en vez de ser los amos de la península Antártica, fueran personas que necesitarían ser rescatadas en escasos días o se arriesgarían a morir congeladas. Su ilusión de anexionarse esa tierra había acabado. El mundo no se echaría atrás para dejar que reconstruyesen lo perdido.

Ahora, lo único que faltaba era largarse de allí.

No le gustaba que fuesen un grupo tan numeroso, porque podían atraer la atención; sin embargo, nadie parecía verles. La mayoría de los soldados se iban acercando al incendio para ver qué había pasado.

Transmitió su informe al *Oregon*, y se preocupó tanto como Max por la desaparición de Juan. Pero conocía al director y estaba casi seguro de que estaría subiendo a bordo del submarino en ese mismo momento.

Continuaron a paso rápido, pero sin correr. Los edificios estaban muy juntos y solo era cuestión de tiempo que pasasen por una esquina ciega y se encontrasen con un centinela.

Linc había cedido a Eddie la posición de cabeza, para que una vez que llegasen al sumergible este pudiese ir a la cabina sin tener que pasar por encima de los pasajeros.

El guardia le estaba dando la espalda cuando Eddie le vio. A lo lejos, el terreno blanco daba paso al océano negro. El muelle estaba a noventa metros.

Más por intuición que por haberlo oído, el soldado se volvió con el arma preparada.

—Jaguar —gritó.

—Capibara —respondió Eddie.

El soldado hizo una pregunta. Seng, que no hablaba español, comprendió que Linc tendría que haberse quedado en cabeza. Eddie se llevó la mano enguantada a la capucha fingiendo que no había oído la pregunta. Sin hacer caso de la pantomima de Seng, el centinela se acercó para mirar a las personas que le acompañaban. Aunque parecían indistinguibles debajo de los gruesos abrigos, no había manera de disimular que tres eran mucho más bajos de lo normal. Lo bastante para ser mujeres, y en las instalaciones no había ninguna.

Fue directamente hacia la rubia, cuyo nombre era Sue, y le apartó la capucha para dejar a la vista su rostro de querubín. Levantó la metralleta y le apuntó a quemarropa entre los ojos. Nunca sabrían si tenía la intención de tirar. Linc le abatió con tres disparos.

En un arranque de inspiración, Eddie levantó su metralleta y vació un cargador entero en el aire. Los soldados estaban nerviosos, no tenían información de lo que estaba pasando y, sin duda, les habían dicho desde su llegada que los comandos estadounidenses podrían atacarles cualquier día. Incluso los más veteranos estarían ahora mismo muy asustados, así que un momento después de la ráfaga de Eddie, un joven recluta al otro lado de la base vio una sombra que creyó que era un boina verde y abrió fuego. Como si hubiesen abierto una esclusa, los hombres comenzaron a disparar a diestro y siniestro; el tableteo de las metralletas se alzaba por encima del rugido del incendio y el aullido del viento.

Linc comprendió la jugada de inmediato. Empujó el cadáver con la punta del pie.

—A este pobre tipo lo mataron sus compañeros.

—Es lo que creerán. Me sorprendería si no se matan algunos más entre ellos.

Reanudaron la marcha y tardaron muy poco en llegar al muelle. El tiroteo no había cesado en ningún momento, algo que les favoreció hasta que una bala perdida alcanzó a uno de los científicos en una pierna. Cayó al suelo con las manos sujetándose la herida y gimiendo.

No era una herida de vida o muerte, al menos por el momento, así que Linc lo recogió de la nieve y se lo cargó al hombro casi sin interrumpir el paso.

Debajo del muelle, el sumergible se había alejado un poco de la amarra, así que Eddie tuvo que tirar del cabo para acercarlo. Saltó a bordo y abrió la escotilla.

—¿Juan? —preguntó sin esperar a estar dentro. No obtuvo respuesta. El director aún no había vuelto.

—Eddie —llamó Linc desde la cubierta—. Échame una mano.

El ex SEAL bajó al hombre herido a través de la escotilla. Tenía la pernera empapada de sangre, y seguía manando de la herida. El proyectil había rozado la arteria femoral. Eddie acostó al científico en uno de los bancos acolchados y estaba a punto de ponerse a trabajar en la herida cuando otro de los rescatados entró y se apresuró a apartarle.

—Soy médico.

Eddie no necesitó oír nada más. Corrió a la cabina y se sentó en el puesto del piloto.

—Max, ¿puedes oírme? —preguntó en el micrófono, mientras se ocupaba de preparar el submarino para regresar al *Oregon.*

—¿Alguna señal de Juan? —quiso saber Hanley.

—No. Ahora estamos cargando el Nomad. No está aquí.

El silencio se prolongó quince segundos. Veinte.

—¿Cuánto tiempo crees que podrás quedarte ahí? —preguntó finalmente Max.

—No dispongo de tiempo. Tengo a uno de los científicos herido. Al parecer puede desangrarse. Necesita ir a la enfermería lo más pronto posible. —Cada vez que había una misión en marcha, la doctora Huxley y su equipo estaban de guardia en la enfermería para tratar cualquier accidente que se produjese.

Eddie miró por encima del hombro a lo largo del sumergible. Los bancos estaban llenos, y los científicos comenzaban a tener que sentarse sobre las rodillas de sus colegas. No ayudaba que el herido ocupase cuatro plazas mientras el doctor trabajaba para salvarle la vida. Permanecían callados, pero todos sonrieron a Eddie cuando vieron su mirada.

—Doctor —llamó Eddie—, tardaremos media hora en llegar a nuestro barco, pero hay un equipo de cirujanos de primera que nos espera. ¿Qué posibilidades tiene? La vida de otro hombre depende de su respuesta.

El médico, un noruego que se había tomado un año sabático en la Antártida llevado por su sed de aventuras, se tomó su tiempo y consideró todas las variables.

—En ese caso, para que este hombre sobreviva debemos marcharnos en cinco minutos.

Eddie volvió a la radio.

—Max, puedo esperar a Juan diez minutos; después tenemos que marcharnos. —Calculó que el médico se había dado un pequeño margen.

—Cada segundo que puedas arañar cuenta, ¿me oyes? Cada segundo.

Doce minutos más tarde, el sumergible desapareció debajo de las aguas negras de la bahía.

Cabrillo no había aparecido.

29

Pasaron treinta y seis horas antes de que el tiempo mejorase lo suficiente para que el gobierno argentino enviase otro Hércules C-130. En esas pocas horas, la Antártida recordó a los hombres abandonados en la península la razón por la cual los humanos no eran más que intrusos temporales en sus costas. Si bien no se habían visto forzados a recurrir al canibalismo, como algunos de los uruguayos del equipo de rugby perdidos en los Andes, los hombres estaban casi reducidos a la impotencia sin el suministro de gas natural. Se habían visto obligados a utilizar fogones portátiles para calentarse la comida y a compartir el calor corporal para no congelarse. A pesar de los daños sufridos en el choque, entre ellos un boquete en la proa, el *Almirante Guillermo Brown* acogió a más de doscientos de los supervivientes, mientras el resto se alojaba en dos de los edificios dormitorio, abrigados como mejor podían para protegerse de las bajísimas temperaturas ahora que carecían de calefacción.

El general Philippe Espinoza fue el primero en bajar por la rampa cuando el gran avión de carga se detuvo en la pista de hielo detrás de la base. Raúl Jiménez le esperaba y le recibió con un saludo impecable. El general había envejecido diez años en la semana que llevaba Jiménez sin verle. Unas bolsas grandes como uvas colgaban debajo de los párpados inferiores y su complexión rubicunda había perdido gran parte del color.

—¿Alguna noticia de mi hijo? —preguntó de inmediato.

—Lo siento, señor. No. —Subieron a bordo de un quitanieves que les esperaba—. Es mi deber informarle que se vio a un grupo de cuatro hombres que entraban en la planta procesadora minutos antes del accidente. No se han encontrado sus restos.

Espinoza recibió la noticia como si le hubiesen dado un puñetazo. Sabía que su hijo nunca abandonaría su puesto, y, por consiguiente, era obvio que Jorge había sido uno de esos cuatro.

—Primero mi esposa y ahora esto —murmuró.

—¿Su esposa? —preguntó Jiménez demasiado rápido.

Espinoza no percibió la inquietud del teniente, y dado su estado emocional llegó incluso a darle una explicación.

—Cogió a nuestros hijos y me dejó. Lo peor fue que me traicionara.

Jiménez tuvo que luchar para que la emoción no apareciese en su rostro. Maxine había abandonado a su marido, y sabía que lo había hecho para que pudiesen estar juntos. Su corazón amenazaba con saltarle del pecho. La noticia era la mejor que podía haber oído, así que las siguientes palabras que salieron de la boca del general fueron todavía más dolorosas.

—Tras recibir el aviso de la Aduana diciendo que había dejado Argentina, conseguí que dos agentes la estuviesen esperando cuando el avión aterrizó en París. Fue recibida por dos hombres y llevada de inmediato al cuartel general de la DGSE.

Jiménez sabía que era la central de espionaje francés.

—No sé si siempre había sido su agente —añadió Espinoza—, o si la hicieron cambiar de bando más tarde, pero la verdad sigue siendo la misma: es una espía.

En aquel instante, Jiménez comprendió que ella le había sacado a él tanta información como la que había conseguido del general. Recordó la última vez, en las orillas del arroyo, cuando él le habló del secuestro de una profesora estadounidense y que la tenían prisionera en el apartamento de los Espinoza en Buenos Aires. Maxine había transmitido la información a sus superiores, y ellos habían preparado el rescate.

—Y ahora mi hijo Jorge está muerto. —El general luchó por dominar su dolor y por fin consiguió controlarse—. Dime que esto es obra de los estadounidenses para que pueda tener mi venganza.

—He estado trabajando con Luis Laretta, el director de las instalaciones civiles, y el comandante Ocampo, el primer oficial a bordo del *Almirante Guillermo Brown*. Nuestra conclusión preliminar es que se soltó el ancla y que, a consecuencia de ello, el navío, empujado por el viento huracanado, fue a la deriva hasta acabar embistiendo la planta de gas. Después del primer estallido, los incendios secundarios destruyeron los otros tres edificios, incluido un taller y el dormitorio donde teníamos prisioneros a los científicos capturados de las otras bases.

—¿No te parece demasiado conveniente? Dos cosas que los estadounidenses deseaban, la base reducida a cenizas y los prisioneros en libertad.

—Señor, no fueron liberados. Todos murieron en el incendio, sus restos quedaron reducidos a trozos de hueso chamuscados. El total de bajas es de dieciséis muertos, sin incluir a los extranjeros. Ocho en el puente del crucero, cuatro más y un centinela en la planta, dos murieron en el incendio con los prisioneros y otros dos cuando los hombres se asustaron y comenzaron a disparar a las sombras. —A Jiménez le costó mucho decir esto último porque había estado al mando y la falta de disciplina recaía sobre él—. No hemos encontrado ninguna prueba de que fuese otra cosa que un trágico accidente.

El general no hizo ningún comentario. Aún tenía que digerir la cuádruple pérdida: su esposa y los dos hijos pequeños, su hijo mayor y, probablemente debido a este desastre, su carrera. Miró fijamente hacia delante; su cuerpo solo se movía cuando el quitanieves pasaba por algún tramo escarpado. Rodearon la última colina y la base apareció ante ellos. Visto desde el aire, los daños en la planta procesadora de gas eran considerables. Pero a nivel de tierra, parecía mucho peor.

La mitad del edificio, suficientemente grande para dar cabida a dos aviones Jumbo, era un humeante agujero en el centro de toneladas de tuberías rotas y ennegrecidas. Habían apartado el *Almirante Guillermo Brown* y ahora estaba amarrado en el muelle. La parte de popa no había sufrido daños, pero desde el puente hasta la proa las consecuencias de la explosión y el fuego lo habían convertido en un cascarón calcinado. Gracias a la maestría de los constructores rusos, no habían muerto más hombres a bordo.

Al otro lado de la bahía se veían los soportes de tres de las plataformas petrolíferas, de las cuales solo quedaban los brazos de las grúas que asomaban sobre las olas y marcaban su posición. El hielo comenzaba a formarse alrededor de los restos; en cuestión de días, toda la bahía sería una placa de hielo.

—El señor Laretta dice que aún podemos bombear petróleo de las plataformas que quedan a los tanques de almacenamiento, pero, sin medios para procesar el gas natural, no tendremos energía para la operación —dijo Jiménez cuando el silencio se hizo insoportable—. Pero ha comentado que podrían traerse máquinas portátiles para el procesamiento, lo que nos permitiría comenzar la reconstrucción.

Espinoza continuó sentado como una estatua.

—De todos modos deberíamos evacuar a la mayor parte del personal hasta que traigamos combustible y el procesamiento esté en marcha —continuó Jiménez—. Laretta dice que solo necesita veinte hombres para empezar. Vendrán más, desde luego, cuando sea el momento, pero por ahora no hay suficientes recursos para mantener al resto con vida. Había olvidado preguntarle, general, ¿cuándo llegarán los otros aviones?

Se habían acercado a los restos humeantes de la planta procesadora. Espinoza abrió la puerta y saltó al hielo. No se molestó en cubrirse con la capucha, como si desafiase a ese lugar. No había nada más que la Antártida pudiese hacerle. Permaneció mudo mientras el viento aullaba desde el océano y el aire traía el olor del metal quemado.

—Jorge —susurró.

Jiménez se sorprendió al ver cuánto afectaba a Espinoza la muerte de su hijo. Por las historias que el comandante le había contado a lo largo de los años, y viéndoles a los dos juntos, había llegado a creer que el padre veía a su hijo solo como otro soldado bajo su mando.

—Jorge —repitió Espinoza en voz baja. Luego su voz se volvió firme y furiosa—. Has fracasado y no has tenido el coraje de enfrentarte a mí, ¿verdad? Has muerto como un estúpido para evitar responder por tus errores. Has cabalgado tanto sobre mis hombros que cuando ha llegado el momento de andar por tu cuenta ya no has sabido hacerlo.

Se volvió hacia Jiménez.

—¿Aviones? No habrá ningún avión. Los hombres vivirán o morirán según su ingenio. Pondrás en marcha esta instalación de nuevo o morirás congelado. Mientras nuestros amigos chinos respalden nuestro juego, debes permanecer aquí y hacer legítima nuestra reclamación. Ahora, háblame del buque misterioso que estaba varado cerca de aquí.

Espinoza había pasado de cordero a león con tanta rapidez que Jiménez tardó un segundo de más en responder, así que el general gritó:

—¡Teniente, sus faltas ya han sido anotadas, no las haga todavía más graves!

—¡Señor! —Jiménez se puso en posición de firmes—. Tan pronto como mejoró el tiempo, ordené que nuestro helicóptero realizase una inspección a lo largo de la costa, porque había algo extraño en ese barco y su hijo me dijo que le preocupaba. No encontraron el barco y, dada su situación cuando lo vimos por última vez, creo que se hundió durante la tormenta.

—¿Hundido?

—Sí, señor. Cuando lo abordamos hace varios días, los niveles inferiores estaban inundados y cuando se alejó de la playa, el día anterior a la tormenta, escoraba por una de las bandas. Es poco probable que resistiera más de unas pocas horas a los embates de la tormenta. Una tormenta lo bastante fuerte como para romper el ancla del *Almirante Guillermo Brown* tuvo que hundir sin problemas el viejo carguero.

Aquella era otra coincidencia que a Espinoza no le gustaba. Sin embargo, una consulta en la base de datos de la compañía Lloyd's mostraba que un barco llamado *Norego*, que encajaba con la descripción del informe de su hijo, se había perdido con toda la tripulación hacía casi dos años. Por lo tanto, era creíble que hubiese ido a la deriva todo este tiempo y su presencia allí fuese una casualidad.

No sabía que Mark Murphy y Eric Stone habían entrado en el sistema informático de la gigantesca compañía de seguros y habían introducido la información. También habían hecho lo mismo en la base de datos de la Junta Internacional de Seguridad Marítima, por si alguien investigaba más a fondo.

Al final, todo se reduciría a lo que hicieran sus aliados chinos. Si continuaban dando apoyo a Argentina, contarían con su protección para reconstruir la base. Si, en cambio, retiraban su apoyo, Espinoza no podría hacer otra cosa que ordenar una evacuación completa, a pesar de su anterior estallido.

Dos horas más tarde, mientras Espinoza estaba en el despacho de Luis Laretta y este le explicaba los planes de reconstrucción, llegó una llamada por radio de la embarcación de los expertos chinos. Lee Fong y su equipo habían zarpado en cuanto había amainado la tormenta con el plan de enviar buceadores al *Mar del Silencio* y regresar con pruebas definitivas, las necesarias para convencer al mundo de que la reclamación de Pekín sobre la península era legítima.

El aparato receptor estaba en una mesa cerca del general, así que él mismo atendió la llamada.

—No, no soy el señor Laretta —explicó—. Soy el general Philippe Espinoza. Estoy con él en su despacho.

—General, es un honor hablar con usted —respondió Lee—. Y permítame comunicarle las condolencias de mi gobierno por la muerte de su hijo. Apenas le conocí, pero parecía un excelente oficial y un buen hombre.

—Gracias —dijo Espinoza. En su voz había una mezcla de vergüenza y dolor.

—General, no es mi deseo aumentar su carga; sin embargo, debo comunicarle que el *Mar del Silencio* ya no está aquí.

—¿Qué?

—Hay un glaciar que da a la bahía donde hundieron el barco, y en gran parte se rompió durante la tormenta. Uno de mis hombres cree que las ondas expansivas del estallido de la planta de procesamiento puedan ser la causa, pero las razones no son importantes. Lo importante es que la ola que creó al caer al agua arrancó el pecio de donde estaba. Hemos rastreado el rumbo posible y no hemos encontrado ninguna señal del junco.

—Continuarán buscando. —Era más una pregunta que una afirmación.

Hubo una pausa antes de que el chino respondiese.

—Lo siento, pero no. He hablado con mis superiores y ellos han valorado la situación. Me han ordenado que suspenda la búsqueda y evacue a mi equipo tan pronto como sea posible. Con la pérdida de nuestro submarino, la base tan dañada y sin ninguna prueba sólida de que mi país fue el primero en explorar esta región, están poco dispuestos a enfrentarse con nuevas condenas internacionales.

—Sin duda logrará encontrar el *Mar del Silencio* en un par de días. Sabe que está ahí.

—Lo sabemos, pero más allá de la bahía, el fondo marino se hunde hasta una profundidad de más de dos mil metros. Podría llevar un mes o más, y tal vez seguiríamos sin encontrarlo. Mi gobierno no está dispuesto a alargar la busca durante tanto tiempo.

Era el último clavo en el ataúd. Al alba de la mañana siguiente, el Hércules despegó de regreso a Argentina, cargado con el primer grupo de hombres que dejaban la península. A diferencia de César, habían cruzado el Rubicón solo para ser enviados de vuelta por lo que creían que era el destino, pero que en realidad habían sido Juan Cabrillo y la corporación.

Una densa y oscura nube flotaba sobre el *Oregon* mientras navegaba rumbo noroeste camino de Sudáfrica. Llegarían un par de días tarde para proporcionar el servicio de seguridad para la visita de Estado del emir kuwaití, pero una rápida negociación del pago había resuelto el problema.

El barco era ahora como un zombi. Podía funcionar, pero no tenía alma. Juan estaba por todas partes y, por lo tanto, también su ausencia. Habían pasado cuatro días desde su muerte y la tripulación seguía sin hallar consuelo desde que comprendieron que no volvería.

Sin Juan para guiarlos, se estaba hablando de disolver la corporación, unas discusiones que Max Hanley no hacía nada por controlar.

Mark Murphy estaba sentado a su mesa en su camarote jugando partidas de backgammon en internet. Era pasada la medianoche, pero pensar en dormir era imposible. Más que cualquier otro, temía por el futuro. Su inteligencia le había aislado socialmente durante toda su vida, y hasta que se unió a la corporación no había encontrado un lugar donde no solo encajaba sino que florecía. No quería perderlo. No quería volver a un mundo donde las personas lo tomaban por excéntrico, o lo utilizaban como un ordenador ambulante, como sucedía cuando trabajaba para la industria de defensa.

Las personas del *Oregon* eran su familia. Aceptaban su idiosincrasia, o al menos la toleraban, y para Murphy era suficiente. Si se disolvían, había ahorrado suficiente dinero para no tener que trabajar nunca más, pero sabía que la sensación de aislamiento que lo había atormentado toda su vida volvería de inmediato.

Eliminó a otro participante, el undécimo, y estaba a punto de comenzar otra partida cuando vio que parpadeaba la señal del correo electrónico. Con la esperanza de encontrar un entretenimiento más interesante que otra partida de backgammon, abrió su correo. Tres mensajes. El ordenador central filtraba el spam para el resto de la tripulación, pero, aunque no sabía por qué lo hacía, Mark permitía que muchos entrasen en su ordenador. Los mensajes basura eran mejor que no tener ninguno.

Uno era spam. El segundo era una jugada en una larga serie de partidas de ajedrez que disputaba contra un profesor jubilado israelí. Tenía al hombre en mate en otros cuatro movimientos, pero el viejo físico no lo había visto venir. Envió su respuesta y miró en la dirección del último mensaje.

No conocía a nadie en la Universidad de Pensilvania, pero la palabra en la casilla del asunto le resultaba intrigante. Decía «Solitario». Sin duda era una de esas páginas de citas universitarias, pero lo abrió de todas maneras.

> Hola, ¿me recuerdas? Hasta hace poco era director de una gran corporación. Ahora soy el rey de una colonia de pingüinos aquí en la base científica Wilson-George. Mis amigos tuvieron que dejarme atrás. No sabían que había abandonado la planta de procesamiento de gas y escapado en la confusión después del estallido. Supongo que no tendría que haber roto mi radio en la pelea. He pasado los últimos cuatro días caminando por la nieve para llegar a este lugar, sin otra cosa que comer que las barras de proteínas que llevaba en mi pierna de contrabandista, la que tiene la pantorrilla hueca. Tengo el generador en marcha y abundante comida, así que mi principal problema es la soledad. ¿Alguna idea?

Cabrillo había firmado:

> Abandonado en la Antártida.